$7.50

MEISTERWERKE
DER
DEUTSCHEN
SPRACHE

CONSULTING EDITOR: *Klaus A. Mueller* UNIVERSITY OF CALIFORNIA, BERKELEY

MEISTERWERKE DER DEUTSCHEN SPRACHE

Edward Diller

Roger A. Nicholls

James R. McWilliams

THE UNIVERSITY OF OREGON

Random House · New York

Acknowledgments are gratefully
extended to the following authors,
publishers, and agents
for their kind permission to
quote from copyrighted material.

Manesse Verlag for ,,Elegie,"
by Walther von der Vogelweide,
trans. by Max Wehrli, from
Deutsche Lyrik des Mittelalters.

Verlag Ullstein GmbH for extracts from
Bahnwärter Thiel, *by Gerhart Hauptmann.*
Copyright © 1963 by Verlag Ullstein GmbH,
Frankfurt am Main-Berlin.

Verlag Helmut Küpper vormals Georg Bondi
for ,,Komm in den totgesagten park"
and ,,Vogelschau," by Stefan George.

Insel Verlag for ,,Herbst," ,,Der Schwan,"
and ,,Frühling ist wiedergekommen,"
by Rainer Maria Rilke,
from Sämtliche Werke.

S. Fischer Verlag for extracts from
Tonio Kröger, *by Thomas Mann,*
taken from Thomas Mann, Novellen, Bd. II.
Copyright 1922 by S. Fischer Verlag, Berlin.

Schocken Books Inc. for extracts
from Der Prozeß, *by Franz Kafka.*
Reprinted by permission of
Schocken Books Inc. from Der Prozeß
by Franz Kafka.
Copyright 1946, © 1963 by Schocken Books Inc.

PREFACE

The majority of students learning German terminate their studies after the second year, usually with little knowledge of the scope or sequence of German literature. These students have probably studied the grammar thoroughly, learned some conversational German, and read a few short stories or plays, but, for the most part, they lack an overview of the rich tradition of German literature. *Meisterwerke der deutschen Sprache* presents a sampling of the major German literary masterpieces with the hope that second-year students may become acquainted with the wealth of German literature from early times to the present. By introducing the students to original texts at this stage of their studies, we hope to stimulate their interests and show that writers like Goethe, Schiller, Mann, and Kafka are not impossible to read and understand. In this way, students may be inspired to read further on their own and perhaps continue formal studies in German.

With the exception of the lyric poetry, the selections chosen are necessarily extracts from larger works. We have attempted, however, to choose episodes or situations that are comprehensible in themselves and yet convey a sense of the mood and spirit of the whole. In certain cases, particularly the *Nibelungenlied, Meier Helmbrecht,* and *Dantons Tod,* we have chosen a series of scenes in order to give a feeling of the movement and action of the entire work. On other occasions, we have selected one or two central and significant episodes. Few alterations have been made in the texts. We have attempted to avoid abridgments within the extracts themselves but in a few cases have deleted brief passages in order to include as much of the action as possible. In some instances, particularly in *Der abenteuerliche Simplicissimus* and other selections from the older literature, we have modernized the language to make it more easily understandable.

Introductory notes in English provide essential background material for the individual works and, together with the texts, furnish the students with an informal survey of German literature. The principal literary movements from the Middle Ages to the early twentieth century are represented, and the student is given a sense of the changing conventions and styles that have affected the history of German literature.

For each selection we have provided a series of questions and exercises,

v

which can be utilized by teachers who wish to avoid the burden of too much translation. Tapes are also provided for the development of listening comprehension in the area of literary criticism. These were recorded in the language laboratory of the University of California, Berkeley, under the direction of Klaus A. Mueller, with the following members of the Department of German faculty serving as speakers: Marianne Bonwit, Richard Brinkmann, Reinhard E. Hennig, Gerd Hillen, Andrew O. Jászi, Winfried G. Kudszus, Heinz Politzer, Hinrich C. Seeba, Blake Lee Spahr, and Frederic C. Tubach. This laboratory program consists of a series of brief dialogues, each one of which deals with a topic discussed in the textbook.

With selections taken from such varied sources, the vocabulary is necessarily large. Uncommon words and constructions have been translated into English in the margins in order to simplify the students' tasks. Inevitably, there are some difficulties of comprehension in literary selections of this kind, but the vocabulary has been made with these texts in mind, and the students should find help here which will provide them with growing confidence in their reading abilities.

Edward Diller
Roger A. Nicholls
James R. McWilliams

ACKNOWLEDGMENTS

We would like to express a note of thanks
to Professor Otto Hietsch
of the University of Regensburg
for his kindness in reviewing and correcting
a major part of the manuscript.
No lesser gratitude goes to Dr. Hans Näf,
Basel, Switzerland, who made necessary
corrections on the drills and exercises, and
to Armin Wishard, Washington
State University, for his help with the
audiolingual material.

CONTENTS

MEISTERWERKE
DER
DEUTSCHEN
SPRACHE

Runenstein vom Ramsundsberg in Schweden. Siegfried tötet den Drachen Fafnir. 11. Jahrh.

THE HEROIC EPIC C. 1200

Das Nibelungenlied

The first great achievements of German literature were produced during a short period in the Middle Ages—in the late twelfth and early thirteenth centuries. From these few decades a whole variety of works have come down to us, subtle and perceptive, bold and full of life. Among them are the great courtly epics—Gottfried von Straßburg's beautiful love poem Tristan und Isolde, *and Wolfram von Eschenbach's* Parzival *with its vision of the Christian Fool and the quest for the Holy Grail.*

Das Nibelungenlied (Song of the Nibelungs) *belongs to another tradition, that of the heroic and popular epic. It is based on stories of old Teutonic and Hunnish heroes, legends handed down in Europe for generations, which go back to the period of the* Völkerwanderung *(migration of peoples) in the fourth and fifth centuries* A.D. *These same stories are told in the early Scandinavian* Eddas *and the* Volsunga Saga, *but the* Nibelungenlied *is a later, more sophisticated work. Here tales from various sources are united:*

3

the adventures of the old Teutonic hero Siegfried and his wooing of Kriemhild are brought into association with the stories of the destruction of the Burgundian people by the Huns.

The anonymous medieval German poet of the Nibelungenlied *wrote for a Christian audience and imposed a superficial coloring of Christian and courtly values on the heroic and semimythical pagan stories. But the excitement of the old tales remains, heightened indeed by the driving power of the author's style and his new structuring of events.*

The significance of the name of the Nibelungen has long been debated. In the course of the poem, it is given to the possessors of a wonderful collection, or Hort, *of gold and precious stones. After Siegfried and his people capture this treasure, they are referred to as the* Nibelungen. *Later, after Siegfried's death, when King Gunther and the Burgundians have seized possession of the treasure, they, too, take over this name.*

The stanza form used in the Nibelungenlied *is worth noting since it is handled with a skill that bears witness to the qualities of the poet. Each stanza consists of four long lines, rhymed in pairs, and each line is divided into two sections. In the first three lines, each section contains three stresses; in the last section of the last line of each stanza, however, we find four stresses instead of three. Normally, the first of these half-lines has an unstressed feminine rhyme; the second half usually ends with a masculine stress. The effect of this rhythm is such that each stanza makes up its own complete unit. This special form controls and restrains the forward direction of the story. The poet frequently has to fill out the strophe before beginning a new step in the action. But it is essentially a supple structure that allows the author to linger on details or to move the action vigorously forward when he wishes.*

The story begins with the introduction of the Burgundian king Gunther, his royal brothers, and his sister, the beautiful Kriemhild. Kriemhild's dream which is interpreted as forecasting happiness followed by disaster, prepares us for the action ahead.

WIE KRIEMHILDEN TRÄUMTE

Viel Wunderdinge melden   die Mären alter Zeit
Von preiswerten Helden,   von großer Kühnheit,
Von Freud' und Festlichkeiten,   von Weinen und von Klagen,
Von kühner Recken Streiten   mögt ihr nun Wunder hören sagen.

Recken heroes, warriors

5 Es wuchs in Burgunden[1]   solch edel Mägdelein,
Daß in allen Landen   nichts Schönres mochte sein.
Kriemhild war sie geheißen   und ward ein schönes Weib,
Um die viel Degen mußten   verlieren Leben und Leib.

Degen heroes, warriors

. . .

[1]**Burgund** Burgundy

Es pflegten sie drei Könige,   edel und reich,
Gunther und Gernot,   die Recken ohne Gleich,
Und Giselher der junge,   ein auserwählter Degen;
Sie war ihre Schwester,   die Fürsten hatten sie zu pflegen.

. . .

5   Zu Worms am Rheine wohnten   die Herrn in ihrer Kraft.
Von ihren Landen diente   viel stolze Ritterschaft   **Ritterschaft** knights
Mit rühmlichen Ehren   all ihres Lebens Zeit,
Bis jämmerlich sie starben   durch zweier edeln Frauen Streit.

. . .

In ihren hohen Ehren   träumte Kriemhilden,
10   Sie zög' einen Falken,   stark-, schön- und wilden;   **Falken** falcon
Den griffen ihr zwei Aare,   daß sie es mochte sehn: **Aare** eagles
Ihr konnt' auf dieser Erde   größer Leid nicht geschehn.

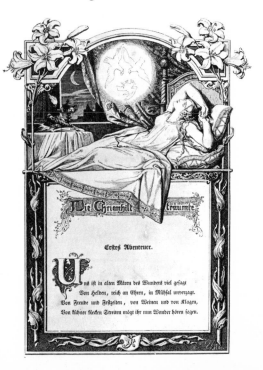

Kriemhilds Traum.
Holzschnitt von F. Unzelmann.
1840

Sie sagt' ihrer Mutter   den Traum, Frau Uten:
Die wußt' ihn nicht zu deuten   als so der guten:
„Der Falke, den du ziehest,   das ist ein edler Mann:

um ihn getan   the end of him

Ihn wolle Gott behüten,   sonst ist es bald um ihn getan."

Reckenminne   hero's love

5   „Was sagt ihr mir vom Manne,   vielliebe Mutter mein?
Ohne Reckenminne   will ich immer sein;
So schön will ich verbleiben   bis an meinen Tod,
Daß ich von Mannesminne   nie gewinnen möge Not."

Verred es nicht don't forswear

„Verred es nicht so völlig,"   die Mutter sprach da so,

10   „Sollst du je auf Erden   von Herzen werden froh,
Das geschieht von Mannesminne: du wirst ein schönes Weib,

Leib   heart

Will Gott dir noch vergönnen   eines guten Ritters Leib."

    . . .

VON SIEGFRIEDEN

Niederlande   lowlands

Da wuchs im Niederlande   eines edeln Königs Kind,
Siegmund hieß sein Vater,   die Mutter Siegelind,

Feste   fortress

15   In einer mächtgen Feste,   weithin wohlbekannt,
Unten am Rheine,   Xanten[2] war sie genannt.

Ich sag' euch von dem Degen,   wie so schön er ward.
Er war vor allen Schanden   immer wohl bewahrt.
Stark und hohen Namens   ward bald der kühne Mann:

20   Hei! was er großer Ehren   auf dieser Erde gewann!

Siegfried war geheißen   der edle Degen gut.

hochbeherztem Mut high-hearted courage

Er erprobte viel der Recken   in hochbeherztem Mut.
Seine Stärke führt' ihn   in manches fremde Land:

schneller   powerful

Hei! was er schneller Degen   bei den Burgunden fand!

    . . .

[2]**Xanten**   German city near the Dutch border

*Ankunft Siegfrieds.
Szene aus
dem gleichnamigen Film,
gedreht unter der Regie
von Fritz Lang.
1922*

Siegfried comes to Worms to win Kriemhild as his bride. Gunther agrees to give Siegfried her hand if he will join him and his followers—among them the grim but loyal Hagen—in an attempt to woo the majestic Brunhild. This queen has a strength far greater than any normal man's, and she demands of her suitors that they surpass her in three contests of strength and skill: hurling a spear, throwing a heavy stone, and jumping. If they fail, they are killed. The task is beyond Gunther's strength, but fortunately Siegfried, made invisible by his magic Tarnkappe *(hood of darkness), comes to Gunther's aid.*

WIE GUNTHER BRUNHILDEN GEWANN

. . .

Brunhildens Stärke   zeigte sich nicht klein:
Man trug ihr zu dem Kreise   einen schweren Stein,
Groß und ungefüge,   rund dabei und breit.   **ungefüge** massive
Ihn trugen kaum zwölfe   dieser Degen kühn im Streit.

5 Den warf sie allerwegen,   wie sie den Speer verschoß.   **allerwegen** always
Darüber war die Sorge   der Burgunden groß.
„Wen will der König werben?"   sprach da Hagen laut:
„Wär' sie in der Hölle   doch des übeln Teufels Braut!"

An ihre weißen Arme   sie die Ärmel wand,
10 Sie schickte sich und faßte   den Schild an die Hand,
Sie schwang den Spieß zur Höhe: das war des Kampfs Beginn.
Gunther und Siegfried bangten   vor Brunhildens grimmem Sinn.

Und wär' ihm da Siegfried   zu Hülfe nicht gekommen,
So hätte sie dem König   das Leben wohl benommen.
15 Er trat hinzu verstohlen   und rührte seine Hand;
Gunther seine Künste   mit großen Sorgen befand.

. . .

Da schoß mit ganzen Kräften   die herrliche Maid
Den Speer nach einem neuen Schild,   mächtig und breit;
Den trug an der Linken   Sieglindens Kind.
20 Das Feuer sprang vom Stahle,   als ob es wehte der Wind.

Des starken Spießes Schneide   den Schild ganz durchdrang,   **Schneide** edge
Daß das Feuer lohend   aus den Ringen sprang.   **lohend** blazing
Von dem Schuße fielen   die kraftvollen Degen: **Ringen** armor rings
War nicht die Tarnkappe,   sie wären beide da erlegen.

25 Siegfried dem kühnen   vom Munde brach das Blut.
Bald sprang er auf die Füße: da nahm der Degen gut
Den Speer, den sie geschoßen   ihm hatte durch den Rand:
Den warf ihr jetzt zurücke   Siegfried mit kraftvoller Hand.

Er dacht': „Ich will nicht schießen   das Mägdlein wonniglich."
Des Spießes Schneide kehrt' er   hinter den Rücken sich;

Speerstange spearshaft

Mit der Speerstange   schoß er auf ihr Gewand,
Daß es laut erhallte   von seiner kraftreichen Hand.

Panzer armor

5   Das Feuer stob vom Panzer,   als trieb' es der Wind.
Es hatte wohl geschoßen   der Sieglinde Kind:
Sie vermochte mit den Kräften   dem Schuße nicht zu stehn;
Das wär' von König Gunthern   in Wahrheit nimmer geschehn.

Brunhild die schöne   bald auf die Füße sprang:
10   „Gunther, edler Ritter,   des Schußes habe Dank!"
Sie wähnt', er hätt' es selber   mit seiner Kraft getan;
Nein, zu Boden warf sie   ein viel stärkerer Mann.

Klafter arm lengths
wägen lift
**des Wurfs der Verhohlne
pflag** the hidden one
executed the throw
kunstvoll skillful

Da ging sie hin geschwinde,   zornig war ihr Mut,
Den Stein hoch erhob sie,   die edle Jungfrau gut;
15   Sie schwang ihn mit Kräften   weithin von der Hand,
Dann sprang sie nach dem Wurfe,   daß laut erklang ihr Gewand.

Der Stein fiel zu Boden   von ihr zwölf Klafter weit:
Den Wurf überholte   im Sprung die edle Maid.
Hin ging der schnelle Siegfried,   wo der Stein nun lag:
20   Gunther mußt' ihn wägen,   des Wurfs der Verhohlne pflag.

Siegfried war kräftig,   kühn und auch lang;
Den Stein warf er ferner,   dazu er weiter sprang.
Ein großes Wunder war es   und kunstvoll genug,
Daß er in dem Sprunge   den König Gunther noch trug.

25   Der Sprung war ergangen,   am Boden lag der Stein:
Gunther war's, der Degen,   den man sah allein.
Brunhild die schöne   ward vor Zorne rot;
Gewendet hatte Siegfried   dem König Gunther den Tod.

Die Überlistung Brunhildes.
Zeichnung von J. S. von Carolsfeld.
Textausgabe 1843

Zu ihrem Ingesinde   sprach die Königin da,   **Ingesinde**   servants
Als sie gesund den Helden   an des Kreises Ende sah:
„Ihr, meine Freund' und Mannen,   tretet gleich heran:
Ihr sollt dem König Gunther   alle werden untertan."   **untertan**   subject

.   .   .

*Each hero claims his bride, and many years pass in happiness and peace. But
Brunhild is still uncertain that her husband really was the hero who won her.
A quarrel over precedence arises between the two queens, and Brunhild charges
that Siegfried has served as Gunther's vassal. Brunhild persuades her weakling
husband Gunther that Siegfried must be killed. During a day of hunting,
Hagen of Tronje, Gunther's fierce vassal, treacherously attacks Siegfried at
the well.*

   *Siegfried is apparently invulnerable, as his skin had been hardened against
all wounds when he bathed in the blood of a dragon he had slain. Like Achilles,
however, Siegfried does have one vulnerable spot—on his shoulder where a
linden leaf fell while he was bathing. Hagen has tricked Kriemhild into
marking this place on his clothing with a silken cross, under the pretense that
he will thus be able to protect her husband from danger. It is here that Hagen
strikes.*

WIE SIEGFRIED ERSCHLAGEN WARD

.   .   .

5   Da sprach von Tronje[3] Hagen: „Ihr edeln Ritter schnell,
   Ich weiß hier in der Nähe   einen kühlen Quell:
   Daß ihr mir nicht zürnet,   da rat' ich hinzugehn."
   Der Rat war manchem Degen   zu großem Leide geschehn.

.   .   .

   Man hieß das Wild auf Wagen   führen in das Land,
10   Das da verhauen hatte   Siegfriedens Hand.
   Wer es auch sehen mochte,   sprach großen Ruhm ihm nach.
   Hagen seine Treue   sehr an Siegfrieden brach.

.   .   .

   Die höf'sche Zucht erwies da   Siegfried daran:
   Den Schild legt' er nieder,   wo der Brunnen rann;
15   Wie sehr ihn auch dürstete,   der Held nicht eher trank,
   Bis der König getrunken;   dafür gewann er üblen Dank.

.   .   .

   Da entgalt er seiner höf'schen Zucht;   den Bogen und das Schwert
   Trug beiseite Hagen   von dem Degen wert.
   Dann sprang er zurücke,   wo er den Wurfspieß fand,   **Wurfspieß**   javelin
20   Und sah nach einem Zeichen   an des Kühnen Gewand.

[3]**Tronje**   Hagen's castle in Tronia, later Kirchheim, in Alsace

Die Ermordung Siegfrieds. Sammelhandschrift. Ende 15. Jahrh.

II

Als der edle Siegfried   aus dem Brunnen trank,
Er schoß ihm durch das Kreuze,   daß aus der Wunde sprang
Das Blut von seinem Herzen   an Hagens Gewand.
Kein Held begeht wohl wieder   solche Untat nach der Hand.

Untat outrage
nach der Hand again

5 Den Gerschaft im Herzen   ließ er ihm stecken tief.
Wie im Fliehen Hagen   da so grimmig lief,
So lief er wohl auf Erden   nie vor einem Mann
Als da Siegfried Kunde   der schweren Wunde gewann,

Gerschaft spearhead

Kunde ... gewann realized

Der Degen mit Toben   von dem Brunnen sprang,
10 Ihm ragte von der Achsel   eine Gerstange lang.
Nun wähnt' er da zu finden   Bogen oder Schwert,
Gewiß, so hätt' er Hagen   den verdienten Lohn gewährt.

Gerstange spearshaft

Als der Todwunde   da sein Schwert nicht fand,
Da blieb ihm nichts weiter   als der Schildesrand.
15 Den rafft' er von dem Brunnen   und rannte Hagen an:
Da konnt' ihm nicht entrinnen   König Gunthers Untertan.

Schildesrand shield's edge

Untertan vassal

Wie wund er war zum Tode,   so kräftig doch er schlug,
Daß von dem Schilde nieder   wirbelte genug
Des edlen Gesteines;   der Schild zerbrach auch fast:
20 So gern gerochen hätte   sich der herrliche Gast.

gerochen avenged

Da mußte Hagen fallen   von seiner Hand zu Tal;
Der Anger von den Schlägen   erscholl im Widerhall.
Hätt' er sein Schwert in Händen,   so wär' es Hagens Tod.
Sehr zürnte der Wunde,   es zwang ihn wahrhafte Not.

Anger meadow

25 Seine Farbe war erblichen;   er konnte nicht mehr stehn.
Seines Leibes Stärke   mußte ganz zergehn,
Da er des Todes Zeichen   in lichter Farbe trug.
Er ward hernach betrauert   von schönen Frauen genug.

Da fiel in die Blumen   der Kriemhilde Mann.
30 Das Blut von seiner Wunde   stromweis niederrann.
Da begann er die zu schelten,   ihn zwang die große Not,
Die da geraten hatten   mit Untreue seinen Tod.

Da sprach der Todwunde: „Weh, ihr bösen Zagen,
Was helfen meine Dienste,   da ihr mich habt erschlagen?
35 Ich war euch stets gewogen   und sterbe nun daran.
Ihr habt an euern Freunden   leider übel getan."

gewogen well-disposed

.   .   .

Kriemhild is implacable in her determination for vengeance. After many years, she marries Etzel (Attila), King of the Huns, only with the understanding that he will aid her plans for revenge.

Gunther and his Burgundian followers accept an invitation to Etzel's court, partly aware of the fate that is to overwhelm them. The story ends in a prolonged and terrible battle in which Kriemhild calls on Etzel's vassals and followers to destroy her enemies. The struggles and personal conflicts reach a climax when Dietrich of Bern (Verona), whose heroic deeds belonged originally to a quite separate cycle of adventures, is induced into the fight to bring about the final defeat of the Burgundian king and his grim warrior Hagen.

WIE GUNTHER, HAGEN, UND KRIEMHILDEN ERSCHLAGEN WURDEN

. . .

Da wußte wohl Herr Dietrich,   daß der kühne Mann
Grimmen Mutes fechte;   zu schirmen sich begann
Der edle Vogt von Berne[4]   vor ängstlichen Schlägen.
Wohl erkannt er Hagen,   er war ein auserwählter Degen.

5 Auch scheut' er Balmungen,[5]   eine Waffe stark genug.
Nur unterweilen Dietrich   mit Kunst entgegenschlug,
Bis daß er Hagen   im Streite doch bezwang.
Er schlug ihm eine Wunde,   die gar tief war und lang.

. . .

Den Schild ließ er fallen: seine Stärke die war groß;
10 Hagen von Tronje   mit den Armen er umschloß.
So ward von ihm bezwungen   dieser kühne Mann.
Gunther der edle   darob zu trauern begann.

Dietrich band da Hagen   und führt' ihn wo er fand
Kriemhild die edle   und gab in ihre Hand
15 Den allerkühnsten Recken,   der je Gewaffen trug.
Nach ihrem großen Leide   ward sie da fröhlich genug.

Da neigte sich dem Degen   vor Freuden Etzels Weib:
„Nun sei dir immer selig   das Herz und auch der Leib.
Du hast mich wohl entschädigt   aller meiner Not:
20 Ich will dir's immer danken,   es verwehr' es denn der Tod."

Da sprach der edle Dietrich: „Nun laßt ihn am Leben,
Edle Königstochter: es mag sich wohl begeben,
Daß euch sein Dienst vergütet   das Leid, das er euch tat:
Er soll es nicht entgelten,   daß ihr ihn gebunden saht."

Vogt governor

unterweilen occasionally

Gewaffen weapons

entschädigt compensated

vergütet makes amends

[4]**Bern** Verona
[5]**Balmung** name of the sword Siegfried had taken from the Nibelungs which fell into the possession of Hagen after Siegfried's death

Da ließ sie Hagen führen   in ein Haftgemach,   **Haftgemach** cell
Wo niemand ihn erschaute,   und er verschlossen lag.
Gunther der edle   hub da zu rufen an: **hub ... an** began
„Wo blieb der Held von Berne?   Er hat mir Leides getan."

. . .

Gunther too is captured by Dietrich and handed over to Kriemhild.

5 Da sprach der Held von Berne: „Königstochter hehr,   **hehr** majestic
So gute Helden sah man   als Geisel nimmermehr   **Geisel** hostages
Als ich, edle Königin,   bracht' in eure Hut.
Nun komme meine Freundschaft   den Heimatlosen zugut."   **Heimatlosen** homeless ones **zugut** to the advantage of

Sie sprach, sie tät' es gerne.   Da ging Herr Dieterich
10 Mit weinenden Augen   von den Helden tugendlich.   **tugendlich** brave
Da rächte sich entsetzlich   König Etzels Weib:
Den auserwählten Recken   nahm sie Leben und Leib.

Sie ließ sie gesondert   in Gefängnis legen,
Daß sich nie im Leben   wiedersahn die Degen,
15 Bis sie ihres Bruders Haupt   hin vor Hagen trug.
Kriemhildens Rache   ward an beiden grimm genug.

Hin ging die Königstochter,   wo sie Hagen sah.
Wie feindselig sprach sie   zu dem Recken da:
„Wollt ihr mir wiedergeben,   was ihr mir habt genommen,
20 So mögt ihr wohl noch lebend   heim zu den Burgunden kommen."

Etzels Vermählung mit Kriemhild.
Hundeshagensche
Nibelungenhandschrift.
15. Jahrh.

Partiturseite aus dem
„Ring des Nibelungen".
Richard Wagners Oper
beinhaltet Teile
des Nibelungenlieds.
19. Jahrh.

Da sprach der grimme Hagen: „Die Red' ist gar verloren,
Viel edle Königstochter.   Den Eid hab' ich geschworen,
Daß ich den Hort nicht zeige: solange noch am Leben
Blieb einer meiner Herren,   so wird er niemand gegeben."

5   „Ich bring' es zu Ende,"   sprach das edle Weib.
Dem Bruder nehmen ließ sie   Leben da und Leib.
Man schlug das Haupt ihm nieder: bei den Haaren sie es trug
Vor den Held von Tronje: da gewann er Leids genug.

Unmutvolle   angry one

Als der Unmutvolle   seines Herrn Haupt ersah,
10   Wider Kriemhilden   sprach der Recke da:
„Du hast's nach deinem Willen   zu Ende nun gebracht;
Es ist auch so ergangen,   wie ich mir hatte gedacht.

„Nun ist von Burgunden   der edle König tot,
Giselher der junge,   dazu Herr Gernot.
15   Den Hort weiß nun niemand   als Gott und ich allein:

verhohlen   hidden

Der soll dir Teufelsweibe   immer wohl verhohlen sein."

Sie sprach: „So habt ihr üble   Vergeltung mir gewährt;
So will ich doch behalten   Siegfriedens Schwert.

Friedel   beloved (Siegfried)

Das trug mein holder Friedel, • als ich zuletzt ihn sah,
20   An dem mir Herzensjammer   vor allem Leide geschah."

Scheide   sheath

Sie zog es aus der Scheide,   er konnt' es nicht wehren.
Da dachte sie dem Recken   das Leben zu versehren.
Sie schwang es mit den Händen,   das Haupt schlug sie ihm ab.
Das sah der König Etzel,   dem es großen Kummer gab.

25   „Weh!" rief der König: „wie ist hier gefällt
Von eines Weibes Händen   der allerbeste Held,
Der je im Kampf gefochten   und seinen Schildrand trug!
So feind ich ihm gewesen bin,   mir ist leid um ihn genug."

Da sprach Meister Hildebrand:[6]   „Es kommt ihr nicht zu gut,
Daß sie ihn schlagen durfte;   was man halt mir tut,
Ob er mich selber brachte   in Angst und große Not,
Jedennoch will ich rächen   dieses kühnen Tronjers Tod."

5 Hildebrand im Zorne   zu Kriemhilden sprang:
Er schlug der Königstochter   einen Schwertesschwang.
Wohl schmerzten solche Dienste   von dem Degen sie;
Was konnt' es aber helfen,   daß sie so ängstlich schrie?

Die da sterben sollten,   die lagen all umher:
10 Zu Stücken lag verhauen   die Königin hehr.
Dietrich und Etzel   huben zu weinen an
Und jämmerlich zu klagen   manchen Freund und Untertan.

Da war der Helden Herrlichkeit   hingelegt im Tod.
Die Leute hatten alle   Jammer und Not.
15 Mit Leid war beendet   des Königs Lustbarkeit,
Wie immer Leid die Freude   am letzten Ende verleiht.

Ich kann euch nicht bescheiden,   was seither geschah,
Als daß man immer weinen   Christen und Heiden sah,
Die Ritter und die Frauen   und manche schöne Maid:
20 Sie hatten um die Freunde   das allergrößte Leid.

Ich sag' euch nicht weiter   von der großen Not:
Die da erschlagen waren,   die laßt liegen tot.
Wie es auch im Heunland[7]   hernach dem Volk geriet,
Hier hat die Mär' ein Ende: das ist das Nibelungenlied.

Titelseite einer
Partitur vom
„Ring des Nibelungen"
aus dem 19. Jahrh.

bescheiden inform
Heiden heathen

(EXERCISES, SEE P. 153)

[6]**Hildebrand** a loyal comrade-in-arms of Dietrich
[7]**Heunland** land of the Huns

4. Szene aus Wagners Oper
„Das Rheingold".
Neuinszenierung in der
New Yorker Metropolitan
Opera unter Herbert
von Karajan.

WALTHER VON DER VOGELWEIDE C.1170-1230

Aus der Weingartner Liederhandschrift.
Um 1300

The Middle Ages in Germany also produced a wealth of lyric poetry, including some of the most beautiful songs in the German language—those of the troubadours and minstrels. Rather than attempt a selection from this rich source, however, we have chosen a few poems from the greatest and most representative of the medieval lyric poets, Walther von der Vogelweide. Across the centuries from this far-off period, some 750 years ago, Walther appeals to us as a living figure, confronting us always with recurrent human experiences. We see in his poems the reflection of his loves, hopes, ambitions, and disappointments.

Ich saß auf einem Steine

The poet considering the human scene is depicted in the conventional pose of reflection—his legs crossed, his elbow resting on his knee, his chin in the palm of his hand.

Ich saß auf einem Steine,
und deckte Bein mit Beine:
darauf setzt' ich den Ellenbogen:
ich hatte in meine Hand geschmogen
5   das Kinn und eine meine Wange.
Da dachte ich mir bange,
wie man zur Welte sollte leben:
keinen Rat konnt' ich geben,
wie man drei Ding' erwürbe,
10   daß keines nicht verdürbe.
Die zwei sind Ehre und fahrndes Gut,
der jedwedes dem andern Schaden tut:
das dritte ist Gottes Hulde,
der zweier Übergulde.
15   Die wollte ich gerne in einen Schrein.
Ja leider des mag nicht sein,
daß Gut und weltliche Ehre
und Gottes Hulde mehre

geschmogen snuggled

fahrndes Gut chattels

Hulde grace
der zweier Übergulde
  which is more value

mehre too

16

zusammen in ein Herze kommen.
Steige und Wege sind ihn' benommen:
Untreue ist in der Saße:
Gewalt fährt auf der Straße:

5   Friede und Recht sind sehre wund.
Die drei haben Geleites nicht, denn eh die zwei werden gesund.

(EXERCISES, SEE P. 155)

benommen	taken away from
Saße	ambush
Geleites	company
denn eh	unless

*Nach der Großen
Heidelberger Liederhandschrift.
Nach 1310*

Gewährung

The poet expresses his joy at the material reward he has received for his work with a frankness of tone that is very modern. External recognition has re-established his confidence.

Ich hab' mein Lehen, all die Welt! ich hab' mein Lehen.
Nun fürcht' ich nicht den Hornung an die Zehen,
Und will alle bösen Herren desto minder flehen.

10   Der edle König, der milde König hat mich beraten,
Daß ich den Sommer Luft und in dem Winter Hitze hab.
Meine Nachbaren dünke ich besser getan:
Sie sehen mich nicht mehr an als ein Gespenst, wie sie einst taten.
Ich bin zu lange arm gewesen ohne meinen Dank.

15   Ich war so voll Scheltens, daß mein Atem stank.
Den hat der König gemachet reine und dazu meinen Sang.

(EXERCISES, SEE P. 156)

Lehen	fief
Hornung	February
dünke . . . getan	I seem in far better state than
einst	once
voll Scheltens	so full of complaints

Elegie

Adopting a traditional theme, the poet here laments the rapid passing of time.

O weh, wohin sind alle meine Jahre verschwunden!
Habe ich mein Leben geträumt, oder ist es wahr?
Was ich immer glaubte, es sei, war das etwas?

20   So habe ich geschlafen und weiß nichts davon.

Zum Sängerkrieg versammelte Minnesänger, Walther in der Mitte. Nach der Großen Heidelberger Liederhandschrift

einst once
vertraut trusted

Nun bin ich erwacht und ist mir unbekannt,
Was mir einst wie meine Hand vertraut gewesen.
Land und Leute, wo ich aufgewachsen bin,
Die sind mir fremd geworden wie eine Lüge.

Gespielen playmates
verödet devastated, laid waste

5   Die meine Gespielen waren, die sind träge und alt.
Verödet ist das Feld, zerstört ist der Wald:
Wenn nicht das Wasser flösse, wie es ehdem floß,

fürwahr truly, indeed
säumig slow, negligent
allenthalben everywhere
Mißgunst jealousy, ill-will

Fürwahr, ich würde meinen, mein Unglück sei groß geworden.
Mich grüßt mancher säumig, der mich einst wohl kannte.
10   Die Welt ist allenthalben voll Mißgunst.
So denke ich an manchen freudenvollen Tag,

entfallen slipped away

Der mir entfallen ist ganz wie ein Schlag ins Meer,
Für immer, o weh!

. . .

(EXERCISES, SEE P. 156)

Unter der Linde

The medieval poetry that we have read so far has been transcribed into modern German. Actually, the writers used earlier forms of the language, known now as Middle High German, which are about as far removed from contemporary German as Geoffrey Chaucer's English is from our own. For the last poem by Walther, the original version has been put side by side with a modern transcript so that the two may be compared.

Minnesang am Hof. Nach der Großen Heidelberger Liederhandschrift

This tender and delicate love poem is probably the best known of all Walther's works. The intense sensuality is never openly expressed but always subtly and charmingly implied.

Unter der Linde	Under der linden
auf der Heide,	an der heide,
wo ich mit meinem Liebsten saß	dâ unser zweier bette was,
da mögt ihr finden,	dâ mugt ir vinden
5 wie wir beide	schône beide
die Blumen brachen und das Gras.	gebrochen bluomen unde gras.
Vor dem Wald in einem Tal,	vor dem walde in einem tal,
Tandaradei!	tandaradei,
sang so süß die Nachtigall.	schône sanc diu nahtegal.

Linde linden tree

Nachtigall nightingale

10 Ich kam gegangen	Ich kam gegangen
zu der Aue,	zuo der ouwe:
mein Liebster war schon vor mir dort.	dô was mîn friedel komen ê.
Da ward ich empfangen,	dâ wart ich enpfangen,
heil'ge Fraue!	hêre frouwe!
15 daß ich bin selig immerfort.	daz ich bin saelic iemer mê.
Hat er mich wohl oft geküßt?	kust er mich? wol tûsentstunt:
Tandaradei!	tandaradei,
Seht, wie rot der Mund mir ist.	seht wie rôt mir ist der munt.

Aue meadow

Da hatte mein Lieber	Dô het er gemachet
20 uns gemachet	alsô rîche
ein Bett von Blumen mancherlei,	von bluomen eine bettestat.
daß mancher drüber	des wirt noch gelachet
lustig lachet,	inneclîche,
Kommt er vielleicht des Wegs vorbei.	kumt ieman an daz selbe pfat.
25 An den Rosen er wohl mag,	bî den rôsen er wol mac,
Tandaradei!	tandaradei,
merken, wo das Haupt mir lag.	merken wâ mirz houbet lac.

Musikanten am mittelalterlichen Hof. Nach der Großen Heidelberger Liederhandschrift

Daß er mich herzte,
wüßt' es einer,
behüte Gott, ich schämte mich!
Wie er da scherzte,
5 keiner, keiner
erfahre das, als er und ich,
und ein kleines Vögelein.
Tandaradei!
   Das wird wohl verschwiegen sein.

Daz er bî mir laege,
wessez iemen
(nu enwelle got!), sô schamt ich mich.
wes er mit mir pflaege,
niemer niemen
bevinde daz, wan er unt ich,
und ein kleinez vogellîn:
tandaradei,
   daz mac wol getriuwe sîn.

(EXERCISES, SEE P. 157)

verschwiegen   discreet

Höfische Minne.
Nach der Großen Heidelberger
Liederhandschrift

WERNHER DER GÄRTNER

Meier Helmbrecht (c. 1270)

The final work in our selection from the Middle Ages comes from a period shortly after the great literary flowering at the turn of the thirteenth century. The dates of Wernher's life and the writing of his most famous work—Meier Helmbrecht—are uncertain, but the epic poem must have been composed in the later half of the century, probably between 1250 and 1280. The relative security of the social order reflected in the earlier literature had disappeared by this time, and Wernher satirized the dangers in the breakdown of the feudal order. As a result of the challenge of legal authority, much power fell into the hands of robber barons and paramilitary groups, which were fostered by the need for troops to fight in the Crusades. Armed bands roamed the countryside. Where earlier poetry had idealized Christian principles of duty and service, above all in the portrayal of the knights, Wernher shows us a cruder and more brutal reality. His language is robust and straightforward, his story simple but full of zest.

Meier Helmbrecht is the son of a peasant, but he has been greatly pampered by his mother and sister and has taken to wearing elegant clothes and having his hair dressed in the manner of a lord. He is unwilling to accept either the confines of his station in life or the daily toil that faces him as a farmer. He longs to live like the knights in luxury and idleness, and determines to make his fortune as a robber. His father desperately entreats him to abandon these dreams.

21

"Folge meiner Lehre;
Nutzen bringt's und Ehre;
wissen doch alle, wohin der treibt,
der nicht in seinem Stande bleibt.
5 Bleibe zu Hause und führe den Pflug.
Am Hofe gibt es Knechte genug.
Wo Du Dich hin wirst wenden,
Not kommt von allen Enden,
bist der alten Knechte Spott,
10 treiben Dich mit Hüh und Hott;
bleibst doch ein Bauer; man lacht Dich aus.
Folg meinem Rate und bleibe zu Haus."
"Ich ein Bauer? Gebt mir ein Pferd,
bin ich des stolzesten Hofes wert,
15 will ich an Sitten vornehm und fein,
wie die ältesten Ritter sein. . . .
Vater laß Reden und Wort.
Mächtig treibt es mich fort."

. . .

*The father continues to plead with his son who
scorns the warning dreams that his father relates.*

. . .

"So hör doch, wenn auch nur wie Wind
20 so leicht all meine Träume sind,
hör noch von einem Traume.
Du standest auf einem Baume,
von Deinen Füßen bis an das Gras
man anderthalben Klafter maß.
25 Auf einem Aste, Deinem Haupte nah,
einen Raben, eine Krähe sah ich da;
sie kämmten Dir Dein blondes Haar,
das lange ohne Pflege war.
Zur Rechten strählte der Rabe Dich.
30 Zur Linken mühte die Krähe sich.
O weh, Sohn, des Traumes.
O weh, Sohn, des Baumes.
O weh der Krähe, o weh des Raben.
O weh des Jammers, den ich soll haben."

. . .

But the son is not to be dissuaded.

35 Auf eine Burg kam er geritten.
Der Ritter pflegte edle Sitten:
lag stets im Streit mit nah und fern.
Wer immer kam, den hielt er gern,

treiben . . . Hott drive you
like a workhorse

*Anfangsseite des
"Meier Helmbrecht" aus dem
Ambraser Heldenbuch.*
1502–1514

Klafter arm's length
Raben raven
Krähe crow
strählte combed

verstand er nur zu reiten
und mit dem Feind zu streiten.
Helmbrecht ward da Geselle.
Das Rauben lernt er schnelle,
5 auch was ein andrer liegen ließ,
in seinen Sack er alles stieß:
das Große wie das Kleine,
ob's Haar hat oder keine,
ob's krumm war oder grade,
10 es war ihm nichts zu schade.

. . .

Auch schätzte er als Bauernkind
das stolze Roß, das feiste Rind.
Er ließ dem Mann nicht Löffelswert.
Er nahm das Wams, er nahm das Schwert.
15 Er nahm den Mantel und den Rock.
Er nahm die Geiß. Er nahm den Bock.
Ob Schaf, ob Widder war ihm gleich.
—Mit eigner Haut bezahlt' er's reich—
Rock, Hemd riß er dem Weibe
20 herunter von dem Leibe,
er nahm den Mantel und das Tuch,
er nahm den Pelz und was sie trug.

. . .

*When Helmbrecht meets his father again he
repudiates the father's illusions that the knights
preserve values of honor and loyalty.*

*Raubritter beim Überfall auf ein Dorf.
Stich von dem Meister des ,,Hausbuchs''.
15. Jahrh.*

es . . . schade it didn't
matter to him
feiste fat
Rind ox
Wams jerkin
Geiß nanny goat
Widder ram

*Zeitgenössische Darstellung
von Raubrittern.
Soester Nequamsbuch.
14. Jahrh.*

Sauf drink

„Von Ehren und von Treuen
singt nicht mein Lied. Heut spielt man auf:
‚Sauf Kamerade! Saufe! Sauf!
Sauf Du das, so sauf ich dies.
5   Leben, schweben wir im Paradies.‘

.   .   .

Wer lügen kann, den hat man gern.
Betrügen ist das Recht der Herrn.
Wer gut mit Worten zu stechen weiß,

Ritterschaft knighthood

der findet der Ritterschaft Lob und Preis.“

*After a time Helmbrecht and his gang are captured
and swift punishment is meted out to them.
Helmbrecht is blinded and crippled. Later his
father turns him away and Helmbrecht meets his
end at the hands of the farmers whom he had
ravaged and plundered.*

10   Hin ging der arme Blinde.
Wohin er kam, woher er ging,
Spott und Lachen ihn empfing.
Die Bauern riefen ihm und dem Knecht:
„Haha, Dieb Helmbrecht,
15   hättest Du wie ich gebaut das Land,
man führte Dich nun nicht an der Hand.“
Ein Jahr voll Leid ist so vergangen.
Dann haben Bauern ihn gehangen.
Ich sag’ euch noch wie das geschah.
20   Ein Bauer ihn im Walde sah,
der ging mit den Gesellen
im Walde Holz zu fällen.
Es war am frühen Morgen,

wußten sich verborgen
knew they were concealed

sie wußten sich verborgen.
25   Als da ein Bauer, dem Helmbrecht einmal
die beste Kuh aus dem Stalle stahl,
den Blinden vorüberkommen sah,
seine Gesellen fragte er da,
ob sie ihm helfen wollten.
30   „Es wird ihm nun vergolten
was er uns allen tat.“

.   .   .

Drauf und dran up and
at him!

„Drauf und dran“ sie alle riefen
und stürzten sich auf ihn.
Er konnte nicht entfliehn.
35   Ihre Fäuste trafen gut.

*Ermordung eines Ritters durch
aufrührerische Bauern unter
der Fahne des Bundschuhs.
Aus den Holzschnitten Schäuffelins
zum „Trostspiegel".
Um 1300*

Sie schlugen ihn bis aufs Blut.
„Nun hüte Deine Haube Helmbrecht."
Die hatte ihm des Schergen Knecht
gelassen, sie war zu verschlissen,
5   nun ward sie ganz zerrissen.
Kein Fetzen blieb beim andern.
Mit Sittichen und Galandern,
mit Sperbern und Turteltauben,
die da waren auf der Hauben,
10   lag nun der ganze Weg bestreut.
Was einst die Frauen so erfreut,
die blonden Locken,
die seidenen Flocken,
blieb nichts beieinander, könnt mir's glauben,
15   zerrissen, zerrauft waren Haare und Hauben.
Der Kopf war zerschlagen;
die Haare lagen
im Schmutz und flogen im Winde.
Kahl stand da der Blinde.
20   Sie hatten kein Erbarmen.
Sie zwangen den Armen,
daß er eine Beichte sprach.
Einen Krumen Erde man ihm brach,
daß er hätte Gottes Beistand
25   in dem höllischen Brand.
Dann hingen sie ihn an einen Baum.
Ich meine, daß auch der vierte Traum
nun wahr geworden wäre.
Hier ist der Schluß der Märe.

· · ·

30   Nun bittet, daß Gott dem gnädig ist,
von dem ihr diese Märe wißt,
und ein gnädiger Richter
ihm bleibe und dem Dichter,
der diese Märe erfand.
35   Wernher der Gärtner ist er genannt.

Haube	cowl
Schergen	constable
verschlissen	threadbare
Fetzen	rag
Sittichen	parakeets
Galandern	crested larks
Sperbern und Turteltauben	sparrow hawks and turtle doves
Flocken	flakes
zerrauft	torn out
eine Beichte sprach	made a confession
Krumen	morsel

(EXERCISES, SEE P.159)

Holzschnitt von Lukas Cranach d. Ä. 1520

MARTIN LUTHER 1483– 1546

Martin Luther's conflict with the Catholic Church is one of the most significant episodes in the history of Western civilization. In 1517, when Luther nailed his ninety-five theses attacking abuses in the Church of Rome on a church door in Wittenberg, a chain of events was started that led to a decisive split in the Christian world. In order to strengthen his cause and bring what he considered to be God's word to the people, Luther began a translation of the Bible. The New Testament appeared in 1522, the Old Testament in 1534. Luther's translations, which went back to the Greek and Hebrew originals, became important for more than their original religious purposes. They formed the basis for a common written language that could be understood by the whole German nation. There had been many previous translations, but they had had only a limited appeal; Luther's genius with the language brought the work alive. His diction was not an artificial literary construction; instead, he went to the people to learn how they spoke: *„Ich sah den Leuten aufs Maul, wie sie redeten, den Leuten im Hause, den Kindern auf der Gasse, dem gemeinen Mann auf dem Markte."* He based his language on his own Saxon dialect, but his deliberate aim was to supersede all local variations: *„Ich habe keine . . . eigene Sprache im Deutschen, sondern brauche der gemeinen deutschen Sprache, daß mich beide, Ober- und Niederländer, verstehen mögen."*

Luther's translation still provides today the basis for the Protestant versions of the Bible in Germany.

Echoes of his language—the rhythm of his phrasing and choice of words—may be heard again and again in German prose and poetry.

It is interesting to compare the Luther translation with the King James Bible, which has similarly stirred an unending response in the writers and poets of the English language. Luther's translation is simpler in tone; he is less colorful and free in his use of imagery, but he has a natural vigor and spontaneity of expression that bring a direct reaction from the reader. Luther uses the popular language; yet within this apparently limited medium he is able to convey the intensity of power and emotion of the original and to move freely from the simple into the majestic and serene.

Das Evangelium des Lukas: Die Bergpredigt

The following selection, taken from Chapter 6 of the Gospel according to St. Luke, relates the beginning of Christ's Sermon on the Mount.

12. Es begab sich aber zu der Zeit, daß er ging auf einen Berg, zu beten; und er blieb über Nacht in dem Gebet zu Gott.

13. Und da es Tag ward, rief er seine Jünger und erwählte ihrer zwölf, welche er auch Apostel nannte:

14. Simon, welchen er Petrus nannte, und Andreas, seinen Bruder, Jakobus und Johannes, Philippus und Bartholomäus,

15. Matthäus und Thomas, Jakobus, des Alphäus Sohn, Simon, genannt Zelotes,

16. Judas, des Jakobus Sohn, und Judas Ischariot, den Verräter.

17. Und er ging hernieder mit ihnen und trat auf einen Platz im Felde und der Haufe seiner Jünger und eine große Menge des Volks von allem jüdischen Lande und Jerusalem und Tyrus und Sidon, am Meer gelegen,

18. die da gekommen waren, ihn zu hören und daß sie geheilt würden von ihren Seuchen; und die von unsaubern Geistern umgetrieben wurden, die wurden gesund.

19. Und alles Volk begehrte ihn anzurühren; denn es ging Kraft von ihm, und er heilte sie alle.

20. Und er hob seine Augen auf über seine Jünger und sprach: Selig seid ihr Armen; denn das Reich Gottes ist euer.

Die Bergpredigt nach Lukas.
Luther-Bibel. 1534.

Es . . . Zeit and it came to pass in those days
Jünger disciples
jüdisch Jewish
Seuchen diseases
umgetrieben vexed

Selig seid Blessed be

absondern banish

Freuet ... hüpfet leap
  for joy
siehe behold
desgleichen in a
  like manner

wohlredet speaks well of

21. Selig seid ihr, die ihr hier hungert; denn ihr sollt satt werden. Selig seid ihr, die ihr hier weinet; denn ihr werdet lachen.

22. Selig seid ihr, so euch die Menschen hassen und euch absondern und schelten euch und verwerfen euren Namen als einen bösen um des Menschensohnes willen.

23. Freuet euch alsdann und hüpfet; denn siehe, euer Lohn ist groß im Himmel. Desgleichen taten ihre Väter den Propheten auch.

24. Aber dagegen weh euch Reichen! denn ihr habt euren Trost dahin.

25. Weh euch, die ihr voll seid! denn euch wird hungern. Weh euch, die ihr hier lachet! denn ihr werdet weinen und heulen.

26. Weh euch, wenn euch jedermann wohlredet! Desgleichen taten ihre Väter den falschen Propheten auch.

27. Aber ich sage euch, die ihr zuhöret: Liebet eure Feinde; tut denen wohl, die euch hassen;

28. segnet die, so euch verfluchen; bittet für die, so euch beleidigen.

29. Und wer dich schlägt auf einen Backen, dem biete den andern auch dar; und wer dir den Mantel nimmt, dem wehre nicht auch den Rock.

Oben: Anfangszeichnung zum Lukas-Evangelium. Luther-Bibel. 1534

Rechts: Titelblatt der ersten vollständigen Bibelübersetzung von Luther.
1534

30. Wer dich bittet, dem gib; und wer dir das Deine nimmt, da fordere es nicht wieder.

31. Und wie ihr wollt, daß euch die Leute tun sollen, also tut ihnen gleich auch ihr.

32. Und so ihr liebet, die euch lieben, was für Dank habt ihr davon? Denn die Sünder lieben auch ihre Liebhaber.

33. Und wenn ihr euren Wohltätern wohltut, was für Dank habt ihr davon? Denn die Sünder tun das auch.

34. Und wenn ihr leihet, von denen ihr hoffet zu nehmen, was für Dank habt ihr davon? Denn die Sünder leihen den Sündern auch, auf daß sie Gleiches wieder nehmen.

35. Vielmehr liebet eure Feinde; tut wohl und leihet, daß ihr nichts dafür hoffet, so wird euer Lohn groß sein, und ihr werdet Kinder des Allerhöchsten sein; denn er ist gütig über die Undankbaren und Bösen.

36. Darum seid barmherzig, wie auch euer Vater barmherzig ist.

37. Richtet nicht, so werdet ihr auch nicht gerichtet. Verdammet nicht, so werdet ihr nicht verdammt. Vergebet, so wird euch vergeben.

38. Gebet, so wird euch gegeben. Ein voll, gedrückt, gerüttelt und überflüssig Maß wird man in euren Schoß geben; denn eben mit dem Maß, mit dem ihr messet, wird man euch wieder messen.

39. Und er sagte ihnen ein Gleichnis: Kann auch ein Blinder einem Blinden den Weg weisen? Werden sie nicht alle beide in die Grube fallen?

40. Der Jünger ist nicht über seinen Meister; wenn der Jünger ist wie sein Meister, so ist er vollkommen.

41. Was siehest du aber einen Splitter in deines Bruders Auge, und des Balkens in deinem Auge wirst du nicht gewahr?

42. Oder wie kannst du sagen zu deinem Bruder: Halt stille, Bruder, ich will den Splitter aus deinem Auge ziehen,—und du siehst selbst nicht den Balken in deinem Auge? Du Heuchler, zieh zuvor den Balken aus deinem Auge und siehe dann zu, daß du den Splitter aus deines Bruders Auge ziehest!

43. Denn es ist kein guter Baum, der faule

Zeichnung zur „Genesis"
aus der Luther-Bibel.
1534

so if
Sünder sinners
barmherzig merciful

Splitter mote, speck
Balkens beam

Heuchler hypocrite

ein jeglicher every
liest gathers
Feigen figs

Hecken bramble bushes

wes . . . über out of the
abundance of the heart the
mouth speaketh

Frucht trage, und kein fauler Baum, der gute Frucht trage.

44. Ein jeglicher Baum wird an seiner eigenen Frucht erkannt. Denn man liest nicht Feigen von den Dornen, auch liest man nicht Trauben von den Hecken.

45. Ein guter Mensch bringt Gutes hervor aus dem guten Schatz seines Herzens; und ein böser Mensch bringt Böses hervor aus dem bösen Schatz seines Herzens. Denn wes das Herz voll ist, des geht der Mund über.

(EXERCISES, SEE P. 161)

Luthers Studierstube
zu Wittenberg.
Zeitgenössische
Lithographie von
Bartholomäus von Erfurt

Ein feste Burg ist unser Gott

Among Luther's many writings are some splendid hymns which he originally wrote to take the place of the traditional Latin church songs. Many of these hymns, for which Luther wrote or adapted the words and composed the music, have become among the best loved in the Protestant world. „Ein feste Burg," often referred to as the "Battle Hymn of the Reformation," is the most famous of all.

Ein feste Burg ist unser Gott,
Ein gute Wehr und Waffen.
Er hilft uns frei aus aller Not,
Die uns jetzt hat betroffen.
5   Der alt böse Feind,
Mit Ernst er's jetzt meint.
Groß Macht und viel List
Sein grausam Rüstung ist.
Auf Erd ist nicht seinsgleichen.

10   Mit unsrer Macht ist nichts getan.
Wir sind gar bald verloren.
Es streit't für uns der rechte Mann,
Den Gott hat selbst erkoren.
Fragst du, wer der ist?
15   Er heißt Jesus Christ,
Der Herr Zebaoth
Und ist kein andrer Gott.
Das Feld muß er behalten.

Und wenn die Welt voll Teufel wär'
20   Und wollt uns gar verschlingen,
So fürchten wir uns nicht zu sehr,
Es soll uns doch gelingen.
Der Fürst dieser Welt,
Wie sauer er sich stellt,
25   Tut er uns doch nicht.
Das macht, er ist gericht't.
Ein Wörtlein kann ihn fällen.

Das Wort sie sollen lassen stahn
Und kein' Dank dazu haben.
30   Er ist bei uns wohl auf dem Plan
Mit seinem Geist und Gaben.
Nehmen sie den Leib,
Gut, Ehr, Kind und Weib,
Laß fahren dahin.
35   Sie haben's kein Gewinn.
Das Reich muß uns doch bleiben.

Ein feste Burg a mighty fortress

erkoren chosen

Zebaoth Lord of Hosts

gericht't judged

(EXERCISES, SEE P. 161)

HANS JAKOB CHRISTOFFEL VON GRIMMELS-HAUSEN C.1621– 1676

Der abenteuerliche Simplicissimus

Grimmelshausen's Der abenteuerliche Simplicissimus (1669) *is undoubtedly the greatest German novel of the seventeenth century. A story of rapidly changing adventures, it follows the tradition of the Spanish picaresque novel (in which the hero is a* picaro, *or rogue) but puts the action into a German setting against the gruesome and brutal background of the Thirty Years' War (1618–1648). The interest of the novel lies not only in the lively adventures but also in the attractive and ironic tone of the narration and in the character of the hero who tells his own story.*

Simplicius, or Simplex, is, as his name indicates, a simpleton or innocent, thrown into a corrupt and brutal world. Brought up as a child in almost total ignorance, he retains much of his simplicity even in the midst of his most lurid adventures. Comic though his repeated follies are, his simplicity serves at the same time as a source of judgment against the world. An eloquent contrast is established between the hero's innocence and the corrupt values that surround him.

Der abenteuerliche Simplicissimus may be regarded as a forerunner of the Bildungsroman (educational novel) which plays an important role in German literature. The hero's multiple adventures and experiences of life gradually lead him and the reader into a new understanding of the world. The moral in Grimmelshausen's case is a Christian one. Early in the story, Simplicius comes into contact with a hermit who teaches him the principles of the Christian faith. Throughout his adventures—Simplicius becomes a soldier, a robber, and a libertine—he retains the dream of returning to a Christian life of reflection, far removed from the temptations of the world.

The Germany of the Thirty Years' War—where the social order has broken down, and corruption, treachery, and cruelty make up the normal pattern of existence—serves in the novel as a model of all worldly life. There is no security in earthly happiness; if Simplicius enjoys a period of peace and apparent well-being, we know it will soon end, and we are constantly waiting for disaster to strike. More than once Simplicius attempts to isolate himself from the world, only to be attracted again by its temptations. Finally, he learns to accept the solitary life of the hermit and is able, in his retreat, to contrast a life of service to God with the transitoriness of worldly pleasures and the absurdities of human ambitions.

Simplicius is brought up in the Spessart, a remote and wooded area of Central Germany where "the wolves howl good-night to each other." The peasant whom Simplicius believes to be his father, or Knan, does not even provide him with a name. In the following scene, however, this life of ignorance is ironically seen as comparable with that of the nobility; his occupation as a shepherd boy becomes a dignified post, serving as training for his future career.

Titelblatt der Erstausgabe von 1668, vordatiert auf 1669

VERMELDET SIMPLICII BÄURISCH HERKOMMEN UND GLEICHFÖRMIGE AUFERZIEHUNG

... Ja, ich war so perfekt und vollkommen in der Unwissenheit, daß mir unmöglich war zu wissen, daß ich so gar nichts wußte. Ich sage noch einmal: o edles Leben, das ich damals führete! Aber mein Knan wollte mich solche Glückseligkeit nicht länger genießen
5 lassen, sondern schätzte, es sei billig, daß ich meiner adeligen Geburt gemäß auch adelig tun und leben sollte; deswegen fing er an, mich zu höhern Dingen anzuziehen und mir schwerere Lektiones aufzugeben.

Knan father
billig only right

Lektiones lessons

BESCHREIBET DIE ERSTE STAFFEL DER HOHEIT, WELCHE SIMPLICIUS GESTIEGEN, SAMT DEM LOB DER HIRTEN, UND ANGEHÄNGTER TREFFLICHER INSTRUKTION

Er begabte mich mit der herrlichsten Dignität, nämlich mit dem
10 Hirtenamt. Er vertraute mir erstlich seine Säu, zweitens seine Ziegen und zuletzt seine ganze Herde Schafe, daß ich selbige hüten, weiden und vermittels meiner Sackpfeife vor dem Wolf beschützen sollte. Damals gleichete ich wohl dem David, außer daß jener, anstatt der Sackpfeife, nur eine Harfe hatte, welches kein schlimmer
15 Anfang, sondern ein gut Omen für mich war; denn von Anbeginn der Welt sind jeweils hohe Personen Hirten gewesen, wie wir denn vom Abel, Abraham, Isaak, Jakob, seinen Söhnen und Mose selbst

begabte endowed
Hirtenamt pastorate
selbige the same
weiden lead to pasture
Sackpfeife bagpipe

Schwähers father-in-law's

in der Heiligen Schrift lesen, welcher zuvor seines Schwähers Schaf hüten mußte, eh' er Heerführer und Legislator über sechshunderttausend Mann in Israel wurde.

· · ·

5 Aber indessen wieder zu meiner Herd' zu kommen, so wisset, daß ich den Wolf ebensowenig kannte als meine eigene Unwissenheit selbsten; deswegen war mein Knan mit seiner Instruktion desto fleißiger. Er sagte: „Bub, sei fleißig, laß die Schafe nicht zu weit auseinander laufen und spiel wacker auf der Sackpfeife, daß der Wolf nicht komme und Schaden tue, denn er ist ein solcher

10 vierbeiniger Schelm und Dieb, der Mensch und Vieh frißt, und wenn du aber fahrlässig bist, so will ich dir den Buckel bläuen."

dir den Buckel bläuen beat you black and blue
Holdseligkeit graciousness

Ich antwortete mit gleicher Holdseligkeit: „Knan sag mir an, wie der Wolf aussieht. Ich habe noch keinen Wolf gesehen." „Ah, du

Eselskopf dolt

grober Eselskopf," antwortete er wieder, „du bleibst dein Leben

15 lang ein Narr. Es nimmt mich Wunder, was aus dir werden wird,

Tölpel blockhead

bist schon solch ein großer Tölpel und weißt noch nicht, was für ein vierfüßiger Schelm der Wolf ist." Er gab mir noch mehr Unterweisungen und wurde zuletzt unwillig, maßen er mit einem

maßen so that
Gebrümmel grumbling
er sich bedünken ließ let himself imagine

Gebrümmel fort ging, weil er sich bedünken ließ, mein grober

20 Verstand könnte seine subtilen Unterweisungen nicht fassen.

MELDET VON DEM MITLEIDEN EINER GETREUEN SACKPFEIF

so . . . machen to play with such abandon
Kröten toads

Da fing ich an mit meiner Sackpfeife so gut Geschirr zu machen, daß man die Kröten im Krautgarten damit hätte vergiften können, also daß ich vor dem Wolf mich sicher genug zu sein bedünkte; und weilen ich mich meiner Meüder erinnerte (also heißen die

besorge was worried
dermaleinst in days to come
Remedium remedy

25 Mütter im Spessart[1]), daß sie oft gesagt, sie besorge, die Hühner würden dermaleinst von meinem Gesang sterben, so beliebte mir auch zu singen, damit das Remedium wider den Wolf desto kräftiger wäre, und zwar ein solch' Lied, das ich von meiner Meüder selbst gelernet hatte.

30 Du sehr veracht'ter Baurenstand,
Bist doch der beste in dem Land,

gnugsam sufficiently

Kein Mann dich gnugsam preisen kann,
Wenn er dich nur recht siehet an.

· · ·

Ja der Soldaten böser Brauch

dir zum Besten for your good

35 Dient gleichwohl dir zum Besten auch,
Daß Hochmut dich nicht nehme ein,

Hab und Gut goods and chattels

Sagt er: Dein Hab und Gut ist mein.

[1]**Spessart** hilly and wooded country east of Frankfurt am Main

Titelkupfer der Erstausgabe von 1668

ALBIS   FLUVIUS   Die Elbe Flu

Bis hierher und nicht weiter kam ich mit meinem Gesang, denn ich
wurde gleichsam in einem Augenblick von einem Trupp Kürassiere
samt meiner Herde Schafe umgeben, welche im großen Wald
verirrt gewesen und durch meine Musik und Hirtengeschrei wieder
5   zurechtgebracht worden waren.
    Hoho, gedachte ich, dies sind die rechten Käuz! dies sind die
vierbeinigten Schelmen und Diebe, davon dir dein Knan sagte,
denn ich sah anfänglich Roß und Mann für eine einzige Kreatur an
und vermeinte nicht anders, als es müßten Wölfe sein; wollte
10 deswegen diesen schrecklichen Centauris den Hundssprung weisen
und sie wieder abschaffen. Ich hatte aber zu solchem End meine
Sackpfeife kaum aufgeblasen, da ertappte mich einer aus ihnen
beim Flügel und schleudert mich so ungestüm auf ein leer Bauernpferd, daß ich auf der andern Seite wieder herab auf meine liebe
15 Sackpfeife fallen mußte, welche so erbärmlich anfing zu schreien,
als wenn sie alle Welt zu Barmherzigkeit hätte bewegen wollen.
Aber es half nichts, wiewohl sie den letzten Atem nicht sparte, mein
Ungefäll zu beklagen: ich mußte einmal wieder zu Pferd—Gott
geb', was meine Sackpfeife sang oder sagte. Und was mich zum
20 meisten verdroß, war dieses, daß die Reuter vorgaben, ich hätte
der Sackpfeif im Fallen wehe getan. Also ging meine Mähr mit
mir dahin, in einem stetigen Trab, bis in meines Knans Hof.
Wunderseltsame Einfälle stiegen mir damals ins Hirn, denn ich

Belagerung Magdeburgs
durch Tilli im
Dreißigjährigen Krieg.
Faksimile eines
Kupferstichs von
Matthaeus Merian

Trupp Kürassiere troop
of dragoons
Käuz fellows

Centauris centaurs
den Hundssprung weisen
chase off like dogs

Barmherzigkeit
compassion

Ungefäll accident

Mähr mare
Trab trot

bildete mir ein, weil ich auf einem solchen Tier säße, dergleichen ich niemals gesehen hatte, so würde ich auch in einen eisernen Kerl verändert werden; weil aber eine solche Verwandlung nicht folgte, kamen mir andere **Grillen** in den K'opf: ich gedachte, diese fremden **Dinger** wären nur zu dem Ende da, mir die Schafe helfen heimzutreiben, **sintemal** keiner von ihnen keines **hinwegfraß**, sondern alle so **einhellig** meines Knans Hofe zueilten. Deswegen sah ich mich fleißig nach meinem Knan um, ob er und mein' Meüder uns nicht bald entgegen gehen und uns willkommen sein heißen wollten; aber vergebens: er und meine Meüder, samt unserm Ursele, welches meines Knans einzige Tochter war, hatten die Hintertür **getroffen** und wollten dieser Gäst' nicht erwarten.

Grillen thoughts
Dinger creatures
sintemal especially as
hinwegfraß devoured
einhellig with one accord

getroffen gone out

*Nach dem
Dreißigjährigen Krieg.
Zeitgenössische
Zeichnung*

SIMPLICII RESIDENZ WIRD EROBERT, GEPLÜNDERT UND ZERSTÖRT, DARIN DIE KRIEGER JÄMMERLICH HAUSEN

. . .

einstelleten hitched up
jeglicher everyone

zu metzgen . . . braten to slaughter, to cook and to roast
Bankett banquet

Gemach chamber

Krempelmarkt flea market

Das erste, das diese Reuter taten, war, daß sie ihre Pferd **einstelleten**, hernach hatte **jeglicher** seine sonderbare Arbeit zu verrichten, deren jede lauter Untergang und Verderben anzeigte, denn ob etliche zwar anfingen **zu metzgen**, **zu** sieden und **zu braten**, daß es aussah, als sollte ein lustig **Bankett** gehalten werden, so waren hingegen andere, die durchstürmten das Haus unten und oben, ja das heimlich **Gemach** war nicht sicher. . . . Andere machten von Tuch, Kleidungen und allerlei Hausrat große Päck' zusammen, als wollten sie einen **Krempelmarkt** anrichten. Was sie aber nicht mitzunehmen gedachten, wurde zerschlagen; etliche durchstachen

Heu und Stroh mit ihren Degen, als ob sie nicht Schaf und Schwein
genug zu stechen gehabt hätten, etliche schütteten die Federn aus
den Betten und füllten hingegen Speck, andere dürr Fleisch und
sonst Gerät hinein, als ob alsdann besser darauf zu schlafen gewesen
5 wäre. Andere schlugen Ofen und Fenster ein, gleichsam als hätten
sie ein' ewigen Sommer zu verkünden. Kupfer und Zinngeschirr
schlugen sie zusammen und packten die gebogenen und verderbten
Stücke ein. Bettladen, Tisch', Stühl' und Bänk' verbrannten sie,
da doch viel Klafter dürr Holz im Hof lag. Häfen und Schüsseln
10 mußten endlich alles entzwei, entweder weil sie lieber Gebratenes
aßen oder weil sie bedacht waren, nur ein' einzig' Mahlzeit da zu
halten.

Kupfer und Zinngeschirr copper and pewter dishes
gebogenen und verderbten bent and ruined
Bettladen bedsteads
Klafter cords
Häfen pots
Gebratenes something roasted

. . .

WIE SIMPLICIUS DAS REISSAUS SPIELT, UND VON FAULEN BÄUMEN ERSCHRECKET WIRD

Ich begab mich herfür, in der Hoffnung, jemanden von meinem
Knan anzutreffen, wurde aber gleich von fünf Reutern erblickt und
15 angeschrieen: „Junge, komm herüber oder—soll mich der Teufel
holen—ich schüttle dich, daß dir der Dampf zum Hals herausgeht."
Ich hingegen blieb ganz stockstill stehen und hatte das Maul offen,
weil ich nicht wußte, was der Reuter wollte oder meinte. Und
indem ich sie so ansah, wie eine Katz' ein neues Scheurtor, sie aber
20 wegen eines Morastes nicht zu mir kommen konnten, welches sie
ohne Zweifel rechtschaffen vexierte, löste der eine seinen Karabiner
auf mich, von welchem urplötzlichen Feuer und unversehnlichem
Knall, den mir das Echo durch vielfältige Verdoppelung grausamer
machte, ich dermaßen erschreckt wurde, weil ich dergleichen
25 niemals gehört oder gesehen hatte, daß ich alsobald zur Erde
niederfiel. Ich regte vor Angst keine Ader mehr, und wiewohl die
Reuter ihres Wegs fortritten und mich ohn Zweifel für tot liegen
ließen, so hatte ich jedoch denselbigen ganzen Tag das Herz nicht,
mich aufzurichten. Als mich aber die Nacht wieder ergriff, stand
30 ich auf und wanderte so lang im Wald fort, bis ich von fern einen
faulen Baum schimmern sah. . . .

Scheurtor barn door
rechtschaffen mightily
Karabiner rifle

unversehnlichem unexpected

*Wandering in the woods, the hero stumbles upon the hermit and is
cross-questioned by him as to his upbringing and background.*

WIE SIMPLICIUS DURCH HOHE REDEN SEINE VORTREFFLICHKEIT ZU ERKENNEN GIBT

EINSIEDEL: Wie heißest du?

SIMPLEX: Ich heiße Bub.

EINSIEDEL: Ich sehe wohl, daß du kein Mägdlein bist. Wie hat dir
35 aber dein Vater und Mutter gerufen?

Einsiedel hermit

Galgenvogel jailbird

*Unterweisung
des Simplicius durch
den Einsiedler.
Erstausgabe 1668*

Rülp lout
grober Bengel
  coarse roughneck
haderte quarreled

Tropf ninny

haben als . . . gemacht
  took care of

Vaterunser Lord's Prayer

SIMPLEX: Ich habe keinen Vater oder Mutter gehabt.

EINSIEDEL: Wer hat dir denn das Hemd gegeben?

SIMPLEX: Ei, mein' Meüder.

EINSIEDEL: Wie heißet dich denn dein' Meüder?

5 SIMPLEX: Sie hat mich Bub geheißen, auch Schelm, ungeschickter Tölpel und Galgenvogel.

EINSIEDEL: Wer ist denn deiner Meüder Mann gewesen?

SIMPLEX: Niemand.

EINSIEDEL: Bei wem hat denn dein' Meüder des Nachts geschlafen?

10 SIMPLEX: Bei meinem Knan.

EINSIEDEL: Wie hat dich denn dein Knan geheißen?

SIMPLEX: Er hat mich auch Bub genennet.

EINSIEDEL: Wie hieß aber dein Knan?

SIMPLEX: Er heißt Knan.

15 EINSIEDEL: Wie hat ihn aber dein' Meüder gerufen?

SIMPLEX: Knan und auch Meister.

EINSIEDEL: Hat sie ihn niemals anders genennet?

SIMPLEX: Ja, sie hat.

EINSIEDEL: Wie denn?

20 SIMPLEX: Rülp, grober Bengel, volle Sau und noch wohl anders, wenn sie haderte.

EINSIEDEL: Du bist wohl ein unwissender Tropf, daß du weder deiner Eltern noch deinen eigenen Namen nicht weißt!

SIMPLEX: Eia, weißt du's doch auch nicht.

25 EINSIEDEL: Kannst du auch beten?

SIMPLEX: Nein, unsere Ann und mein' Meüder haben als das Bett gemacht.

EINSIEDEL: Ich frag' nicht hiernach, sondern ob du das Vaterunser kannst?

30 SIMPLEX: Ja, ich.

EINSIEDEL: Nun so sprich's denn.

SIMPLEX: Unser lieber Vater, der du bist Himmel, heiliget werde Nam, zu kommes dein Reich, dein Wille schee Himmel ad Erden, gib uns Schuld, als wir unseren Schuldigern geba, führ uns nicht in kein bös Versucha, sondern erlös uns von dem Reich, und die Kraft, und die Herrlichkeit, in Ewigkeit, Ama.[2]

EINSIEDEL: Bist du nie in die Kirchen gangen?

5 SIMPLEX: Ja, ich kann wacker steigen und hab' als einen ganzen Busen voll Kirschen gebrochen.

hab . . . gebrochen have often gathered a whole shirtful of cherries

EINSIEDEL: Ich sage nichts von Kirschen, sondern von der Kirchen.

SIMPLEX: Haha, Kriechen,[3] gelt es sind so kleine Pfläumlein? gelt du?

EINSIEDEL: Ach, daß Gott walte, weißt du nichts von unserm Herr
10 Gott?

SIMPLEX: Ja, er ist daheim an unsrer Stubentür gestanden auf dem Helgen, mein' Meüder hat ihn von der Kirchweih' mitgebracht und hingekleibt.

Helgen (Heiligenbild) saint's picture
von der . . . hingekleibt brought home from the church fair and glued up there

EINSIEDEL: Ach, gütiger Gott, nun erkenne ich erst, was für eine
15 große Gnad' und Wohltat es ist, wem Du Deine Erkenntnis mitteilest, und wie gar nichts ein Mensch sei, dem Du solche nicht gibst. Ach, Herr, verleih mir, Deinen heiligen Namen also zu ehren, daß ich würdig werde, um diese hohe Gnade so eifrig zu danken, als freigebig Du gewesen, mir solche zu verleihen.
20 Höre du, Simplex (denn anders kann ich dich nicht nennen), wenn du das Vaterunser betest, so mußt du also sprechen: Vater unser, der Du bist im Himmel, geheiliget werde Dein Nam', zukomme uns Dein Reich, Dein Wille geschehe auf Erden wie im Himmel, unser täglich Brot gib uns heut', und . . . .

25 SIMPLEX: Gelt du, auch Käs' dazu?

EINSIEDEL: Ach, liebes Kind, schweig und lerne, solches ist dir viel nötiger als Käs', du bist wohl ungeschickt, wie dein Meüder gesagt hat; solchen Buben, wie du bist, steht nicht an, einem alten Mann in die Red' zu fallen, sondern zu schweigen, zuzuhören und
30 zu lernen. Wüßte ich nur, wo deine Eltern wohneten, so wollt' ich dich gerne wieder hinbringen und sie zugleich lehren, wie sie Kinder erziehen sollten.

steht nicht an is not becoming

SIMPLEX: Ich weiß nicht, wo ich hin soll, unser Haus ist verbrennet und mein' Meüder hinweg geloffen und wiederkommen mit dem

hinweg geloffen run away

---

[2]Compare Simplicius' recitation with that of **Matthäus 6:9-13: Vater unser, der Du bist im Himmel, geheiliget werde Dein Name, zukomme uns Dein Reich, Dein Wille geschehe, auf Erden wie im Himmel, unser täglich Brot gib uns heut', und vergib uns unsere Schulden, wie wir unsern Schuldigern vergeben. Führe uns nicht in Versuchung, sondern erlöse uns von dem Übel. Denn Dein ist das Reich und die Kraft und die Herrlichkeit in Ewigkeit. Amen.**
[3]**Kriechen** dialect for a small type of plum.

Ursele, und mein Knan auch, und unsre Magd ist krank gewesen und ist im Stall gelegen.

EINSIEDEL: Wer hat denn das Haus verbrennt?

5 SIMPLEX: Ha, es sind so eiserne Männer kommen, die sind auf Dingern gesessen, groß wie Ochsen, haben aber keine Hörner, dieselben Männer haben Schafe und Kühe und Säu' gestochen, und da bin ich auch weggeloffen, und da ist darnach das Haus verbrennt gewesen.

EINSIEDEL: Wo war denn dein Knan?

Geiß nanny goat

Weißpfennige silver coins

klitzerechte glittering
Kügelein beads

10 SIMPLEX: Ha, die eisernen Männer haben ihn angebunden, da hat ihm unsere alte Geiß die Füß' geleckt, da hat mein Knan lachen müssen und hat denselben eisernen Mannen viel Weißpfennige geben, große und kleine, auch hübsche gelbe und sonst schöne, klitzerechte Dinger, und hübsche Schnür' voll weiße Kügelein.

15 EINSIEDEL: Wann ist dies geschehen?

SIMPLEX: Ei, wie ich der Schaf hab' hüten sollen, sie haben mir auch meine Sackpfeife wollen nehmen.

EINSIEDEL: Wann hast du der Schaf sollen hüten?

20 SIMPLEX: Ei, hörst du's nicht? da die eisernen Männer kommen sind; und darnach hat unsere Ann gesagt, ich soll auch weglaufen, sonst würden mich die Krieger mitnehmen. Sie hat aber die eisernen Männer gemeint. Und da bin ich weggeloffen und bin hierher gekommen.

EINSIEDEL: Wo hinaus willst du aber jetzt?

25 SIMPLEX: Ich weiß wahrlich nit, ich will bei dir hier bleiben.

EINSIEDEL: Dich hierzubehalten ist weder mein' noch dein' Gelegenheit; iß, alsdann will ich dich wieder zu Leuten führen.

SIMPLEX: Ei, so sag mir denn auch, was Leut' vor Dinger sein?

EINSIEDEL: Leut' sind Menschen wie ich und du. Dein Knan, deine 30 Meüder und eure Ann sind Menschen, und wenn deren viel beieinander sind, so werden sie Leut' genannt.

SIMPLEX: Haha!

EINSIEDEL: Nun geh und iß.

*Belehrung
des Simplicius durch
den Einsiedler.
Erstausgabe 1668*

Dies war unser Diskurs, unter welchem mich der Einsiedel oft mit 35 den allertiefsten Seufzen anschaute; nicht weiß ich, ob es darum geschah, weil er ein so groß' Mitleiden mit meiner Einfalt und Unwissenheit hatte, oder aus der Ursach', die ich erst über etliche Jahr hernach erfuhr.

(EXERCISES, SEE P. 163)

FRIEDRICH GOTTLIEB KLOPSTOCK 1724– 1803

Der Messias

During the middle of the eighteenth century, writers of international importance once more began to appear on the German scene. German literature shook off its provinciality, and the opening steps were taken toward the great achievements that were to be made before the end of the century. The appearance of the first cantos of Klopstock's epic poem Der Messias *in 1748 has long been considered a significant landmark. The lyrical passion and intensity of this work aroused an enormous response, especially from the young. The neo-classical precepts and insistence on poetic rules, which had determined so much of the earlier eighteenth-century literature, now came to seem narrow, restrictive, and out of date.*

*   Der Messias, *which tells of the life, death, and resurrection of Christ, owes much in structure and tone to Milton's* Paradise Lost, *but it reflects even more strongly the profoundly Pietist background of Klopstock's life. This religious movement, which had long exercised a significant influence on the German people, now found literary expression in the elevated and rhapsodic tone of Klopstock's language. Faith is founded less on logic and reason than on an inward, emotional response to the beauty and nobility of the Christian story.*

*   We cannot hope to do justice here to the epic breadth and scope of Klopstock's* Der Messias, *and therefore give below the opening canto simply to show the tone and rhythm. Klopstock turned away from the French and German alexandrine to the classical hexameter, adapting the six-foot epic line of Homer and Virgil to German*

needs. We have, in addition, chosen two of Klopstock's shorter lyrics where the strength and rhythmic pattern of his language may also be seen.

Sing, unsterbliche Seele, der sündigen Menschen Erlösung,
Die der Messias auf Erden in seiner Menschheit vollendet,
Und durch die er Adams Geschlechte die Liebe der Gottheit
Mit dem Blute des heiligen Bundes von neuem geschenkt hat.
5 Also geschah des Ewigen Wille. Vergebens erhub sich
Satan wider den göttlichen Sohn; umsonst stand Judäa
Wider ihn auf; er tat's, und vollbrachte die große Versöhnung.
  Aber, o Werk, das nur Gott allgegenwärtig erkennet,
Darf sich die Dichtkunst auch wohl aus dunkler Ferne dir nähern?
10 Weihe sie, Geist Schöpfer, vor dem ich im stillen hier bete;
Führe sie mir, als deine Nachahmerin, voller Entzückung,
Voll unsterblicher Kraft, in verklärter Schönheit, entgegen.
Rüste sie mit jener tiefsinnigen einsamen Weisheit,
Mit der du, forschender Geist, die Tiefen Gottes durchschauest;
15 Also werd ich durch sie Licht und Offenbarungen sehen,
Und die Erlösung des großen Messias würdig besingen.

· · ·   (EXERCISES, SEE P. 165)

Messias Messiah

erhub sich rose up
Judäa Judea

allgegenwärtig omnipresent

Nachahmerin emulator
verklärter transfigured

Offenbarungen revelations

Titelblatt der ersten Einzelausgabe des ,,Messias". 1749

Dem Unendlichen

,,Dem Unendlichen" is a hymn of praise to the Eternal Being and the strength and richness God provides. It is written in free verse; that is to say, it is not constructed according to a strict metrical scheme but permits the rhythm to follow and embody the changing emotions.

Wie erhebt sich das Herz, wenn es dich,
Unendlicher, denkt! Wie sinkt es,
Wenn's auf sich herunterschaut!
20 Elend schaut's wehklagend dann, und Nacht und Tod!

Allein du rufst mich aus meiner Nacht, der im Elend, der im
                                                Tode hilft!
Dann denk' ich es ganz, daß du ewig mich schufst,
Herrlicher! den kein Preis, unten am Grab', oben am Thron,
Herr, Herr, Gott! den, dankend entflammt, kein Jubel genug
                                                besingt!

Harfengetön sound of the harp
kristallner crystal clear

25 Weht, Bäume des Lebens, ins Harfengetön!
Rausche mit ihnen ins Harfengetön, kristallner Strom!
Ihr lispelt und rauscht, und, Harfen, ihr tönt
Nie es ganz! Gott ist es, den ihr preist!

Donnert, Welten, in feierlichem Gesang, in der Posaunen Chor!   **Posaunen** trumpets
Du Orion,[1] Waage, du auch!
Tönt, all' ihr Sonnen auf der Straße voll Glanz,
In der Posaunen Chor!

5   Ihr Welten, donnert,
     Und du, der Posaunen Chor, hallest
     Nie es ganz: Gott—nie es ganz: Gott,
     Gott, Gott ist es, den ihr preist!

(EXERCISES, SEE P. 166)

Das Rosenband

„Das Rosenband" illustrates the variety of Klopstock's poetic gifts. Here, in a very different mood, he adopts the delicacy and artificiality of the rococo with its graceful acceptance of the pleasures of love. Klopstock's skill gives new life to the conventions of the form.

     Im Frühlingsschatten fand ich sie;
10 Da band ich sie mit Rosenbändern:
     Sie fühlt' es nicht, und schlummerte.

     Ich sah sie an; mein Leben hing
     Mit diesem Blick an ihrem Leben:
     Ich fühlt' es wohl, und wußt' es nicht.

15 Doch lispelt' ich ihr sprachlos zu
     Und rauschte mit den Rosenbändern:
     Da wachte sie vom Schlummer auf.

     Sie sah mich an; ihr Leben hing
     Mit diesem Blick an meinem Leben,
20 Und um uns ward's Elysium.

(EXERCISES, SEE P. 166)

„Messias", 1. Band, 2. Auflage. Titelkupferstich von Fritzsch. 1760

[1]**Orion** a constellation

GOTTHOLD EPHRAIM LESSING 1729– 1781

Lessing, like Klopstock, stands at the beginning of a new era in German literature. Whereas Klopstock kindled the imagination and stirred the emotions, Lessing appealed above all to reason, logic, and clarity of mind. Klopstock's influence was felt in the passionate emotionalism of the *Sturm und Drang*, notably in the early writings of Goethe and Schiller, and also in the great reliance on feeling of the Romantic movement. Lessing, on the other hand, brought manly independence, creative energy, and a new sharpness of intellect into literature. The classicism and humanism proclaimed by Goethe and Schiller in their later work is built largely on the belief in reason and the freedom of the spirit for which Lessing fought.

Embodying the highest ideals of the Enlightenment, Lessing challenged— in the name of reason—the moral, religious, and artistic attitudes of the time. Too long passively accepted, these attitudes had finally deteriorated into prejudices and conventions. As a literary critic, Lessing exposed the narrow pedantry behind the pseudo-classical theories inherited from France, and he opened the door to a new understanding of Shakespeare and the Greek theater. In his writings on religion, he appealed for tolerance and sought liberation of the mind from bigotry and petty ecclesiastical insistence on externals. In his view, man was not only to rely on inherited religious principles but also to open his mind and spirit to the understanding of God.

Although a brilliant and devastating

critic, Lessing was above all a creative artist. His comedy *Minna von Barnhelm* (1767) holds its place as one of the most attractive plays in German literature. It brings figures onto the stage—especially the charming and light-hearted Minna and the overly serious but deeply honest Major von Tellheim—who are very much alive to us today. The play originally served a patriotic purpose in healing the wounds of the Seven Years War (1756–1763), during which Prussia under Frederick the Great had been arrayed against other German peoples.

In *Nathan der Weise* (1779) Lessing made an eloquent appeal for tolerance, ridiculing the quarrels between Christians, Jews, and Mohammedans and insisting that religious rivalry should really lie in seeing who could best follow the noblest teachings of his own faith. Openly didactic though it is, this play still has a vital dramatic energy and appeal today.

Emilia Galotti

Titelblatt
der Erstausgabe. 1772

Emilia Galotti (1772), from which our scenes are taken, is a political protest against the immorality of the many small absolutistic regimes which still prevailed on the continent in Lessing's time. Although the setting is Italy, the action could as well have taken place in Germany itself. The Prince who makes his decisions almost by whim and signs the death warrant of a fellow human being hastily—amidst the pressure of affairs—serves as an epitome of the uncaring, irresponsible, and totally self-centered ruler who knows nothing of his subjects except how he can exploit them.

In the first of our scenes, we see the dismay of his secretary, Camillo Rota, at the Prince's casual indifference toward his duties. By the second scene, the main action of the play revolves around the Prince's attempt to seduce the beautiful Emilia Galotti. His villainous and pliable agent, Marinelli, tries to insinuate himself into the good graces of Emilia's fiancé, Count Appiani, who has to be removed from the scene if the Prince's plans are to succeed. The totally immoral conduct of the Prince and the high-handed assurance of his subordinate that he can manipulate men's lives as he wishes, speak for themselves.

The rapid movement of the scenes and the naturalness and flexibility of the language show Lessing's characteristic dramatic skill.

ERSTER AUFZUG
Achter Auftritt

(CAMILLO ROTA, *Schriften in der Hand.* DER PRINZ.)

DER PRINZ: Kommen Sie, Rota, kommen Sie.—Hier ist, was ich diesen Morgen erbrochen. Nicht viel Tröstliches!—Sie werden von selbst sehen, was darauf zu verfügen.—Nehmen Sie nur.

darauf zu verfügen
what is to be done

gnädiger Herr My Lord

CAMILLO ROTA: Gut, gnädiger Herr.

DER PRINZ: Noch ist hier eine Bittschrift einer Emilia Galot . . . Bruneschi will ich sagen.—Ich habe meine Bewilligung zwar schon beigeschrieben. Aber doch—die Sache ist keine Kleinigkeit.—Lassen

anstehen be deferred

5 Sie die Ausfertigung noch anstehen—Oder auch nicht anstehen: wie Sie wollen.

CAMILLO ROTA: Nicht wie ich will, gnädiger Herr.

DER PRINZ: Was ist sonst? Etwas zu unterschreiben.

CAMILLO ROTA: Ein Todesurteil wäre zu unterschreiben.

10 DER PRINZ: Recht gern.—Nur her! geschwind!

*Ausschnitt aus
Hans Schweikarts
Inszenierung
im Deutschen
Schauspielhaus
Hamburg*

CAMILLO ROTA (*stutzig und* DEN PRINZEN *starr ansehend*): Ein Todesurteil—sagt' ich.

DER PRINZ: Ich höre ja wohl.—Es könnte schon geschehen sein. Ich bin eilig.

15 CAMILLO ROTA (*seine Schriften nachsehend*): Nun hab' ich es doch wohl nicht mitgenommen! ———— Verzeihen Sie, gnädiger Herr. —Es kann Anstand damit haben bis morgen.

**Es kann Anstand damit
haben** It can wait

DER PRINZ: Auch das!—Packen Sie nur zusammen: ich muß fort— Morgen, Rota, ein Mehres!

20 (*Geht ab.*)

CAMILLO ROTA (*den Kopf schüttelnd, indem er die Papiere zu sich nimmt und abgeht*): „Recht gern"?—Ein Todesurteil „recht gern"? —Ich hätt' es ihn in diesem Augenblicke nicht mögen unterschreiben lassen, und wenn es den Mörder meines einzigen Sohnes
5 betroffen hätte.—„Recht gern! recht gern!"—Es geht mir durch die Seele, dieses gräßliche „Recht gern"!

ZWEITER AUFZUG
Zehnter Auftritt

(MARINELLI, APPIANI.)

APPIANI: Nun, mein Herr?

MARINELLI: Ich komme von des Prinzen Durchlaucht.

Durchlaucht Highness

10 APPIANI: Was ist zu seinem Befehle?

MARINELLI: Ich bin stolz, der Überbringer einer so vorzüglichen Gnade zu sein.—Und wenn Graf Appiani nicht mit Gewalt einen seiner ergebensten Freunde in mir verkennen will—

APPIANI: Ohne weitere Vorrede, wenn ich bitten darf.

15 MARINELLI: Auch das!—Der Prinz muß sogleich an den Herzog von Massa, in Angelegenheit seiner Vermählung mit dessen Prinzessin Tochter, einen Bevollmächtigten senden. Er war lange unschlüssig, wen er dazu ernennen sollte. Endlich ist seine Wahl, Herr Graf, auf Sie gefallen.

Vermählung marriage
Bevollmächtigten plenipotentiary

20 APPIANI: Auf mich?

MARINELLI: Und das—wenn die Freundschaft ruhmredig sein darf— nicht ohne mein Zutun—

ruhmredig boastful

Rechts:
Autograph. 2. Aufzug, 9. und 10. Szene

Unten:
Autograph. 1. Aufzug, 8. Szene

APPIANI: Wahrlich, Sie setzen mich wegen eines Dankes in Verlegenheit.—Ich habe schon längst nicht mehr erwartet, daß der Prinz mich zu brauchen geruhen werde.—

MARINELLI: Ich bin versichert, daß es ihm bloß an einer würdigen
5 Gelegenheit gemangelt hat. Und wenn auch diese so eines Mannes wie Graf Appiani noch nicht würdig genug sein sollte: so ist freilich meine Freundschaft zu voreilig gewesen.

APPIANI: Freundschaft und Freundschaft um das dritte Wort!—Mit wem red'ich denn? Des Marchese Marinelli Freundschaft hätt' ich
10 mir nie träumen lassen.—

MARINELLI: Ich erkenne mein Unrecht, Herr Graf, mein unverzeihliches Unrecht, daß ich ohne Ihre Erlaubnis Ihr Freund sein wollen.—Bei dem allen, was tut das? Die Gnade des Prinzen, die Ihnen angetragene Ehre bleiben, was sie sind, und ich zweifle nicht,
15 Sie werden sie mit Begierd' ergreifen.

APPIANI (*nach einiger Überlegung*): Allerdings.

MARINELLI: Nun, so kommen Sie.

APPIANI: Wohin?

MARINELLI: Nach Dosalo, zu dem Prinzen.—Es liegt schon alles
20 fertig, und Sie müssen noch heute abreisen.

APPIANI: Was sagen Sie?—noch heute?

MARINELLI: Lieber noch in dieser nämlichen Stunde als in der folgenden. Die Sache ist von der größten Eil'.

APPIANI: In Wahrheit?—So tut es mir leid, daß ich die Ehre, welche
25 mir der Prinz zugedacht, verbitten muß.

MARINELLI: Wie?

APPIANI: Ich kann heute nicht abreisen—auch morgen nicht—auch übermorgen noch nicht.—

MARINELLI: Sie scherzen, Herr Graf.

30 APPIANI: Mit Ihnen?

MARINELLI: Unvergleichlich! Wenn der Scherz dem Prinzen gilt, so ist er um so viel lustiger.—Sie können nicht?

APPIANI: Nein, mein Herr, nein.—Und ich hoffe, daß der Prinz selbst meine Entschuldigung wird gelten lassen.

35 MARINELLI: Die bin ich begierig zu hören.

APPIANI: O, eine Kleinigkeit!— Sehen Sie, ich soll noch heut' eine Frau nehmen.

Zeichnung von Johann Friedrich Bolt.
1803

MARINELLI: Nun? und dann?

APPIANI: Und dann?—und dann?—Ihre Frage ist auch verzweifelt
naiv!

MARINELLI: Man hat Exempel, Herr Graf, daß sich Hochzeiten
5 aufschieben lassen.—Ich glaube freilich nicht, daß der Braut oder
dem Bräutigam immer damit gedient ist. Die Sache mag ihr
Unangenehmes haben. Aber doch, dächt' ich, der Befehl des
Herrn—

APPIANI: Der Befehl des Herrn—des Herrn? Ein Herr, den man
10 sich selber wählt, ist unser Herr so eigentlich nicht—Ich gebe zu,
daß Sie dem Prinzen unbedingtern Gehorsam schuldig wären.
Aber nicht ich.—Ich kam an seinen Hof als ein Freiwilliger. Ich
wollte die Ehre haben, ihm zu dienen, aber nicht ein Sklave werden.
Ich bin der Vasall eines größern Herrn—

15 MARINELLI: Größer oder kleiner: Herr ist Herr.

APPIANI: Daß ich mit Ihnen darüber stritte!—Genug, sagen Sie
dem Prinzen, was Sie gehört haben:—daß es mir leid tut, seine
Gnade nicht annehmen zu können, weil ich eben heut' eine
Verbindung vollzöge, die mein ganzes Glück ausmache.

20 MARINELLI: Wollen Sie ihm nicht zugleich wissen lassen, mit wem?

APPIANI: Mit Emilia Galotti.

MARINELLI: Der Tochter aus diesem Hause?

APPIANI: Aus diesem Hause.

MARINELLI: Hm! Hm!

APPIANI: Was beliebt?

MARINELLI: Ich sollte meinen, daß es sonach um so weniger Schwierigkeiten haben könne, die Zeremonie bis zu Ihrer Zurückkunft auszusetzen.

5 APPIANI: Die Zeremonie? Nur die Zeremonie?

MARINELLI: Die guten Eltern werden es so genau nicht nehmen.

APPIANI: Die guten Eltern?

MARINELLI: Und Emilia bleibt Ihnen ja wohl gewiß.

APPIANI: Ja wohl gewiß?—Sie sind mit Ihrem „Ja wohl"—ja wohl ein ganzer Affe!

10 MARINELLI: Mir das, Graf?

APPIANI: Warum nicht?

MARINELLI: Himmel und Hölle!—Wir werden uns sprechen.

APPIANI: Pah! Hämisch ist der Affe; aber—

MARINELLI: Tod und Verdammnis—Graf, ich fordere Genugtuung.

15 APPIANI: Das versteht sich.

MARINELLI: Und würde sie gleich jetzt nehmen;—nur daß ich dem zärtlichen Bräutigam den heutigen Tag nicht verderben mag.

APPIANI: Gutherziges Ding! Nicht doch!

(*Indem er ihn bei der Hand ergreift.*)

Nach Massa freilich mag ichmich heute nicht schicken lassen; aber zu
20 einem Spaziergange mit Ihnen hab' ich Zeit übrig.—Kommen Sie, Kommen Sie!

MARINELLI (*der sich losreißt und abgeht*): Nur Geduld, Graf, nur Geduld!

(EXERCISES, SEE P. 168)

Gemälde von Josef Karl Stieler. 1828

JOHANN WOLFGANG VON GOETHE 1749-1832

Goethe must be considered among the world's foremost writers, along with Dante and Shakespeare. His career spanned the greatest age of German literature. Beginning around 1770 amid the rebellious outbursts of the *Sturm und Drang*, his work continued in his middle years as he attempted a new affirmation of traditional classical and humanist principles and through the beginning of the nineteenth century in his experience of the great surge of Romanticism. In his old age, his writings reflected the beginnings of the new industrial and commercial era.

Goethe was perhaps the last man to live according to the Renaissance ideal of the universal man. Although he was above all an incomparable poet and master of language, he was also a painter and draftsman, as well as a critic, scholar, and scientist. In some ways, he was proudest of his scientific work, which covered a remarkable range of active inquiry and research—from botany and comparative anatomy to geology and physics. In his *Farbenlehre* (1810), Goethe included an ambitious polemic against Newton's treatise on optics.

Goethe was born in Frankfurt am Main of a prosperous middle-class family. He achieved his first enormous success with the epistolary novel *Die Leiden des jungen Werthers* (1774), the story of a highly sensitive young man whose dreams and ideals only serve to isolate him from all genuine contact with the outside world. Here, and in his more openly rebellious tragedy *Götz von Berlichingen* (1773), Goethe

gave tumultuous expression to the demands of feeling that had so long been restrained by the fashionable requirements of neoclassicism. But this period of his life did not last long; in 1775 he was invited to the small ducal court of Weimar, which became his home for the rest of his life. In Weimar, he was for many years actively involved in the political and economic affairs of the state, and here he learned to understand the need for self-control and discipline and to reconsider the moral values of civilized life. In his beautiful drama on a Greek theme, *Iphigenie auf Tauris* (1787), Goethe asserted a humanist faith in the capacity of man to overcome the tragically conflicting demands of life and thus limit his inevitable dependence on outside fate and chance.

Wilhelm Meisters Lehrjahre (1794–1796) is the novel of a young man's educating himself through experiences in the world. The hero, unsatisfied and ill at ease in the prosaic life around him, eventually comes to a new knowledge of himself and his place in the social reality. The epic poem *Hermann und Dorothea* (1797) illustrates Goethe's insistence on the significance of ordinary human experience. In this idyll of a small town, he celebrates the values that lie in the returning cycle of everyday life—values that had to be reasserted in the years of upheaval after the French Revolution in 1789.

Together with the great dramatist Friedrich Schiller and with other friends, poets, and artists, Goethe attempted to reevaluate the principles and standards governing art and literature. After his journey to Italy in 1786–1788, Goethe returned to Weimar with enormous admiration for the sense of beauty and purity of form that was the inheritance of classical Italian and Greek culture. In Germany he hoped to recreate conditions and standards to help guide artists and writers in the creation of their work, but such an ambition was to prove impossible amidst the individualism of the nineteenth century.

Even when most involved in his humanist ideals, Goethe was always aware of the tentativeness and uncertainty of human experience. His work reflects time and again the impulses and drives within man which threaten his security and ambitions for pattern and order. In his drama *Torquato Tasso* (1790), taken from the life of the Italian Renaissance poet, Goethe showed the sensitivity and insecurity of the artist in his relations to the outside world. His novel *Die Wahlverwandtschaften* (1809), another penetratingly subtle psychological study, shows man's attempts at establishing an ordered and rational life threatened by passions and desires, which he cannot control. The balance between the claims of the individual and the obligations of society proves all too easily overthrown.

Faust

Faust (*Part I, 1808; Part II, 1832*) *is Goethe's most famous and most widely read work. Although it in no sense represents the total character of his writings, it was nevertheless particularly close to him.* Faust *was begun when Goethe was a young man and accompanied him throughout his life, so that the last scenes were written only a year or two before his death. In the sections which were written earliest,* Faust *is a characteristic* Sturm und Drang *hero seeking some inner experience by which he could understand the true nature of life and overcome the limitations of human knowledge. As the play develops, the significance of Faust's ambitions is enlarged. Through his pact with the devil, he is freed from the restrictions imposed by nature and becomes open to all possible human experience. More and more, he becomes representative of Western man in his ambitions, longings, and frustrations.*

The play is divided into two parts and the second part into five acts, each of which is like a play in itself. In Part One, the action concentrates on the private and individual world—essentially Faust's relationship with Gretchen. In the spontaneity of this simple, loving girl, Faust feels the claim of natural life which he has lost. Tragically but inevitably, Gretchen is sacrificed to his greater longings. In Part Two, Faust is introduced to the political and social world around him through a series of symbolic episodes and scenes. In the second and third acts, he seeks the embodiment of Greek culture in Helen— the most beautiful of all women, hoping in some way to bring the beauty and wonder of Greece into contact with the Western world. Finally, Faust finds satisfaction in working for his fellow man by reclaiming new land from the sea. He abandons the help of the devil and accepts human limitations and death.

The following extracts are from Part One and show, in characteristically lively scenes, something of the philosophical background of the play. The opening "Prolog im Himmel" brings the fate of Faust onto a metaphysical level. The scene is partly modeled on the Biblical story of Job, which similarly treats the problem of evil in God's creation. But whereas Job remains loyal to God in the face of misery and disaster, Faust has no such faith to sustain him. Instead, he serves God precisely through his restless and often apparently blasphemous search for knowledge and experience. Thus the role of the devil, Mephistopheles, is not to tempt Faust to curse God, as in Job, *but, rather, to urge him to accept the prosaic limitations of life and enjoy what he can of its material satisfactions.*

Scherenschnitt von Paul Konewka.
1871

Theaterprogramm der Metropolitan Opera
1883

PROLOG IM HIMMEL

Heerscharen hosts
Erzengel archangels

(DER HERR. DIE HIMMLISCHEN HEERSCHAREN. *Nachher*
MEPHISTOPHELES.[1] DIE DREI ERZENGEL *treten vor*.)

RAPHAEL: Die Sonne tönt nach alter Weise,
In Brudersphären Wettgesang,[2]
5 Und ihre vorgeschriebne Reise

Donnergang
  thunderous march

Vollendet sie mit Donnergang.
Ihr Anblick gibt den Engeln Stärke,
Wenn keiner sie ergründen mag;
Die unbegreiflich hohen Werke
10 Sind herrlich wie am ersten Tag.

GABRIEL: Und schnell und unbegreiflich schnelle
Dreht sich umher der Erde Pracht;

Paradieseshelle the
  brightness of paradise

Es wechselt Paradieseshelle
Mit tiefer, schauervoller Nacht;
15 Es schäumt das Meer in breiten Flüssen
Am tiefen Grund der Felsen auf,
Und Fels und Meer wird fortgerissen
In ewig schnellem Sphärenlauf.

um die Wette
  in emulation

MICHAEL: Und Stürme brausen um die Wette,
20 Vom Meer aufs Land, vom Land aufs Meer,
Und bilden wütend eine Kette
Der tiefsten Wirkung rings umher.
Da flammt ein blitzendes Verheeren
Dem Pfade vor des Donnerschlags.
25 Doch deine Boten, Herr, verehren
Das sanfte Wandeln deines Tags.

ZU DREI: Der Anblick gibt den Engeln Stärke,
Da keiner dich ergründen mag,
Und alle deine hohen Werke
30 Sind herrlich wie am ersten Tag.

MEPHISTOPHELES: Da du, o Herr, dich einmal wieder nahst
Und fragst, wie alles sich bei uns befinde,
Und du mich sonst gewöhnlich gerne sahst,
So siehst du mich auch unter dem Gesinde.

Gesinde servants

35 Verzeih, ich kann nicht hohe Worte machen,
Und wenn mich auch der ganze Kreis verhöhnt;
Mein Pathos brächte dich gewiß zum Lachen,

[1] **Mephistopheles** This name of the devil belongs to the early versions of the Faust legends. Mephistopheles is not necessarily identical with Satan, for he is, as he declares to Faust later, only one part of the force of evil.
[2] **Die Sonne . . . Wettgesang** "The sun makes music in ancient rivalry with the brotherly spheres." The symbol of world harmony, already existing here for the archangels, is only a source of longing for Faust in his study.

Hätt'st du dir nicht das Lachen abgewöhnt.
Von Sonn' und Welten weiß ich nichts zu sagen,
Ich sehe nur, wie sich die Menschen plagen.
Der kleine Gott der Welt bleibt stets von gleichem Schlag
5 Und ist so wunderlich als wie am ersten Tag.
Ein wenig besser würd' er leben,
Hätt'st du ihm nicht den Schein des Himmelslichts gegeben;
Er nennt's Vernunft und braucht's allein,
Nur tierischer als jedes Tier zu sein.
10 Er scheint mir, mit Verlaub von Euer Gnaden,   **mit Verlaub** with your permission
Wie eine der langbeinigen Zikaden,   **Zikaden** grasshoppers
Die immer fliegt und fliegend springt
Und gleich im Gras ihr altes Liedchen singt;
Und läg' er nur noch immer in dem Grase!
15 In jeden Quark begräbt er seine Nase.   **Quark** trash

DER HERR: Hast du mir weiter nichts zu sagen?
Kommst du nur immer anzuklagen?
Ist auf der Erde ewig dir nichts recht?

MEPHISTOPHELES: Nein, Herr! ich find' es dort, wie immer,
                      herzlich schlecht.
20 Die Menschen dauern mich in ihren Jammertagen.   **dauern mich** I am sorry for
Ich mag sogar die armen selbst nicht plagen.

DER HERR: Kennst du den Faust?

MEPHISTOPHELES: Den Doktor?

DER HERR: Meinen Knecht!

MEPHISTOPHELES: Fürwahr! er dient Euch auf besondre Weise.   **Fürwahr!** in truth!
Nicht irdisch ist des Toren Trank noch Speise.
25 Ihn treibt die Gärung in die Ferne,   **Gärung** unrest
Er ist sich seiner Tollheit halb bewußt;
Vom Himmel fordert er die schönsten Sterne

Prolog im Himmel.
Zeichnung
von M. A. Retzsch

Und von der Erde jede höchste Lust,
Und alle Näh' und alle Ferne
Befriedigt nicht die tiefbewegte Brust.

DER HERR: Wenn er mir jetzt auch nur verworren dient,
5   So werd' ich ihn bald in die Klarheit führen.
Weiß doch der Gärtner, wenn das Bäumchen grünt,

zieren adorn

Daß Blüt' und Frucht die künft'gen Jahre zieren.

MEPHISTOPHELES: Was wettet Ihr? Den sollt Ihr noch verlieren!
Wenn Ihr mir die Erlaubnis gebt,
10   Ihn meine Straße sacht zu führen!

DER HERR: So lang' er auf der Erde lebt,
So lange sei dir's nicht verboten.
Es irrt der Mensch, so lang' er strebt.   *lebt*

mich . . . befangen
  occupied myself

MEPHISTOPHELES: Da dank' ich Euch; denn mit den Toten
15   Hab' ich mich niemals gern befangen.
Am meisten lieb' ich mir die vollen, frischen Wangen.
Für einen Leichnam bin ich nicht zu Haus;
Mir geht es wie der Katze mit der Maus.

DER HERR: Nun gut, es sei dir überlassen!

Urquell fountainhead

20   Zieh' diesen Geist von seinem Urquell ab
Und führ' ihn, kannst du ihn erfassen,
Auf deinem Wege mit herab;
Und steh' beschämt, wenn du bekennen mußt:

Drange aspiration

Ein guter Mensch in seinem dunklen Drange
25   Ist sich des rechten Weges wohl bewußt.

MEPHISTOPHELES: Schon gut! nur dauert es nicht lange.
Mir ist für meine Wette gar nicht bange.

gelange attain

Wenn ich zu meinem Zweck gelange,
Erlaubt Ihr mir Triumph aus voller Brust.
30   Staub soll er fressen, und mit Lust,

Muhme aunt

Wie meine Muhme, die berühmte Schlange.

DER HERR: Du darfst auch da nur frei erscheinen;
Ich habe deinesgleichen nie gehaßt.
Von allen Geistern, die verneinen,

Schalk rogue
erschlaffen slacken

35   Ist mir der Schalk am wenigsten zur Last.
Des Menschen Tätigkeit kann allzu leicht erschlaffen,
Er liebt sich bald die unbedingte Ruh';
Drum geb' ich gern ihm den Gesellen zu,
Der reizt und wirkt und muß als Teufel schaffen.
40   Doch ihr, die echten Göttersöhne,
Erfreut euch der lebendig reichen Schöne!
Das Werdende, das ewig wirkt und lebt,

Umfass' euch mit der Liebe holden Schranken,
Und was in schwankender Erscheinung schwebt,
Befestiget mit dauernden Gedanken.

(*Der Himmel schließt,* DIE ERZENGEL *verteilen sich.*)

5 MEPHISTOPHELES (*allein*): Von Zeit zu Zeit seh' ich den Alten gern
Und hüte mich, mit ihm zu brechen.
Es ist gar hübsch von einem großen Herrn,
So menschlich mit dem Teufel selbst zu sprechen.

Schranken bonds

*Lithographie
von Eugène Delacroix.
1828*

DER TRAGÖDIE ERSTER TEIL
Nacht

(*In einem hochgewölbten, engen gotischen Zimmer*
10 FAUST, *unruhig auf seinem Sessel am Pulte.*)
FAUST: Habe nun, ach! Philosophie,
Juristerei[3] und Medizin
Und leider auch Theologie
Durchaus studiert, mit heißem Bemühn.
15 Da steh' ich nun, ich armer Tor!
Und bin so klug als wie zuvor;
Heiße Magister, heiße Doktor gar,
Und ziehe schon an die zehen Jahr
Herauf, herab und quer und krumm
20 Meine Schüler an der Nase herum—
Und sehe, daß wir nichts wissen können!
Das will mir schier das Herz verbrennen.

hochgewölbten
high vaulted
gotischen Gothic

Magister master of arts

quer und Krumm all
around

schier just about

[3]**Juristerei** contemptuous term for jurisprudence

Laffen dandies
Pfaffen priests

Zwar bin ich gescheiter als alle die Laffen,
Doktoren, Magister, Schreiber und Pfaffen;
Mich plagen keine Skrupel noch Zweifel,
Fürchte mich weder vor Hölle noch Teufel—
5 Dafür ist mir auch alle Freud' entrissen,
Bilde mir nicht ein, was Rechts zu wissen,
Bilde mir nicht ein, ich könnte was lehren,
Die Menschen zu bessern und zu bekehren.
Auch hab' ich weder Gut noch Geld,
10 Noch Ehr' und Herrlichkeit der Welt;
Es möchte kein Hund so länger leben!

Magie magic

Drum hab' ich mich der Magie ergeben,
Ob mir durch Geistes Kraft und Mund
Nicht manch Geheimnis würde kund;

Wirkenskraft
creative power
tu ... kramen deal

den ich ... herangewacht
spent awake here till
you appeared

15 Daß ich nicht mehr mit saurem Schweiß
Zu sagen brauche, was ich nicht weiß;
Daß ich erkenne, was die Welt
Im Innersten zusammenhält,
Schau' alle Wirkenskraft und Samen,
20 Und tu' nicht mehr in Worten kramen.
    O sähst du, voller Mondenschein,
Zum letztenmal auf meine Pein,
Den ich so manche Mitternacht
An diesem Pult herangewacht:
25 Dann über Büchern und Papier,
Trübsel'ger Freund, erschienst du mir!
Ach! könnt' ich doch auf Bergeshöhn
In deinem lieben Lichte gehn,
Um Bergeshöhle mit Geistern schweben,
30 Auf Wiesen in deinem Dämmer weben,

Illustration von P. Cornelius. 1816

Von allem Wissensqualm entladen,
In deinem Tau gesund mich baden!
  Weh! steck' ich in dem Kerker noch?
Verfluchtes dumpfes Mauerloch,
5 Wo selbst das liebe Himmelslicht
Trüb durch gemalte Scheiben bricht!
Beschränkt von diesem Bücherhauf,
Den Würme nagen, Staub bedeckt,
Den bis ans hohe Gewölb' hinauf
10 Ein angeraucht Papier umsteckt[4];
Mit Gläsern, Büchsen rings umstellt,
Mit Instrumenten vollgepfropft,
Urväter Hausrat drein gestopft—
Das ist deine Welt! das heißt eine Welt!
15   Und fragst du noch, warum dein Herz
Sich bang in deinem Busen klemmt?
Warum ein unerklärter Schmerz
Dir alle Lebensregung hemmt?
Statt der lebendigen Natur,
20 Da Gott die Menschen schuf hinein,
Umgibt in Rauch und Moder nur
Dich Tiergeripp' und Totenbein.
      Flieh! Auf! Hinaus ins weite Land!
Und dies geheimnisvolle Buch,
25 Von Nostradamus'[5] eigner Hand,
Ist dir es nicht Geleit genug?
Erkennest dann der Sterne Lauf,
Und wenn Natur dich unterweist,
Dann geht die Seelenkraft dir auf,
30 Wie spricht ein Geist zum andern Geist.
Umsonst, daß trocknes Sinnen hier
Die heil'gen Zeichen dir erklärt—
Ihr schwebt, ihr Geister, neben mir;
Antwortet mir, wenn ihr mich hört!

35 (*Er schlägt das Buch auf und erblickt das Zeichen
des Makrokosmus.*)

Ha! welche Wonne fließt in diesem Blick
Auf einmal mir durch alle meine Sinnen!
Ich fühle junges, heil'ges Lebensglück
40 Neuglühend mir durch Nerv' und Adern rinnen.

Wissensqualm smoke of knowledge

Kerker dungeon

angeraucht smoke-stained

umsteckt is stuck around with

Büchsen canisters

vollgepfropft crammed

Urväter Hausrat drein gestopft stuffed further with ancestral furniture

Da . . .hinein into which God created men

Moder mould

Tiergeripp' und Totenbein skeletons of animals and bones of the dead

Makrokosmus macrocosm

Neuglühend glowing anew

[4]Imagine here smoke-stained papers and manuscripts placed over and stuck between heaps of books.
[5]**Nostradamus** famed French doctor and astrologer (1503–1566)

Lithographie von Eugène Delacroix. 1828

War es ein Gott, der diese Zeichen schrieb,
Die mir das innre Toben stillen,
Das arme Herz mit Freude füllen
Und mit geheimnisvollem Trieb
5   Die Kräfte der Natur rings um mich her enthüllen?
Bin ich ein Gott? Mir wird so licht!
Ich schau' in diesen reinen Zügen
Die wirkende Natur vor meiner Seele liegen.
Jetzt erst erkenn' ich, was der Weise spricht:
10   ,, Die Geisterwelt ist nicht verschlossen;
Dein Sinn ist zu, dein Herz ist tot!

unverdrossen undismayed
Auf, bade, Schüler, unverdrossen
Die ird'sche Brust im Morgenrot!''

(Er beschaut das Zeichen.)

15   Wie alles sich zum Ganzen webt,
Eins in dem andern wirkt und lebt!
Wie Himmelskräfte auf und nieder steigen

Eimer urns
segenduftenden bliss-scented
Schwingen wings
Und sich die goldnen Eimer reichen!
Mit segenduftenden Schwingen
20   Vom Himmel durch die Erde dringen,
Harmonisch all' das All durchklingen!
    Welch Schauspiel! Aber ach! ein Schauspiel nur!
Wo faß' ich dich, unendliche Natur?
Euch Brüste, wo? Ihr Quellen alles Lebens,
25   An denen Himmel und Erde hängt,
Dahin die welke Brust sich drängt—

schmacht' pine
Ihr quellt, ihr tränkt, und schmacht' ich so vergebens?

(Er schlägt unwillig das Buch um und erblickt das Zeichen des Erdgeistes.)

30   Wie anders wirkt dies Zeichen auf mich ein!
Du, Geist der Erde, bist mir näher;
Schon fühl' ich meine Kräfte höher,
Schon glüh' ich wie von neuem Wein.
Ich fühle Mut, mich in die Welt zu wagen,
35   Der Erde Weh, der Erde Glück zu tragen,
Mit Stürmen mich herumzuschlagen
Und in des Schiffbruchs Knirschen nicht zu zagen.

wölkt sich clouds over
Es wölkt sich über mir—
Der Mond verbirgt sein Licht—
40   Die Lampe schwindet!
Es dampft!—Es zucken rote Strahlen
Mir um das Haupt—Es weht
Ein Schauer vom Gewölb' herab

Und faßt mich an!
Ich fühl's, du schwebst um mich, erflehter Geist.   **erflehter** invoked
Enthülle dich!
Ha! wie's in meinem Herzen reißt!
5 Zu neuen Gefühlen
All' meine Sinnen sich erwühlen!   **sich erwühlen** burst forth
Ich fühle ganz mein Herz dir hingegeben!
Du mußt! du mußt! und kostet' es mein Leben!

(*Er faßt das Buch und spricht das Zeichen* DES GEISTES
10 *geheimnisvoll aus. Es zuckt eine rötliche Flamme,* DER
GEIST *erscheint in der Flamme.*)

GEIST: Wer ruft mir?

FAUST (*abgewendet*): Schreckliches Gesicht!

GEIST: Du hast mich mächtig angezogen.
An meiner Sphäre lang' gesogen,
15 Und nun—

FAUST: Weh! ich ertrag' dich nicht!

GEIST: Du flehst eratmend, mich zu schauen,   **eratmend** panting
Meine Stimme zu hören, mein Antlitz zu sehn;
Mich neigt dein mächtig Seelenflehn.
Da bin ich!—Welch erbärmlich Grauen
20 Faßt, Übermenschen, dich! Wo ist der Seele Ruf?
Wo ist die Brust, die eine Welt in sich erschuf
Und trug und hegte, die mit Freudebeben
Erschwoll, sich uns, den Geistern, gleich zu heben?   **Erschwoll** swelled
Wo bist du, Faust, des Stimme mir erklang,
25 Der sich an mich mit allen Kräften drang?
Bist *du* es, der, von meinem Hauch umwittert,   **umwittert** encompassed
In allen Lebenstiefen zittert,
Ein furchtsam weggekrümmter Wurm?   **weggekrümmter**
writhing away

FAUST: Soll ich dir, Flammenbildung, weichen?
30 Ich bin's, bin Faust, bin deinesgleichen!

GEIST: In Lebensfluten, im Tatensturm
Wall' ich auf und ab,
Webe hin und her!
Geburt und Grab,
35 Ein ewiges Meer,
Ein wechselnd Weben,
Ein glühend Leben,
So schaff' ich am sausenden Webstuhl der Zeit   **Webstuhl** loom
Und wirke der Gottheit lebendiges Kleid.

FAUST: Der du die weite Welt umschweifst,
Geschäftiger Geist, wie nah fühl' ich mich dir!

GEIST: Du gleichst dem Geist, den du begreifst,
Nicht mir!

5 (*Verschwindet.*)

FAUST (*zusammenstürzend*): Nicht dir!
Wem denn?
Ich, Ebenbild der Gottheit!
Und nicht einmal dir!

10 (*Es klopft.*)

. . .

Mephisto makes himself known to Faust in a preliminary visit. He then returns in order to induce Faust to sign an agreement. In the original Faust legend, as it appears in the sixteenth-century German chapbooks and in the Elizabethan drama Doctor Faustus *by Christopher Marlowe, Faust's pact with the devil, signed in blood, involves the sacrifice of his soul after death for the enjoyment of more than natural knowledge, power, and pleasure on earth. In Goethe this orthodox Christian conflict between worldly ambition and the service of God is abandoned. Instead of a pact with the devil, there is a wager in which Mephisto seeks to show that a sensible man enjoys the world as he finds it. Faust, however, remains convinced that material pleasures can never satisfy the unending desires of man.*

Studierzimmer

(FAUST. MEPHISTOPHELES.)

FAUST: Es klopft? Herein! Wer will mich wieder plagen?

MEPHISTOPHELES: Ich bin's.

FAUST: Herein!

MEPHISTOPHELES: Du mußt es dreimal sagen.

FAUST: Herein denn!

MEPHISTOPHELES: So gefällst du mir.
15 Wir werden, hoff' ich, uns vertragen,
Denn dir die Grillen zu verjagen,
Bin ich als edler Junker[6] hier,
In rotem, goldverbrämtem Kleide,
Das Mäntelchen von starrer Seide,

Grillen gloomy thoughts

goldverbrämtem gold-trimmed

[6]**Junker** East Prussian nobleman

*Faust im Studierzimmer
mit Mephistopheles.
Zeichnung von
M. A. Retzsch*

Die Hahnenfeder auf dem Hut,
Mit einem langen, spitzen Degen,
Und rate nun dir, kurz und gut,
Dergleichen gleichfalls anzulegen;
5   Damit du, losgebunden, frei,
Erfahrest, was das Leben sei.

FAUST: In jedem Kleide werd' ich wohl die Pein
Des engen Erdenlebens fühlen.
Ich bin zu alt, um nur zu spielen,
10   Zu jung, um ohne Wunsch zu sein.
Was kann die Welt mir wohl gewähren?
Entbehren sollst du! Sollst entbehren!
Das ist der ewige Gesang,
Der jedem an die Ohren klingt,
15   Den, unser ganzes Leben lang,
Uns heiser jede Stunde singt.
Nur mit Entsetzen wach' ich morgens auf,
Ich möchte bittre Tränen weinen,
Den Tag zu sehn, der mir in seinem Lauf
20   Nicht *einen* Wunsch erfüllen wird, nicht *einen*,
Der selbst die Ahnung jeder Lust
Mit eigensinnigem Krittel mindert,
Die Schöpfung meiner regen Brust
Mit tausend Lebensfratzen hindert.
25   Auch muß ich, wenn die Nacht sich niedersenkt,
Mich ängstlich auf das Lager strecken,
Auch da wird keine Rast geschenkt,
Mich werden wilde Träume schrecken.
Der Gott, der mir im Busen wohnt,
30   Kann tief mein Innerstes erregen,
Der über allen meinen Kräften thront,
Er kann nach außen nichts bewegen;
Und so ist mir das Dasein eine Last,
Der Tod erwünscht, das Leben mir verhaßt.

Krittel petty criticism

Lebensfratzen petty
irritations of life

MEPHISTOPHELES: Und doch ist nie der Tod ein ganz willkommner
Gast.

FAUST: O selig der, dem er im Siegesglanze
Die blut'gen Lorbeern um die Schläfe windet,
Den er, nach rasch durchrastem Tanze,
5 In eines Mädchens Armen findet!
O wär' ich vor des hohen Geistes Kraft
Entzückt, entseelt dahingesunken!

MEPHISTOPHELES: Und doch hat jemand einen braunen Saft,
In jener Nacht, nicht ausgetrunken.[7]

10 FAUST: Das Spionieren, scheint's, ist deine Lust.

MEPHISTOPHELES: Allwissend bin ich nicht; doch viel ist mir bewußt.

FAUST: Wenn aus dem schrecklichen Gewühle
Ein süß bekannter Ton mich zog,[8]
Den Rest von kindlichem Gefühle
15 Mit Anklang froher Zeit betrog,
So fluch' ich allem, was die Seele
Mit Lock- und Gaukelwerk umspannt,
Und sie in diese Trauerhöhle
Mit Blend- und Schmeichelkräften bannt!
20 Verflucht voraus die hohe Meinung,
Womit der Geist sich selbst umfängt!
Verflucht das Blenden der Erscheinung,
Die sich an unsre Sinne drängt!
Verflucht, was uns in Träumen heuchelt,
25 Des Ruhms, der Namensdauer Trug!
Verflucht, was als Besitz uns schmeichelt,
Als Weib und Kind, als Knecht und Pflug!

Lorbeern laurels

Spionieren spying

Gewühle tumult

Lock- und Gaukelwerk
  enticements and illusions
Trauerhöhle pit of misery
**Blend- und
  Schmeichelkräften**
  powers that dazzle
  and flatter

heuchelt simulates

*Bühnenbildentwurf zu
,,Faust" von Ming Cho Lee für
die New York City Opera.
1968*

[7]reference to Faust's contemplation of suicide by poison
[8]Only the sounds of Easter songs in the distance prevented Faust from committing suicide.

Verflucht sei Mammon, wenn mit Schätzen
Er uns zu kühnen Taten regt,
Wenn er zu müßigem Ergetzen   **Ergetzen** pleasure
Die Polster uns zurechte legt!   **Polster** cushions
5   Fluch sei dem Balsamsaft der Trauben!   **Balsamsaft** soothing juice
Fluch jener höchsten Liebeshuld!   **Liebeshuld** charms of love
Fluch sei der Hoffnung! Fluch dem Glauben,
Und Fluch vor allen der Geduld!

GEISTERCHOR (*unsichtbar*):
10   Weh! weh!
      Du hast sie zerstört,
      Die schöne Welt,
      Mit mächtiger Faust,
      Sie stürzt, sie zerfällt!
15   Ein Halbgott hat sie zerschlagen!
      Wir tragen
      Die Trümmer ins Nichts hinüber,
      Und klagen
      Über die verlorne Schöne.
20   Mächtiger
      Der Erdensöhne,
      Prächtiger
      Baue sie wieder,
      In deinem Busen baue sie auf!
25   Neuen Lebenslauf
      Beginne,
      Mit hellem Sinne,
      Und neue Lieder
      Tönen darauf!

MEPHISTOPHELES:
30   Dies sind die Kleinen
      Von den Meinen.
      Höre, wie zu Lust und Taten
      Altklug sie raten!   **Altklug** precociously
      In die Welt weit,
35   Aus der Einsamkeit,
      Wo Sinnen und Säfte stocken,
      Wollen sie dich locken.
Hör' auf, mit deinem Gram zu spielen,   **Gram** grief
Der wie ein Geier dir am Leben frißt;   **Geier** vulture
40   Die schlechteste Gesellschaft läßt dich fühlen,
Daß du ein Mensch mit Menschen bist.
Doch so ist's nicht gemeint,
Dich unter das Pack zu stoßen,   **Pack** mob

Ich bin keiner von den Großen;
Doch willst du mit mir vereint
Deine Schritte durchs Leben nehmen,
So will ich mich gern bequemen,
5 Dein zu sein, auf der Stelle.
Ich bin dein Geselle
Und mach' ich dir's recht,
Bin ich dein Diener, bin dein Knecht!

FAUST: Und was soll ich dagegen dir erfüllen?

10 MEPHISTOPHELES: Dazu hast du noch eine lange Frist.

FAUST: Nein, nein! der Teufel ist ein Egoist
Und tut nicht leicht um Gottes willen,
Was einem andern nützlich ist.
Sprich die Bedingung deutlich aus;
15 Ein solcher Diener bringt Gefahr ins Haus.

Wink nod

MEPHISTOPHELES: Ich will mich *hier* zu deinem Dienst verbinden,
Auf deinen Wink nicht rasten und nicht ruhn;
Wenn wir uns *drüben* wiederfinden,
So sollst du mir das Gleiche tun.

20 FAUST: Das Drüben kann mich wenig kümmern;
Schlägst du erst diese Welt zu Trümmern,
Die andre mag darnach entstehn.
Aus dieser Erde quillen meine Freuden,
Und diese Sonne scheinet meinen Leiden;
25 Kann ich mich erst von ihnen scheiden,
Dann mag, was will und kann, geschehn.
Davon will ich nichts weiter hören,
Ob man auch künftig haßt und liebt,
Und ob es auch in jenen Sphären
30 Ein Oben oder Unten gibt.

MEPHISTOPHELES: In diesem Sinne kannst du's wagen.
Verbinde dich; du sollst, in diesen Tagen,
Mit Freuden meine Künste sehn,
Ich gebe dir was noch kein Mensch gesehn.

35 FAUST: Was willst du armer Teufel geben?
Ward eines Menschen Geist in seinem hohen Streben
Von deinesgleichen je gefaßt?
Doch hast du Speise, die nicht sättigt, hast
Du rotes Gold, das ohne Rast,

Quecksilber mercury

40 Quecksilber gleich, dir in der Hand zerrinnt,
Ein Spiel, bei dem man nie gewinnt,
Ein Mädchen, das an meiner Brust

Mit Äugeln schon dem Nachbar sich verbindet,

Der Ehre schöne Götterlust,

Die wie ein Meteor verschwindet?

Zeig' mir die Frucht, die fault, eh' man sie bricht,

5 Und Bäume, die sich täglich neu begrünen!

MEPHISTOPHELES: Ein solcher Auftrag schreckt mich nicht,

Mit solchen Schätzen kann ich dienen.

Doch, guter Freund, die Zeit kommt auch heran,

Wo wir was Guts in Ruhe schmausen mögen.

10 FAUST: Werd' ich beruhigt je mich auf ein Faulbett legen,

So sei es gleich um mich getan!

Kannst du mich schmeichelnd je belügen,

Daß ich mir selbst gefallen mag,

Kannst du mich mit Genuß betrügen:

15 Das sei für mich der letzte Tag!

Die Wette biet' ich!

MEPHISTOPHELES: Topp!

FAUST: Und Schlag auf Schlag!

Werd' ich zum Augenblicke sagen:

Verweile doch! du bist so schön!

Dann magst du mich in Fesseln schlagen,

20 Dann will ich gern zugrunde gehn!

Dann mag die Totenglocke schallen,

Dann bist du deines Dienstes frei,

Die Uhr mag stehn, der Zeiger fallen,

Es sei die Zeit für mich vorbei!

25 MEPHISTOPHELES: Bedenk' es wohl, wir werden's nicht vergessen.

FAUST: Dazu hast du ein volles Recht;

Ich habe mich nicht freventlich vermessen.

Wie ich beharre, bin ich Knecht,

Ob dein, was frag' ich, oder wessen.

30 MEPHISTOPHELES: Ich werde heute gleich, beim Doktorschmaus,

Als Diener meine Pflicht erfüllen.

Nur eins!—Um Lebens oder Sterbens willen

Bitt' ich mir ein paar Zeilen aus.

FAUST: Auch was Geschriebnes forderst du Pedant?

35 Hast du noch keinen Mann, nicht Mannes-Wort gekannt?

Ist's nicht genug, daß mein gesprochnes Wort

Auf ewig soll mit meinen Tagen schalten?

Rast nicht die Welt in allen Strömen fort,

Und mich soll ein Versprechen halten?

40 Doch dieser Wahn ist uns ins Herz gelegt,

Äugeln ogling

sich . . . begrünen renew
their foliage

Faulbett bed of ease

um mich getan the end
of me

Topp! done!
Und Schlag auf Schlag!
and done again!

Verweile tarry

Fesseln fetters

Totenglocke knell

freventlich wantonly

Doktorschmaus
doctor's banquet

Wer mag sich gern davon befreien?
Beglückt, wer Treue rein im Busen trägt,
Kein Opfer wird ihn je gereuen!
Allein ein Pergament, beschrieben und beprägt,
5   Ist ein Gespenst, vor dem sich alle scheuen.
Das Wort erstirbt schon in der Feder,
Die Herrschaft führen Wachs und Leder.
Was willst du böser Geist von mir?
Erz, Marmor, Pergament, Papier?
10   Soll ich mit Griffel, Meißel, Feder schreiben?
Ich gebe jede Wahl dir frei.

MEPHISTOPHELES: Wie magst du deine Rednerei
Nur gleich so hitzig übertreiben?
Ist doch ein jedes Blättchen gut.
15   Du unterzeichnest dich mit einem Tröpfchen Blut.

FAUST: Wenn dies dir völlig Genüge tut,
So mag es bei der Fratze bleiben.

MEPHISTOPHELES: Blut ist ein ganz besondrer Saft.
. . .   (EXERCISES, SEE P. 169)

gereuen cause repentance
Pergament parchment
beprägt stamped

Rednerei garrulity

Fratze farce

Willkommen und Abschied

*Apart from his other achievements, Goethe was also
perhaps the greatest lyric poet Germany has produced.
His lyrical genius remained alive in him at almost
every stage of his creative work, and the variety and
scope of his lyrical output are overwhelming. Through
the rhythm and movement of this early poem, we feel
Goethe's youthful surge of passion. All nature comes
alive with the longings and dreams of the lover.*

Es schlug mein Herz, geschwind zu Pferde!
20   Es war getan fast eh gedacht.
Der Abend wiegte schon die Erde,
Und an den Bergen hing die Nacht;
Schon stand im Nebelkleid die Eiche,
Ein aufgetürmter Riese, da,
25   Wo Finsternis aus dem Gesträuche
Mit hundert schwarzen Augen sah.

Eiche oak

*Fausts und Mephistopheles' Pakt. Szene aus
der Aufführung im Guild Theatre New York.
George Gaul als Faust, Dudley Digges als Mephisto. 1928*

Ungeheuer monsters

Der Mond von einem Wolkenhügel
Sah kläglich aus dem Duft hervor,
Die Winde schwangen leise Flügel,
Umsausten schauerlich mein Ohr;
5 Die Nacht schuf tausend Ungeheuer,
Doch frisch und fröhlich war mein Mut:
In meinen Adern welches Feuer!
In meinem Herzen welche Glut!

Dich sah ich, und die milde Freude
10 Floß von dem süßen Blick auf mich;
Ganz war mein Herz an deiner Seite
Und jeder Atemzug für dich.
Ein rosenfarbnes Frühlingswetter
Umgab das liebliche Gesicht,
15 Und Zärtlichkeit für mich—ihr Götter!
Ich hofft' es, ich verdient' es nicht!

Doch ach, schon mit der Morgensonne
Verengt der Abschied mir das Herz:
In deinen Küssen welche Wonne!
20 In deinem Auge welcher Schmerz!
Ich ging, du standst und sahst zur Erden,
Und sahst mir nach mit nassem Blick:
Und doch, welch Glück, geliebt zu werden!
Und lieben, Götter, welch ein Glück!

(EXERCISES, SEE P. 171)

*Randzeichnung von
Eugen Neureuther*

Heidenröslein

*The following poem, based on a folk ballad and
apparently simple and artless, shows, in fact,
Goethe's astonishing control of language and
mood.*

25 Sah ein Knab ein Röslein stehn,
Röslein auf der Heiden,
War so jung und morgenschön,
Lief er schnell, es nah zu sehn,
Sah's mit vielen Freuden.
30 Röslein, Röslein, Röslein rot,
Röslein auf der Heiden.

Knabe sprach: Ich breche dich,
Röslein auf der Heiden!

Röslein sprach: Ich steche dich,
Daß du ewig denkst an mich,
Und ich will's nicht leiden.
Röslein, Röslein, Röslein rot,
5   Röslein auf der Heiden.

Und der wilde Knabe brach
's Röslein auf der Heiden;
Röslein wehrte sich und stach,
Half ihm doch kein Weh und Ach,
10 Mußt' es eben leiden.
Röslein, Röslein, Röslein rot,
Röslein auf der Heiden.

(EXERCISES, SEE P. 172)

Wanderers Nachtlied

*The two beautiful songs of the wanderer seeking
rest have to be studied almost word for word for
their mastery of tone. The tension within man
and the longing for ease are shown, not through
reflections or images, but in the very ordering of
the language.*

Der du von dem Himmel bist,
Alles Leid und Schmerzen stillest,
15 Den, der doppelt elend ist,
Doppelt mit Erquickung füllest,
Ach, ich bin des Treibens müde!
Was soll all der Schmerz und Lust?
Süßer Friede,
20 Komm, ach komm in meine Brust!

(EXERCISES, SEE P. 173)

*,,Zwei Männer in
Betrachtung des Mondes''.
Casper David Friedrich.
1819*

Ein Gleiches

Über allen Gipfeln
Ist Ruh,
In allen Wipfeln
Spürest du
5   Kaum einen Hauch;
Die Vögelein schweigen im Walde.
Warte nur, balde
Ruhest du auch.

(EXERCISES, SEE P. 174)

Lied des Harfners

*This song, which is sung by the mysterious
figure of the harpist in the novel* Wilhelm
Meisters Lehrjahre, *is one of the most famous
of Goethe's many brief philosophical poems.
This tragic view of man's fate, of course, has to
be balanced against the many alternative ways
in which Goethe sees our human experience.*

Wer nie sein Brot mit Tränen aß,
10   Wer nie die kummervollen Nächte
Auf seinem Bette weinend saß,
Der kennt euch nicht, ihr himmlischen Mächte.

Ihr führt ins Leben uns hinein,
Ihr laßt den Armen schuldig werden,
15   Dann überlaßt ihr ihn der Pein;
Denn alle Schuld rächt sich auf Erden.

·   ·   ·   (EXERCISES, SEE P. 174)

Selige Sehnsucht

This final poem is from the West-Östlicher
Divan *(1819). In this great cycle of poems
written when he was in his sixties, Goethe
responded creatively to his reading of the four-
teenth century Persian poet Hafis. Eastern and
Western themes and motifs are intermingled.
Here, in the ancient image of the moth and the
flame, the poet sees the value and meaning of life
in love and total devotion.*

Sagt es niemand, nur den Weisen,
Weil die Menge gleich verhöhnet:
Das Lebend'ge will ich preisen,
Das nach Flammentod sich sehnet.

5   In der Liebesnächte Kühlung,
Die dich zeugte, wo du zeugtest,
Überfällt dich fremde Fühlung,
Wenn die stille Kerze leuchtet.

Nicht mehr bleibest du umfangen

10   In der Finsternis Beschattung,   **Beschattung** shade
Und dich reißet neu Verlangen
Auf zu höherer Begattung.   **Begattung** begetting

Keine Ferne macht dich schwierig,
Kommst geflogen und gebannt,

15   Und zuletzt, des Lichts begierig,
Bist du, Schmetterling, verbrannt.

Und so lang du das nicht hast,
Dieses: Stirb und werde!
Bist du nur ein trüber Gast

20   Auf der dunklen Erde.

(EXERCISES, SEE P. 175)

Schuberts Vertonung des Goethegedichts

FRIEDRICH SCHILLER 1759– 1805

Gemälde von Anton Graff. 1791

The name of Friedrich Schiller has been generally linked with Goethe's as one of the great authors who gave German literature international significance. Despite their differences in temperament, the two men became close friends and, for many years, lived as neighbors in Weimar, united in their ambition to create for Germany a literary tradition rooted in the classical values of the past.

Schiller gained his fame above all as a dramatist and has long been considered in his own country as the greatest German playwright. His plays, like Shakespeare's, continue to be produced year after year in the many theaters of Germany. He gained his first success as a very young man with *Die Räuber* (1780), a *Sturm und Drang* drama of revolt against the restrictions of society and the hypocrisy of social values. Further plays, including *Kabale und Liebe* (1784) and *Don Carlos* (1787), continued the revolutionary mood, but then there followed a pause in his dramatic work. He turned to the writing of history, and, with Goethe's support, became professor of history at the University of Jena, not far from Weimar. He soon became more interested in aesthetics, however, and wrote a number of valuable studies extending and developing the philosophy of Immanuel Kant. His best known essay „*Über naive und sentimentalische Dichtung*" (1795) is constructed from a series of brilliant contrasts between two different types of art and artist and, in part, derives from his own reaction to Goethe. In Goethe he saw the "naive,"

74

naturally creative poet whose work flows from his whole being, whereas he thought of himself as the "sentimental" or reflective intellectual, struggling to find creative forms for his ideas.

Schiller returned to drama in the last years of his short life and produced his greatest works. He was no longer the spokesman of passionate protest; instead, he turned to history to provide a rich background for the recurrent tragic problems of human fate. Among the most famous of his later plays are a trilogy on the great general of the Thirty Years' War, *Wallenstein* (1799), a tragedy on the life of Joan of Arc, *Die Jungfrau von Orleans* (1801), and a portrait of the Swiss national hero *Wilhelm Tell* (1804).

Maria Stuart

The following passage comes from one of the most successful of Schiller's later plays, Maria Stuart *(1800), based on the life of Mary, Queen of Scots. Although here, as in his other dramas, Schiller creates a complicated background of historical intrigue, the central emphasis lies in the tragic fate of the individual and the problem of human guilt and atonement.*

Mary flees to England to seek refuge with Elizabeth after the murder of her husband Lord Darnley; however, the Protestant Queen Elizabeth has Mary imprisoned, primarily afraid of the dangers to her throne from the Catholic rival, but also motivated by jealousy of Mary's beauty and attractiveness. Friends at court persuade Elizabeth to visit Mary in the hope of arranging a reconciliation. She agrees in the end but appears, as it were, against her own will. The following scene between the two queens, which is entirely unhistorical, forms the climax of the play. Mary struggles to control her resentment against Elizabeth but the haughtiness of the English queen leads her to lose command of herself. For a moment she triumphs, but it is a triumph which seals her own fate.

The scene is a park near Fotheringhay Castle in Northamptonshire, where Mary is kept prisoner. Present on stage are Mary Stuart; her nurse, Hanna Kennedy; Mary's guard, Amias Paulet; and George Talbot, Earl of Shrewsbury. Elizabeth enters with Robert Dudley, Earl of Leicester and a hunting retinue.

DRITTER AUFZUG

Vierter Auftritt

ELISABETH (*zu* LEICESTER): Wie heißt der Landsitz?

LEICESTER: Fotheringhayschloß.

ELISABETH (*zu* SHREWSBURY): Schickt unser Jagdgefolg voraus nach London,

Elisabeth I.
Stich von H. Hondius.
1632

abgöttisch idolatrous

schaudert zusammen
   recoils

geschmeidigt made
   tractable

Das Volk drängt allzu heftig in den Straßen,
Wir suchen Schutz in diesem stillen Park.

(TALBOT *entfernt das Gefolge. Sie fixiert mit den Augen*
die MARIA, *indem sie zu* PAULET *weiterspricht.*)

5 Mein gutes Volk liebt mich zu sehr. Unmäßig,
Abgöttisch sind die Zeichen seiner Freude,
So ehrt man einen Gott, nicht einen Menschen.

MARIA (*welche diese Zeit über halb ohnmächtig auf die*
Amme gelehnt war, erhebt sich jetzt, und ihr Auge
10 *begegnet dem gespannten Blick der* ELISABETH. *Sie schaudert*
zusammen und wirft sich wieder an der Amme Brust):
O Gott, aus diesen Zügen spricht kein Herz!

ELISABETH: Wer ist die Lady?

(*Ein allgemeines Schweigen.*)

15 LEICESTER:—Du bist zu Fotheringhay, Königin.

ELISABETH (*stellt sich überrascht und erstaunt, einen*
finstern Blick auf LEICESTERN *richtend*):
Wer hat mir das getan? Lord Leicester!

LEICESTER: Es ist geschehen, Königin—Und nun
20 Der Himmel deinen Schritt hieher gelenkt,
So laß die Großmut und das Mitleid siegen.

SHREWSBURY: Laß dich erbitten, königliche Frau,
Dein Aug' auf die Unglückliche zu richten,
Die hier vergeht vor deinem Anblick.

25 (MARIA *rafft sich zusammen und will auf die* ELISABETH
zugehen, steht aber auf halbem Weg schaudernd still,
ihre Gebärden drücken den heftigsten Kampf aus.)

ELISABETH: Wie, Mylords?
Wer war es denn, der eine Tiefgebeugte
Mir angekündigt? Eine Stolze find' ich,
30 Vom Unglück keineswegs geschmeidigt.

MARIA: Sei's!
Ich will mich auch noch diesem unterwerfen.
Fahr hin, ohnmächt'ger Stolz der edlen Seele!
Ich will vergessen, wer ich bin, und was
Ich litt; ich will vor ihr mich niederwerfen,
35 Die mich in diese Schmach herunterstieß.
(*Sie wendet sich gegen die Königin.*)

Der Himmel hat für Euch entschieden, Schwester!
Gekrönt vom Sieg ist Euer glücklich Haupt,
Die Gottheit bet' ich an, die Euch erhöhte!

(*Sie fällt vor ihr nieder.*)

5 Doch seid auch *Ihr* nun edelmütig, Schwester!
Laßt mich nicht schmachvoll liegen, Eure Hand
Streckt aus, reicht mir die königliche Rechte,
Mich zu erheben von dem tiefen Fall.

ELISABETH (*zurücktretend*): Ihr seid an Eurem Platz, Lady Maria!
10 Und dankend preis' ich meines Gottes Gnade,
Der nicht gewollt, daß ich zu Euren Füßen
So liegen sollte, wie Ihr jetzt zu meinen.

MARIA (*mit steigendem Affekt*): Denkt an den Wechsel alles
                      Menschlichen!

Es leben Götter, die den Hochmut rächen!
15 Verehret, fürchtet sie, die schrecklichen,
Die mich zu Euren Füßen niederstürzen—
Um dieser fremden Zeugen willen, ehrt
In mir Euch selbst, entweiht, schändet nicht
Das Blut der Tudor,[1] das in meinen Adern
20 Wie in den Euren fließt—O Gott im Himmel!—
Steht nicht da, schroff und unzugänglich, wie
Die Felsenklippe, die der Strandende
Vergeblich ringend zu erfassen strebt.
Mein Alles hängt, mein Leben, mein Geschick
25 An meiner Worte, meiner Tränen Kraft:
Löst *mir* das Herz, daß ich das Eure rühre!
Wenn Ihr mich anschaut mit dem Eisenblick,
Schließt sich das Herz mir schaudernd zu, der Strom
Der Tränen stockt, und kaltes Grausen fesselt
30 Die Flehensworte mir im Busen an.

ELISABETH (*kalt und streng*): Was habt Ihr mir zu sagen, Lady Stuart?
Ihr habt mich sprechen wollen. Ich vergesse
Die Königin, die schwer beleidigte,
Die fromme Pflicht der Schwester zu erfüllen,
35 Und meines Anblicks Trost gewähr' ich Euch.
Dem Trieb der Großmut folg' ich, setze mich
Gerechtem Tadel aus, daß ich so weit

Maria Stuart.
Stich von
Thomas Troller

Geschick fate

---

[1]**Tudor** name of the royal house that ruled in England from 1485 to 1603, beginning with
Henry VII and ending with Elizabeth

Treffen im Park.
Inszenierung von Gustaf Gründgens
im Deutschen Schauspielhaus Hamburg.
Elisabeth Flickenschildt
als Elisabeth,
Antje
Weisgerber
als Maria

Stachel sting

Heruntersteige—denn Ihr wißt,
Daß Ihr mich habt ermorden lassen wollen.

MARIA: Womit soll ich den Anfang machen, wie
Die Worte klüglich stellen, daß sie Euch
5 Das Herz ergreifen, aber nicht verletzen!
O Gott, gib meiner Rede Kraft und nimm
Ihr jeden Stachel, der verwunden könnte!
Kann ich doch für mich selbst nicht sprechen, ohne Euch
Schwer zu verklagen, und das will ich nicht.
10 —Ihr habt an mir gehandelt, wie nicht recht ist,
Denn ich bin eine Königin wie Ihr,
Und Ihr habt als Gefangne mich gehalten;
Ich kam zu Euch als eine Bittende,

Und Ihr, des Gastrechts heilige Gesetze,
Der Völker heilig Recht in mir verhöhnend,
Schloßt mich in Kerkermauern ein, die Freunde,
Die Diener werden grausam mir entrissen,
5 Unwürd'gem Mangel werd' ich preisgegeben,   **preisgegeben** exposed
Man stellt mich vor ein schimpfliches Gericht—   **schimpfliches** infamous
Nichts mehr davon! Ein ewiges Vergessen
Bedecke, was ich Grausames erlitt.
—Seht! Ich will alles eine Schickung nennen: **Schickung** providence
10 *Ihr* seid nicht schuldig, *ich* bin auch nicht schuldig,
Ein böser Geist stieg aus dem Abgrund auf,
Den Haß in unsern Herzen zu entzünden,
Der unsre zarte Jugend schon entzweit.
Er wuchs mit uns, und böse Menschen fachten
15 Der unglücksel'gen Flamme Atem zu.   **unglücksel'gen** wretched
Wahnsinn'ge Eiferer bewaffneten   **Eiferer** zealots
Mit Schwert und Dolch die unberufne Hand—   **unberufne** unauthorized
Das ist das Fluchgeschick der Könige,
Daß sie, entzweit, die Welt in Haß zerreißen
20 Und jeder Zwietracht Furien entfesseln.   **Furien** furies
—Jetzt ist kein fremder Mund mehr zwischen uns,

(*Nähert sich ihr zutraulich und mit schmeichelndem Ton.*)

Wir stehn einander selbst nun gegenüber.
Jetzt, Schwester, redet! Nennt mir meine Schuld,
25 Ich will Euch völliges Genügen leisten.
Ach, daß Ihr damals mir Gehör geschenkt,
Als ich so dringend Euer Auge suchte!
Es wäre nie so weit gekommen, nicht
An diesem traur'gen Ort geschähe jetzt
30 Die unglückselig traurige Begegnung.

ELISABETH: Mein guter Stern bewahrte mich davor,
Die Natter an den Busen mir zu legen.   **Natter** viper
—Nicht die Geschicke, Euer schwarzes Herz
Klagt an, die wilde Ehrsucht Eures Hauses.
35 Nichts Feindliches war zwischen uns geschehn.
Da kündigte mir Euer Ohm,[2] der stolze,   **Ohm** uncle
Herrschwüt'ge Priester, der die freche Hand   **Herrschwüt'ge** power mad
Nach allen Kronen streckt, die Fehde an,   **Fehde** feud
Betörte Euch, mein Wappen anzunehmen,   **Wappen** coat of arms
40 Euch meine Königstitel zuzueignen,   **zuzueignen** to usurp

[2] reference to Mary's uncle on her mother's side, Charles Duc de Guise
and Cardinal of Lorraine, a vigorous and powerful enemy of Protestant-
ism; he and his brother François de Lorraine had been Mary's early
guardians and advisors

Auf Tod und Leben in den Kampf mit mir
Zu gehn—Wen rief er gegen mich nicht auf?
Der Priester Zungen und der Völker Schwert,
Des frommen Wahnsinns fürchterliche Waffen;
5 Hier selbst, im Friedenssitze meines Reichs,
Blies er mir der Empörung Flammen an—
Doch Gott ist mit mir, und der stolze Priester
Behält das Feld nicht—Meinem Haupte war
Der Streich gedrohet, und das Eure fällt!

10 MARIA: Ich steh' in Gottes Hand. Ihr werdet Euch
So blutig Eurer Macht nicht überheben—

ELISABETH: Wer soll mich hindern? Euer Oheim gab
Das Beispiel allen Königen der Welt,
Wie man mit seinen Feinden Frieden macht:
15 Die Sankt Barthelemi[3] sei meine Schule!
Was ist mir Blutsverwandtschaft, Völkerrecht?
Die Kirche trennet aller Pflichten Band,
Den Treubruch heiligt sie, den Königsmord,
Ich übe nur, was Eure Priester lehren.
20 Sagt! Welches Pfand gewährte mir für Euch,
Wenn ich großmütig Eure Bande löste?
Mit welchem Schloß verwahr' ich Eure Treue,
Das nicht Sankt Peters Schlüssel[4] öffnen kann?
Gewalt nur ist die einz'ge Sicherheit,
25 Kein Bündnis ist mit dem Gezücht der Schlangen.

MARIA: O, das ist Euer traurig finstrer Argwohn!
Ihr habt mich stets als eine Feindin nur
Und Fremdlingin betrachtet. Hättet Ihr
Zu Eurer Erbin mich erklärt,[5] wie mir
30 Gebührt, so hätten Dankbarkeit und Liebe
Euch eine treue Freundin und Verwandte
In mir erhalten.

ELISABETH: Draußen, Lady Stuart,
Ist Eure Freundschaft, Euer Haus das Papsttum,
Der Mönch ist Euer Bruder—Euch! zur Erbin

Empörung rebellion

Streich coup

**Euch . . . Eurer Macht
nicht überheben**
  presume too much on
  your power
Oheim uncle

Pfand security

Gezücht breed

Argwohn suspicion

Papsttum papacy

*3. Akt, 1. Szene.
Stich von W. Böhm.
1813*

---

[3]**Die Sankt Barthelemi (Nacht)** night of Saint Bartholomew,
August 23–24, 1572, occasion of the treacherous massacre of the French
Huguenots
[4]**Sankt Peters Schlüssel** reference to the Roman Catholic claim that
the popes are the successors to St. Peter, first Bishop of Rome, to whom
were promised "The Keys of the Kingdom of Heaven"
[5]Earlier Mary had suggested a compromise whereby she would renounce
her claims to the English throne if she were made Elizabeth's heir.
Elizabeth rejected this as likely to lead to an attack on her life.

Erklären! Der verräterische Fallstrick!
Daß Ihr bei meinem Leben noch mein Volk
Verführtet, eine listige Armida,[6]
Die edle Jugend meines Königreichs
5 In Eurem Buhlernetze schlau verstricktet--
Daß alles sich der neu aufgehnden Sonne
Zuwendete, und ich—

MARIA: Regiert in Frieden!
Jedwedem Anspruch auf dies Reich entsag' ich.
Ach, meines Geistes Schwingen sind gelähmt,
10 Nicht Größe lockt mich mehr—Ihr habt's erreicht,
Ich bin nur noch der Schatten der Maria.
Gebrochen ist in langer Kerkerschmach
Der edle Mut—Ihr habt das Äußerste an mir
Getan, habt mich zerstört in meiner Blüte!
15 —Jetzt macht ein Ende, Schwester. Sprecht es aus,
Das Wort, um dessentwillen Ihr gekommen,
Denn nimmer will ich glauben, daß Ihr kamt,
Um Euer Opfer grausam zu verhöhnen.
Sprecht dieses Wort aus. Sagt mir: „Ihr seid frei,
20 Maria! Meine Macht habt Ihr gefühlt,
Jetzt lernet meinen Edelmut verehren."
Sagt's, und ich will mein Leben, meine Freiheit
Als ein Geschenk aus Eurer Hand empfangen.
—Ein Wort macht alles ungeschehn. Ich warte
25 Darauf. O laßt mich's nicht zu lang' erharren!
Weh Euch, wenn Ihr mit diesem Wort nicht endet!
Denn wenn Ihr jetzt nicht segenbringend, herrlich,
Wie eine Gottheit von mir scheidet—Schwester!
Nicht um dies ganze reiche Eiland, nicht
30 Um alle Länder, die das Meer umfaßt,
Möcht' ich vor Euch so stehn, wie Ihr vor mir!

ELISABETH: Bekennt Ihr endlich Euch für überwunden?
Ist's aus mit Euren Ränken? Ist kein Mörder
Mehr unterweges? Will kein Abenteurer
35 Für Euch die traur'ge Ritterschaft mehr wagen?
—Ja, es ist aus, Lady Maria. Ihr verführt
Mir keinen mehr. Die Welt hat andre Sorgen.
Es lüstet keinen, Euer—vierter Mann
Zu werden, denn Ihr tötet Eure Freier,
40 Wie Eure Männer!

„Maria Stuart auf
ihrem Todesweg". Aquarell
von J. Wolf jun.

Fallstrick noose
Buhlernetze wanton net
Schwingen wings
Kerkerschmach disgrace
of prison

Edelmut magnanimity

erharren await

segenbringend with
your blessing

Ränken intrigues

Ritterschaft chivalry

lüstet covets
Freier suitors

[6]**Armida** character in Torquato Tasso's epic, **Jerusalem Delivered**,
employed to seduce Christian knights from their duty

MARIA (*auffahrend*): Schwester! Schwester!
O Gott! Gott! Gib mir Mäßigung!

ELISABETH (*sieht sie lange mit einem Blick stolzer Verachtung
an*): Das also sind die Reizungen, Lord Leicester,

5 Die ungestraft kein Mann erblickt, daneben
Kein andres Weib sich wagen darf zu stellen!
Fürwahr! Der Ruhm war wohlfeil zu erlangen:
Es kostet nichts, die *allgemeine* Schönheit
Zu sein, als die *gemeine* sein für *alle*!

10 MARIA: Das ist zuviel!

ELISABETH (*höhnisch lachend*): Jetzt zeigt Ihr Euer wahres
Gesicht, bis jetzt war's nur die Larve.

MARIA (*von Zorn glühend, doch mit einer edlen Würde*):
Ich habe menschlich, jugendlich gefehlt,

15 Die Macht verführte mich, ich hab' es nicht
Verheimlicht und verborgen, falschen Schein
Hab' ich verschmäht mit königlichem Freimut.
Das Ärgste weiß die Welt von mir, und ich
Kann sagen, ich bin besser als mein Ruf.

20 Weh Euch, wenn sie von Euren Taten einst
Den Ehrenmantel zieht, womit Ihr gleißend
Die wilde Glut verstohlner Lüste deckt.
Nicht Ehrbarkeit habt Ihr von Eurer Mutter
Geerbt: man weiß, um welcher Tugend willen

25 Anna von Boleyn[7] das Schafott bestiegen.

SHREWSBURY (*tritt zwischen beide Königinnen*):
O Gott des Himmels! Muß es dahin kommen!
Ist das die Mäßigung, die Unterwerfung,
Lady Maria?

MARIA: Mäßigung! Ich habe

30 Ertragen, was ein Mensch ertragen kann.
Fahr hin, lammherzige Gelassenheit,
Zum Himmel fliehe, leidende Geduld,
Spreng' endlich deine Bande, tritt hervor
Aus deiner Höhle, langverhaltner Groll—

35 Und *du*, der dem gereizten Basilisk[8]

[7] Elizabeth's mother, Anne Boleyn, the second wife of Henry VIII,
executed on a charge of adultery

[8] **Basilisk** a fearful creature of classic and medieval legend that
supposedly was able to kill by its glance or breath

Prozeß im Schloß von Fotheringhay. Calthorpe-Sammlung

ungestraft with impunity

höhnisch scornfully
Larve mask

verschmäht disdained

gleißend hypocritically
Lüste lusts

Schafott scaffold

Fahr hin farewell
lammherzige gentle as
a lamb
Groll resentment

Den Mordblick gab, leg' auf die Zunge mir
Den gift'gen Pfeil—

SHREWSBURY: O sie ist außer sich!
Verzeih der Rasenden, der schwer Gereizten!

(ELISABETH, *vor Zorn sprachlos, schießt wütende Blicke auf*
5 MARIEN.)
LEICESTER (*in der heftigsten Unruhe, sucht*
die ELISABETH *hinwegzuführen*): Höre
Die Wütende nicht an! Hinweg, hinweg
Von diesem unglücksel'gen Ort!

10 MARIA: Der Thron von England ist durch einen Bastard
Entweiht, der Briten edelherzig Volk
Durch eine list'ge Gauklerin betrogen.   **Gauklerin** imposter
—Regierte Recht, so läget *Ihr* vor mir
Im Staube jetzt, denn *ich* bin Euer König.

15 (ELISABETH *geht schnell ab,* DIE LORDS *folgen ihr in der*
höchsten Bestürzung.)

(EXERCISES, SEE P. 176)

Die Teilung der Erde

Although Schiller, unlike Goethe, was not a genius in the
lyric, he was a master of both the philosophical poem and the
ballad. The following poem shows the clarity and gracefulness
of his didactic verse.

„Nehmt hin die Welt!" rief Zeus von seinen Höhen
Den Menschen zu. „Nehmt, sie soll euer sein!
Euch schenk' ich sie zum Erb' und ew'gen Lehen—   **Lehen** fief
20 Doch teilt euch brüderlich darein!"

Da eilt', was Hände hat, sich einzurichten,
Es regte sich geschäftig jung und alt.
Der Ackermann griff nach des Feldes Früchten,   **Ackermann** farmer
Der Junker birschte durch den Wald.   **birschte** stalked

25 Der Kaufmann nimmt, was seine Speicher fassen,   **Speicher** storerooms
Der Abt wählt sich den edeln Firnewein,   **Abt** abbot
Der König sperrt die Brücken und die Straßen   **Firnewein** vintage wine
Und sprach: „Der Zehente ist mein."   **der Zehente** the tenth

Ganz spät, nachdem die Teilung längst geschehen,
Naht der Poet, er kam aus weiter Fern—
Ach! da war überall nichts mehr zu sehen,
Und alles hatte seinen Herrn!

5 „Weh mir! so soll denn ich allein von allen
Vergessen sein, ich, dein getreuster Sohn?"
So ließ er laut der Klage Ruf erschallen
Und warf sich hin vor Jovis Thron.

Jovis Jove's

„Wenn du im Land der Träume dich verweilet,"
hadre nicht don't quarrel
10 Versetzt der Gott, „so hadre nicht mit mir.
Wo warst du denn, als man die Welt geteilet?"
„Ich war", sprach der Poet, „bei dir.

Mein Auge hing an deinem Angesichte,
An deines Himmels Harmonie mein Ohr—
15 Verzeih dem Geiste, der, von deinem Lichte
Berauscht, das Irdische verlor!"

„Was tun?" spricht Zeus; „die Welt ist weggegeben,
Der Herbst, die Jagd, der Markt ist nicht mehr mein.
Willst du in meinem Himmel mit mir leben—
20 So oft du kommst, er soll dir offen sein."

(EXERCISES, SEE P. 177)

HEINRICH VON KLEIST 1777-1811

Among the many great writers at the turn of the nineteenth century, Heinrich von Kleist occupies a curiously separate and isolated place. Only superficial ties connect him with either the Weimar classicism of Goethe and Schiller or the burgeoning Romantic movement. During his lifetime and for a long time afterward, his work was largely ignored or disparaged, but today there are few writers in German literature who are read and studied more eagerly. The intensity of his experiences and the direct impassioned tone of his work make a vivid appeal to the modern world.

Kleist came from an aristocratic Prussian family with a long tradition of service to the state, both in the military and in the high ranks of the civil service. His own artistic temperament and philosophical concerns, however, made him totally unsuited for such a disciplined career. Burdened by a sense of failure to his family as well as by his own sexual and emotional insecurity, Kleist dreamed of creating a masterpiece that would put him beside the greatest figures of literature. In fact, although he committed suicide when he was only thirty-four, he did leave behind a number of remarkable and exciting works.

Among Kleist's most successful writings is his comedy *Der zerbrochene Krug* (1808) in which the village judge, significantly named Adam, is himself guilty of the crime he is investigating. The comedy revolves around Adam's ingenious, if clumsy, efforts to prevent the truth from becoming known. But it is characteristic of Kleist that while Adam is comically exposed in all his folly and viciousness, we nevertheless identify ourselves with him so that in a sense our hidden secrets are also ludicrously drawn out into the light.

Penthesilea (1808), in contrast, is an intensely serious drama, revealing the insecure and easily distorted nature of the human psyche. Penthesilea, the queen of the Amazons in love with the Greek hero Achilles, vacillates between tender womanly longing for her beloved hero and the desperate possessiveness of the militant ruler proud of her conquest. The blood-thirsty and primitive passions of this play, which is set in Homeric Greece, make a remarkable contrast to the serene mood of Goethe's classical Greek drama *Iphigenie auf Tauris*.

The prose tale *Michael Kohlhaas* (1808) treats another characteristic Kleist theme of the relationship between order and justice. Kohlhaas, a prosperous and honorable trader, is angered by the blatant injustice done to him and, finding no satisfaction in the courts, becomes a rebel against the state. Although he achieves his objectives of right and justice, he does so at a terrible cost to the lives of those he loves and to the security of the state. In the end, he recognizes his guilt and accepts his death.

Prinz Friedrich von Homburg

Prinz Friedrich von Homburg (1811, first published in 1821), Kleist's most famous drama, presents a similar conflict between the rights of the individual and the obligations of the law. The Prince of Homburg, a hero of the Prussian army, leads a cavalry charge against the Swedish enemy, although he had been told to wait for explicit orders. The commander, the Elector of Brandenburg, had planned an enveloping action before the attack was to be launched, and although the Prince's charge helps to win the day, the Swedes are able to withdraw a large part of their army.

During the first part of the play, all goes as the impulsive Prince has dreamed. All his actions are crowned with success; there is even a report that the Elector, the embodiment of authority, has been killed. But then all is reversed. Not only is the Elector alive, but he orders the arrest and trial of the Prince and threatens his execution. Homburg's earlier exaggerated self-confidence collapses, and he is reduced to pleading pitifully for his life. In the last acts, the Prince's friends and comrades-in-arms work for his release and dispute the justifications for the Elector's stern decision.

In the following scene, Colonel Kottwitz, the Prince's second in command, strives to convince the Elector that Homburg's actions were justified and that no commander can hope to control victory through

*Offizier des Dritten
Dragoner-Regiments.
Illustration von
Adolph Menzel
in ,,Die Soldaten Friedrichs
des Großen"*

rigid obedience alone. Others too argue the Prince's cause. But Homburg himself comes to acknowledge the rights of the laws he had ignored and accepts his death sentence.

The ending is conciliatory. Although the Elector insistently denies the arguments of Homburg's followers, he sees in the Prince's acceptance of the law the possibility of a pardon, and the play ends with all united against the enemies of Prussia.

FÜNFTER AKT
Fünfter Auftritt

. . .

DER KURFÜRST: Gebt mir auf einen Augenblick Geduld.   **Kurfürst** Elector

(*Er tritt an den Tisch und durchsieht die Schrift.—Lange Pause.*)

Hm! Sonderbar!—Du nimmst, du alter Krieger,
Des Prinzen Tat in Schutz? Rechtfertigst ihn,
5   Daß er auf Wrangel[1] stürzte, unbeordert?

KOTTWITZ: Ja, mein erlauchter Herr; das tut der Kottwitz!   **erlauchter** illustrious

DER KURFÜRST: Der Meinung auf dem Schlachtfeld warst du nicht.

KOTTWITZ: Das hatt' ich schlecht erwogen, mein Gebieter!   **Gebieter** lord
Dem Prinzen, der den Krieg gar wohl versteht,
10   Hätt' ich mich ruhig unterwerfen sollen.
Die Schweden wankten, auf dem linken Flügel,
Und auf dem rechten wirkten sie Sukkurs;   **Sukkurs** reinforcements
Hätt' er auf deine Order warten wollen,
Sie faßten Posten wieder, in den Schluchten,   **Posten** sentries
15   Und nimmermehr hätt'st du den Sieg erkämpft.

DER KURFÜRST: So!—Das beliebt dir so vorauszusetzen!
Den Obrist Hennings hatt' ich abgeschickt,   **Obrist** colonel
Wie dir bekannt, den schwedschen Brückenkopf,
Der Wrangels Rücken deckt, hinwegzunehmen.
20   Wenn ihr die Order nicht gebrochen hättet,   **gebrochen** disobeyed
Dem Hennings wäre dieser Schlag geglückt;
Die Brücken hätt' er, in zwei Stunden Frist,
In Brand gesteckt, am Rhyn[2] sich aufgepflanzt,
Und Wrangel wäre ganz, mit Stumpf und Stiel,   **mit Stumpf und Stiel**
25   In Gräben und Morast, vernichtet worden.   lock, stock, and barrel

KOTTWITZ: Es ist der Stümper Sache, nicht die deine,   **Stümper** bunglers
Des Schicksals höchsten Kranz erringen wollen;
Du nahmst, bis heut, noch stets, was es dir bot.

[1] **Wrangel**   Swedish field marshal
[2] **Rhyn (Rhein)**   Rhine

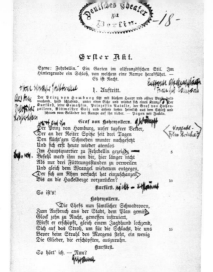

1. Akt, 1. Szene.
Seite aus Max Reinhardts Regiebuch.
Deutsches Theater Berlin. 1906

Drachen dragon

Der Drachen ward, der dir die Marken[3] trotzig
Verwüstete, mit blut'gem Hirn verjagt:
Was konnte mehr an einem Tag geschehn?
Was liegt dir dran, ob er zwei Wochen noch
5   Erschöpft im Sand liegt, und die Wunde heilt?
Die Kunst jetzt lernten wir, ihn zu besiegen,

fürder henceforth
rüstig vigorously

Und sind voll Lust, sie fürder noch zu üben:
Laß uns den Wrangel rüstig, Brust an Brust,
Noch einmal treffen, so vollendet sich's,

Ostsee Baltic Sea

10   Und in die Ostsee ganz fliegt er hinab!
Rom ward an einem Tage nicht erbaut.

DER KURFÜRST: Mit welchem Recht, du Tor, erhoffst du das,
Wenn auf dem Schlachtenwagen, eigenmächtig,

Zügel reins

Mir in die Zügel jeder greifen darf?
15   Meinst du, das Glück werd' immerdar, wie jüngst,
Mit einem Kranz den Ungehorsam lohnen?

**ein Kind . . . von der Bank
fällt** is an illegitimate
child

Den Sieg nicht mag ich, der, ein Kind des Zufalls,
Mir von der Bank fällt; das Gesetz will ich,
Die Mutter meiner Krone, aufrechthalten,
20   Die ein Geschlecht von Siegen mir erzeugt!

KOTTWITZ: Herr, das Gesetz, das höchste, oberste,
Das wirken soll, in deiner Feldherrn Brust,
Das ist der Buchstab' deines Willens nicht;
Das ist das Vaterland, das ist die Krone,
25   Das bist du selber, dessen Haupt sie trägt.
Was kümmert dich, ich bitte dich, die Regel,
Nach der der Feind sich schlägt: wenn er nur nieder
Vor dir, mit allen seinen Fahnen, sinkt?

[3]**Marken** The Marches, or borderlands, originally areas within control of an army's
march; the name is preserved most familiarly in *Die Mark Brandenburg.*

Die Regel, die ihn schlägt, das ist die höchste!
Willst du das Heer, das glühend an dir hängt,
Zu einem Werkzeug machen, gleich dem Schwerte,
Das tot in deinem goldnen Gürtel ruht?
5 Der ärmste Geist, der in den Sternen fremd,
Zuerst solch eine Lehre gab! Die schlechte,
Kurzsicht'ge Staatskunst, die, um eines Falles,
Da die Empfindung sich verderblich zeigt,
Zehn andere vergißt, im Lauf der Dinge,
10 Da die Empfindung einzig retten kann!
Schütt' ich mein Blut dir, an dem Tag der Schlacht,
Für Sold, sei's Geld, sei's Ehre, in den Staub?
Behüte Gott, dazu ist es zu gut!
Was! Meine Lust hab', meine Freude ich,
15 Frei und für mich im Stillen, unabhängig,
An deiner Trefflichkeit und Herrlichkeit,
Am Ruhm und Wachstum deines großen Namens!
Das ist der Lohn, dem sich mein Herz verkauft!
Gesetzt, um dieses unberufnen Sieges,
20 Brächst du dem Prinzen jetzt den Stab; und ich,
Ich träfe morgen, gleichfalls unberufen,
Den Sieg wo irgend zwischen Wald und Felsen,
Mit den Schwadronen, wie ein Schäfer, an:
Bei Gott, ein Schelm müßt' ich doch sein, wenn ich
25 Des Prinzen Tat nicht munter wiederholte.
Und spräch'st du, das Gesetzbuch in der Hand:
„Kottwitz, du hast den Kopf verwirkt!" so sagt' ich:
„Das wußt' ich Herr; da nimm ihn hin, hier ist er:
Als mich ein Eid an deine Krone band,
30 Mit Haut und Haar, nahm ich den Kopf nicht aus,
Und nichts dir gäb' ich, was nicht dein gehörte!"

Friedrich Wilhelm,
Kurfürst von Brandenburg.
Vermutlich Stich von
Albrecht Christian Kolle

Staatskunst statesmanship
Sold pay
Trefflichkeit perfection
unberufnen unauthorized
Brächst . . . den Stab
sentenced to death
Schwadronen troops

verwirkt forfeited

Eid oath
Mit Haut und Haar
completely

Preußische Soldaten.
Illustration von Adolph Menzel
in „Geschichte Friedrichs des Großen"

DER KURFÜRST: Mit dir, du alter wunderlicher Herr,
Werd' ich nicht fertig! Es besticht dein Wort
Rednerkunst rhetoric — Mich, mit arglist'ger Rednerkunst gesetzt,
Mich, der, du weißt, dir zugetan, und einen
Sachwalter attorney — 5 Sachwalter ruf' ich mir, den Streit zu enden,
Der meine Sache führt!

(*Er klingelt,* EIN BEDIENTER *tritt auf.*)

Der Prinz von Homburg!
Man führ' aus dem Gefängnis ihn hierher!

(DER BEDIENTE *ab.*)

10 Der wird dich lehren, das versichr' ich dich,
Kriegszucht
military discipline — Was Kriegszucht und Gehorsam sei! Ein Schreiben
Schickt' er mir mindstens zu, das anders lautet,
spitzfünd'ge Lehrbegriff
hair-splitting outline — Als der spitzfünd'ge Lehrbegriff der Freiheit,
Den du hier, wie ein Knabe, mir entfaltet.

15 (*Er stellt sich wieder an den Tisch und liest.*)

KOTTWITZ (*erstaunt*):

Wen holt—? Wen ruft—?

OBRIST HENNINGS.   Ihn selber?

GRAF TRUCHSS.   Nein, unmöglich!

(*Die Offiziere treten unruhig zusammen und sprechen miteinander.*)

· · ·

Siebenter Auftritt

(DER PRINZ VON HOMBURG *tritt auf. Ein Offizier mit Wache.*
Die Vorigen.)

20 DER KURFÜRST: Mein junger Prinz, Euch ruf ich mir zu Hülfe!
Der Obrist Kottwitz bringt, zu Gunsten Eurer,
Mir dieses Blatt hier, schaut, in langer Reihe
Von hundert Edelleuten unterzeichnet;
Das Heer begehre, heißt es, Eure Freiheit,
Kriegsrechts martial law — 25 Und billige den Spruch des Kriegsrechts nicht.—
Lest, bitt' ich, selbst, und unterrichtet Euch!

(*Er gibt ihm das Blatt.*)

DER PRINZ VON HOMBURG (*nachdem er einen Blick hineingetan,*
wendet er sich, und sieht sich im Kreis der Offiziere um):

Szene aus Helmut Henrichs' Inszenierung im Bayerischen Staatsschauspiel München.
Hartmann als Kurfürst, Holtzmann als Prinz, Diess als Diener. 1963

Kottwitz, gib deine Hand mir, alter Freund!
Du tust mir mehr, als ich, am Tag der Schlacht,
Um dich verdient! Doch jetzt geschwind geh hin
Nach Arnstein[4] wiederum, von wo du kamst,
5   Und rühr' dich nicht; ich hab's mir überlegt,
Ich will den Tod, der mir erkannt, erdulden!

(Er übergibt ihm die Schrift.)

KOTTWITZ (*betroffen*):   Nein, nimmermehr, mein Prinz! Was
                                    sprichst du da?

HOHENZOLLERN: Er will den Tod—?

GRAF TRUCHSS: Er soll und darf nicht sterben!

10   MEHRERE OFFIZIERE (*vordringend*): Mein Herr und Kurfürst! Mein
                                    Gebieter! Hör uns!

unbeugsamer unbending

DER PRINZ VON HOMBURG: Ruhig! Es ist mein unbeugsamer Wille!
Ich will das heilige Gesetz des Kriegs,
Das ich verletzt' im Angesicht des Heers,
Durch einen freien Tod verherrlichen!
15   Was kann der Sieg euch, meine Brüder, gelten,

dürftige shabby

Der eine, dürftige, den ich vielleicht
Dem Wrangel noch entreiße, dem Triumph
Verglichen, über den verderblichsten
Der Feind' in uns, den Trotz, den Übermut,

glorreich gloriously
unterjochen subjugate

20   Errungen glorreich morgen? Es erliege
Der Fremdling, der uns unterjochen will,
Und frei, auf mütterlichem Grund, behaupte
Der Brandenburger sich; denn sein ist er,
Und seiner Fluren Pracht nur ihm erbaut!

25   KOTTWITZ (*gerührt*): Mein Sohn! Mein liebster Freund! Wie nenn'
                                    ich dich?

GRAF TRUCHSS: O Gott der Welt!

KOTTWITZ: Laß deine Hand mich küssen!

(Sie drängen sich um ihn.)

.   .   .

(EXERCISES, SEE P. 179)

[4]**Arnstein** small town where Kottwitz and his troops have been stationed

The word "romanticism" is used with a wide range of meanings, but in German literary history it is applied particularly to groups of writers who came into prominence at the turn of the nineteenth century. The members of this Romantic movement are thus set apart from earlier generations who might also be considered to have some "romantic" characteristics; above all, they are distinguished from Goethe and Schiller, whose careers had led them from early *Sturm und Drang* rebellion into a new classicism.

The achievements of the Romantic movement are multiple and varied. Its influence continued through most of the nineteenth century and may be felt as much in philosophy and social thought as in art, music, and literature. The essential mood may perhaps be characterized by a new openness of feelings and a revived idealism that sought to escape from the prosaic values of the growingly bourgeois and rationalized world.

ROMANTIC POETS

1 *Novalis, Stahlstich von Eduard Eichens. 1845*
2 *Uhland. Ölgemälde von Gottlob Wilhelm Morff. 1818*
3 *Brentano. Zeichnung von Wilhelm Schadow. 1805*
4 *Heine. Gemälde von Moritz Oppenheim. 1831*
5 *Mörike. Lithographie von Bonaventura Weiß. 1851*

One of the great areas of Romantic literature was in lyric poetry. This poetry is characteristically rich in feeling but simple and close to traditional folk song in structure, language, and rhythm. The strength of the consonants in the German language and the purity of the vowel sounds combine to give German poetry a strong sensual appeal. Thus, even simple songs—such as Novalis' love song of Christ's disciple, the cradle song of Brentano, and Uhland's battle hymn written for the wars of liberation against Napoleon —are deeply moving.

NOVALIS
1772–1801

Andacht devotion

Wanderstabe
pilgrim's staff

Labe comfort

hingesenkt bent down

Jüngern disciples

Wenn ich ihn nur habe

Wenn ich ihn nur habe,
Wenn er mein nur ist,
Wenn mein Herz bis hin zum Grabe
Seine Treue nie vergißt,
5   Weiß ich nichts von Leide,
Fühle nichts als Andacht, Lieb' und Freude.

Wenn ich ihn nur habe,
Laß' ich alles gern,
Folg' an meinem Wanderstabe
10   Treugesinnt nur meinem Herrn,
Lasse still die andern
Breite, lichte, volle Straßen wandern.

Wenn ich ihn nur habe,
Schlaf' ich fröhlich ein:
15   Ewig wird zu süßer Labe
Seines Herzens Flut mir sein.
Die mit sanftem Zwingen
Alles wird erweichen und durchdringen.

Wenn ich ihn nur habe,
20   Hab' ich auch die Welt;
Selig wie ein Himmelsknabe,
Der der Jungfrau Schleier hält.
Hingesenkt im Schauen
Kann mir vor dem Irdischen nicht grauen.

25   Wo ich ihn nur habe,
Ist mein Vaterland;
Und es fällt mir jede Gabe
Wie ein Erbteil in die Hand,
Längst vermißte Brüder
30   Find' ich nun in seinen Jüngern wieder.

(EXERCISES, SEE P. 181)

CLEMENS BRENTANO
1778–1842

Wiegenlied

Singet leise, leise, leise,
Singt ein flüsternd Wiegenlied,
Von dem Monde lernt die Weise,
Der so still am Himmel zieht.

Singt ein Lied so süß gelinde,
Wie die Quellen auf den Kieseln,
Wie die Bienen um die Linde
Summen, murmeln, flüstern, rieseln.

Kieseln pebbles

rieseln ripple

(EXERCISES, SEE P. 182)

LUDWIG UHLAND 1787-1862

Der gute Kamerad

5 Ich hatt' einen Kameraden,
Einen bessern findst du nit.
Die Trommel schlug zum Streite,
Er ging an meiner Seite
Im gleichen Schritt und Tritt.

10 Eine Kugel kam geflogen;
Gilt's mir oder gilt es dir?
Ihn hat es weggerissen,
Er liegt mir vor den Füßen,
Als wär's ein Stück von mir.

15 Will mir die Hand noch reichen,
Derweil ich eben lad':
,,Kann dir die Hand nicht geben,
Bleib du im ew'gen Leben
Mein guter Kamerad!"

(EXERCISES, SEE P. 183)

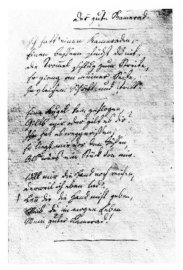

Handschrift Uhlands.
1809

derweil while
lad load (a rifle)

HEINRICH HEINE 1797-1856

Sie saßen und tranken am Teetisch

A quite different tone is set in this playful mockery of the fashionable world and its inadequate conceptions of love.

20 Sie saßen und tranken am Teetisch,
Und sprachen von Liebe viel.
Die Herren, die waren ästhetisch,
Die Damen von zartem Gefühl.

Hofrat Court Councilor
Domherr Canon

Zeichnung von Albrecht Dürer. Um 1500

„Die Liebe muß sein platonisch,"
Der dürre Hofrat sprach.
Die Hofrätin lächelt ironisch,
Und dennoch seufzet sie: „Ach!"

5 Der Domherr öffnet den Mund weit:
„Die Liebe sei nicht zu roh,
Sie schadet sonst der Gesundheit."
Das Fräulein lispelt: „Wieso?"

Die Gräfin spricht wehmütig:
10 „Die Liebe ist eine Passion!"
Und präsentieret gütig
Die Tasse dem Herrn Baron.

Am Tische war noch ein Plätzchen;
Mein Liebchen, da hast du gefehlt.
15 Du hättest so hübsch, mein Schätzchen,
Von deiner Liebe erzählt.

(EXERCISES, SEE P. 184)

EDUARD MÖRIKE 1804-1875

Um Mitternacht

The following two poems by Eduard Mörike remain in the tradition of Romanticism, reflecting as they do the Romantic mood in the gentle evocation of love and sorrow. We are conscious here, however, of a more mature and sophisticated artist and a greater subtlety of structure and tone.

Gelassen stieg die Nacht ans Land,
Lehnt träumend an der Berge Wand,
Ihr Auge sieht die goldne Waage nun
20 Der Zeit in gleichen Schalen stille ruhn;
    Und kecker rauschen die Quellen hervor,
    Sie singen der Mutter, der Nacht, ins Ohr
    Vom Tage,
    Vom heute gewesenen Tage.

Das uralt alte Schlummerlied,
Sie achtet's nicht, sie ist es müd';
Ihr klingt des Himmels Bläue süßer noch,
Der flücht'gen Stunden gleichgeschwungnes Joch.
5   Doch immer behalten die Quellen das Wort,
Es singen die Wasser im Schlafe noch fort
Vom Tage,
Vom heute gewesenen Tage.

Schlummerlied lullaby

gleichgeschwungnes Joch
yoke in a recurring rhythm

(EXERCISES, SEE P. 185)

In der Frühe

Kein Schlaf noch kühlt das Auge mir,
10 Dort gehet schon der Tag herfür
An meinem Kammerfenster.
Es wühlet mein verstörter Sinn
Noch zwischen Zweifeln her und hin
Und schaffet Nachtgespenster.
15 —Ängste, quäle
Dich nicht länger, meine Seele!
Freu dich! schon sind da und dorten
Morgenglocken wach geworden.

wühlet is seething

(EXERCISES, SEE P. 186)

*Selbstbildnis Mörikes
im Mergentheimer Haushaltungsbuch.
April 1846*

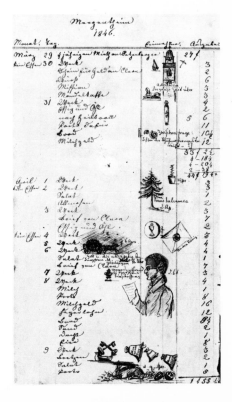

JOSEPH VON EICHENDORFF 1788-1857

Aus dem Leben eines Taugenichts

Eichendorff's Aus dem Leben eines Taugenichts *(1826), the story of the good-for-nothing who lives in dreams and wants no part in the busy life of the everyday world, is one of the most attractive and delightful examples of German Romantic prose. Taugenichts very willingly leaves his father's mill to wander across the countryside, playing his violin and following his fortune as chance decides. With him we learn to enjoy the blessings of idleness and the dreamy acceptance of God's world.*

The action of the story is less important than the mood, and this is created very clearly in the opening pages.

Das Rad an meines Vaters Mühle brauste und rauschte schon wieder recht lustig, der Schnee tröpfelte emsig vom Dache, die Sperlinge zwitscherten
5 und tummelten sich dazwischen; ich saß auf der Türschwelle und wischte mir den Schlaf aus den Augen; mir war so recht wohl in dem warmen Sonnenscheine. Da trat der Vater aus
10 dem Hause; er hatte schon seit Tagesanbruch in der Mühle rumort und die Schlafmütze schief auf dem Kopfe, der sagte zu mir: ,,Du Taugenichts! da sonnst du dich schon wieder und dehnst
15 und reckst dir die Knochen müde und läßt mich alle Arbeit allein tun. Ich kann dich hier nicht länger füttern. Der Frühling ist vor der Tür, geh auch einmal hinaus in die Welt und erwirb
20 dir selber dein Brot."—,,Nun," sagte ich, ,,wenn ich ein Taugenichts bin, so ist's gut, so will ich in die Welt gehn und mein Glück machen." Und eigentlich war mir das recht lieb, denn es

tröpfelte emsig
dripped busily

tummelten sich
bustled about

rumort   rumbled about

war mir kurz vorher selber eingefallen, auf Reisen zu gehn, da ich
die Goldammer, welche im Herbst und Winter immer betrübt
an unserm Fenster sang: „Bauer, miet mich, Bauer, miet mich!"
nun in der schönen Frühlingszeit wieder ganz stolz und lustig vom
5   Baume rufen hörte: „Bauer, behalt deinen Dienst!"—Ich ging
also in das Haus hinein und holte meine Geige, die ich recht artig
spielte, von der Wand, mein Vater gab mir noch einige Groschen[1]
Geld mit auf den Weg, und so schlenderte ich durch das lange Dorf
hinaus. Ich hatte recht meine heimliche Freude, als ich da alle meine
10 alten Bekannten und Kameraden rechts und links, wie gestern und
vorgestern und immerdar, zur Arbeit hinausziehen, graben und
pflügen sah, während ich so in die freie Welt hinausstrich. Ich rief
den armen Leuten nach allen Seiten recht stolz und zufrieden Adjes
zu, aber es kümmerte sich eben keiner sehr darum. Mir war es wie
15 ein ewiger Sonntag im Gemüte. Und als ich endlich ins freie Feld
hinauskam, da nahm ich meine liebe Geige vor und spielte und
sang, auf der Landstraße fortgehend:

     „Wem Gott will rechte Gunst erweisen,
     Den schickt er in die weite Welt,
20   Dem will er seine Wunder weisen
     In Berg und Wald und Strom und Feld.

     Die Trägen, die zu Hause liegen,
     Erquicket nicht das Morgenrot,
     Sie wissen nur vom Kinderwiegen,
25   Von Sorgen, Last und Not um Brot.

     Die Bächlein von den Bergen springen,
     Die Lerchen schwirren hoch vor Lust,
     Was sollt' ich nicht mit ihnen singen
     Aus voller Kehl und frischer Brust?

30   Den lieben Gott laß' ich nur walten;
     Der Bächlein, Lerchen, Wald und Feld
     Und Erd und Himmel will erhalten,
     Hat auch mein Sach aufs best' bestellt!"

    Indem, wie ich mich so umsehe, kommt ein köstlicher Reise-
35 wagen ganz nahe an mich heran, der mochte wohl schon einige
Zeit hinter mir drein gefahren sein, ohne daß ich es merkte, weil
mein Herz so voller Klang war, denn es ging ganz langsam, und
zwei vornehme Damen streckten die Köpfe aus dem Wagen und

[1]**Groschen** a German coin of small value

Goldammer yellow
hammer (a bird)

schlenderte . . . hinaus
sauntered out

Adjes adieu

*Federlithographie
von A. Schroedter. 1842*

schwirren whir

aus voller Kehl at the top
of one's voice

walten do as he pleases

aufs best' in the best
possible way

hörten mir zu. Die eine war besonders schön und jünger als die andere aber eigentlich gefielen sie mir alle beide. Als ich nun aufhörte

holdselig most charmingly
Er you
Euer Gnaden Your Grace

5 zu singen, ließ die ältere still halten und redete mich holdselig an: „Ei, lustiger Gesell, Er weiß ja recht hübsche Lieder zu singen." Ich nicht zu faul dagegen: „Euer Gnaden aufzuwarten, wüßt' ich noch viel schönere." Darauf fragte sie mich wieder: „Wohin wandert Er denn schon so am frühen Morgen?" Da schämte ich mich, daß

Wien Vienna

ich das selber nicht wußte, und sagte dreist: „Nach Wien"; nun sprachen beide miteinander in einer fremden Sprache, die ich

10 nicht verstand. Die jüngere schüttelte einigemal mit dem Kopfe,

in einem fort continuously

die andere lachte aber in einem fort und rief mir endlich zu: „Spring Er nur hinten mit auf, wir fahren auch nach Wien." Wer

Reverenz bow
Kutscher coachman

war froher als ich! Ich machte eine Reverenz und war mit einem Sprunge hinter dem Wagen, der Kutscher knallte, und wir flogen

15 über die glänzende Straße fort, daß mir der Wind am Hute pfiff.

Hinter mir gingen nun Dorf, Gärten und Kirchtürme unter, vor mir neue Dörfer, Schlösser und Berge auf; unter mir Saaten,

Saaten green crops

Büsche und Wiesen bunt vorüberfliegend, über mir unzählige Lerchen in der klaren blauen Luft—ich schämte mich, laut zu

strampelte kicked about
Wagentritt carriage step

20 schreien, aber innerlichst jauchzte ich und strampelte und tanzte auf dem Wagentritt herum, daß ich bald meine Geige verloren hätte, die ich unterm Arme hielt. Wie aber dann die Sonne immer höher stieg, rings am Horizont schwere weiße Mittagswolken aufstiegen und alles in der Luft und auf der weiten Fläche so leer

25 und schwül und still wurde über den leise wogenden Kornfeldern, da fiel mir erst wieder mein Dorf ein und mein Vater und unsere Mühle, wie es da so heimlich kühl war an dem schattigen Weiher,

Mir war . . . zumute I felt

und daß nun alles so weit, weit hinter mir lag. Mir war dabei so kurios zumute, als müßt' ich wieder umkehren; ich steckte meine

30 Geige zwischen Rock und Weste, setzte mich voller Gedanken auf den Wagentritt hin und schlief ein.

. . . .

(EXERCISES, SEE P. 187)

Ausschnitt aus einer
Illustration zu
„Des Gesellen Heimkehr".
Radierung von
A. Teichel

Lithographie von A. Hoffmann

GEORG BÜCHNER 1813–1837

Georg Büchner is one of the most remarkable prodigies in the history of literature. He died when he was only twenty-three, but he produced in his short life several works of extraordinary interest and originality. These works are quite different in mood from the dominant trends of his own time and clearly foreshadow directions and tendencies of modern literature, whether naturalist, expressionist, or existentialist.

Dantons Tod

Dantons Tod (*1835*), *a drama of the French Revolution, was Büchner's first play and was completed when he was twenty-one. The origin of this work is itself dramatic. Büchner was a radical conspirator and the anonymous author of an inflammatory tract,* Der hessische Landbote (*The Hessian Rural Messenger*), *1834, in which he advocated the violent overthrow of the reactionary social order. Fearing discovery and imprisonment by the authorities, he wrote the play in the hope of obtaining enough money to flee the country. Fellow conspirators were arrested and subsequently tortured, one even executed, but Büchner managed to escape at the last moment to Strasbourg.*

Despite these circumstances, Büchner already seems to show in Dantons Tod *some disillusionment with the objectives of revolution. The drama takes place in Paris during the Reign of Terror. The revolution has entered the period when it, "like Saturn, devours its own children." The new constitution has been suspended and all powers are concentrated in the hands of the ruthless Robespierre who exercises control through the Committee of Public Safety. Danton, formerly a leader of the revolution against its many enemies within the country and outside, has grown weary of the bloodshed and has practically withdrawn from the political scene. He is supposed to have said: "I would rather be guillotined than do the guillotining."*

A good deal of Büchner's play is based on historical fact; the public speeches in particular follow the sources, often word for word. But the realism of the action is given a peculiar flavor by Büchner's own harsh insight into human behavior. His "unmasking psychology" anticipates modern discoveries and, at the same time, reflects his own personal picture of a world in which traditional values no longer sustain us. Danton's idealistic dreams for the revolution have vanished. He now sees no standards in life other than man's natural desire for his own comfort and well-being. He himself has retreated into a life of self-indulgence.

Our selection begins with the confrontation between Robespierre and Danton at the end of the first act. Robespierre was known as "the incorruptible" because of his upright and puritanical private life. But Danton's bitter analysis of Robespierre's motives exposes the empty illusions behind this relentless morality. The action then follows in rapidly changing scenes, leaping forward in time and moving from place to place. This technique is quite different from the orthodox build-up of central dramatic clashes, which we see, for instance, in Schiller, and here, too, Büchner's effects are remarkably modern.

ERSTER AKT

Ein Zimmer

(ROBESPIERRE, DANTON, PARIS.[1])

tut nichts zur Sache
doesn't change things

ROBESPIERRE: Ich sage dir, wer mir in den Arm fällt, wenn ich das Schwert ziehe, ist mein Feind—seine Absicht tut nichts zur Sache; wer mich verhindert, mich zu verteidigen, tötet mich so gut, als
5 wenn er mich angriffe.

[1]**Fabricius Paris**   a friend of Danton and member of the revolutionary tribunal

Kohlezeichnung von Peter Trumm zu Max Reinhardts Inszenierung im Münchner Prinzregententheater. Wladimir Sokoloff als Robespierre.
1929

DANTON: Wo die Notwehr aufhört, fängt der Mord an; ich sehe keinen Grund, der uns länger zum Töten zwänge.

ROBESPIERRE: Die soziale Revolution ist noch nicht fertig; wer eine Revolution zur Hälfte vollendet, gräbt sich selbst sein Grab.
5 Die gute Gesellschaft ist noch nicht tot, die gesunde Volkskraft muß sich an die Stelle dieser nach allen Richtungen abgekitzelten Klasse setzen. Das Laster muß bestraft werden, die Tugend muß durch den Schrecken herrschen.

abgekitzelten titillated
Laster vice

Ausschnitt aus Gustaf Gründgens Inszenierung im Deutschen Schauspielhaus Hamburg. Richard Münch als Robespierre. 1958

DANTON: Ich verstehe das Wort Strafe nicht.—Mit deiner Tugend,
10 Robespierre! Du hast kein Geld genommen, du hast keine Schulden gemacht, du hast bei keinem Weibe geschlafen, du hast immer einen anständigen Rock getragen und dich nie betrunken. Robespierre, du bist empörend rechtschaffen. Ich würde mich schämen, dreißig Jahre lang mit der nämlichen Moralphysiognomie
15 zwischen Himmel und Erde herumzulaufen, bloß um des elenden Vergnügens willen, andre schlechter zu finden als mich.—Ist denn nichts in dir, was dir nicht manchmal ganz leise, heimlich sagte: du lügst, du lügst!?

rechtschaffen righteous
Moralphysiognomie moral image

ROBESPIERRE: Mein Gewissen ist rein.

20 DANTON: Das Gewissen ist ein Spiegel, vor dem ein Affe sich quält; jeder putzt sich, wie er kann, und geht auf seine eigne Art auf seinen Spaß dabei aus. Das ist der Mühe wert, sich darüber in den Haaren zu liegen! Jeder mag sich wehren, wenn ein andrer ihm den Spaß verdirbt. Hast du das Recht, aus der Guillotine einen
25 Waschzuber für die unreine Wäsche anderer Leute und aus ihren

sich in den Haaren liegen to get in each other's hair

Waschzuber washtub

Karikatur.
Robespierres blutrünstige
Herrschaft

Fleckkugeln scouring pads

abgeschlagenen Köpfen Fleckkugeln für ihre schmutzigen Kleider zu machen, weil du immer einen sauber gebürsteten Rock trägst? Ja, du kannst dich wehren, wenn sie dir drauf spucken oder Löcher hineinreißen; aber was geht es dich an, solang' sie dich in Ruhe

sich . . . genieren
   feel embarrassed
Grabloch open grave
Polizeisoldat
   military policeman

5 lassen! Wenn sie sich nicht genieren, so herumzugehen, hast du deswegen das Recht, sie ins Grabloch zu sperren? Bist du der Polizeisoldat des Himmels? Und kannst du es nicht ebensogut mitansehn als dein lieber Herrgott, so halte dir dein Schnupftuch vor die Augen.

10   ROBESPIERRE: Du leugnest die Tugend?

Epikureer Epicureans

DANTON: Und das Laster, Es gibt nur Epikureer, und zwar grobe und feine, Christus war der feinste; das ist der einzige Unterschied, den ich zwischen den Menschen herausbringen kann. Jeder handelt seiner Natur gemäß, d. h. er tut, was ihm wohltut.—Nicht wahr,

Absätze heels

15 Unbestechlicher, es ist grausam, dir die Absätze so von den Schuhen zu treten?

ROBESPIERRE: Danton, das Laster ist zu gewissen Zeiten Hochverrat.

proskribieren proscribe

DANTON: Du darfst es nicht proskribieren, ums Himmels willen nicht, das wäre undankbar; du bist ihm zu viel schuldig, durch

20 den Kontrast nämlich.—Übrigens, um bei deinen Begriffen zu bleiben, unsere Streiche müssen der Republik nützlich sein, man darf die Unschuldigen nicht mit den Schuldigen treffen.

ROBESPIERRE: Wer sagt dir denn, daß ein Unschuldiger getroffen worden sei?

DANTON: Hörst du, Fabricius? Es starb kein Unschuldiger!

(*Er geht; im Hinausgehn zu* PARIS:)
Wir dürfen keinen Augenblick verlieren, wir müssen uns zeigen!

(DANTON *und* PARIS *ab.*)

5 ROBESPIERRE (*allein*): Geh nur! Er will die Rosse der Revolution am Bordell halten machen, wie ein Kutscher seine dressierten Gäule; sie werden Kraft genug haben, ihn zum Revolutionsplatz zu schleifen.

Mir die Absätze von den Schuhen treten! Um bei deinen
10 Begriffen zu bleiben!—Halt! Halt! Ist's das eigentlich?—Sie werden sagen, seine gigantische Gestalt hätte zu viel Schatten auf mich geworfen, ich hätte ihn deswegen aus der Sonne gehen heißen.— Und wenn sie recht hätten?—Ist's denn so notwendig? Ja, ja! die Republik! Er muß weg.

· · ·

15 (ST. JUST *tritt ein.*)

ROBESPIERRE: He, wer da im Finstern? He, Licht, Licht!

ST. JUST: Kennst du meine Stimme?

ROBESPIERRE: Ah du, St. Just!

(*Eine Dienerin bringt Licht.*)

20 ST. JUST: Warst du allein?

ROBESPIERRE: Eben ging Danton weg.

Kutscher coachman
dressierten Gäule
trained nags

Rechts: Danton.
Zeitgenössische Zeichnung

Unten: Robespierre.
Anonyme zeitgenössische
Zeichnung

ST. JUST: Ich traf ihn unterweges im Palais-Royal. Er machte seine
revolutionäre Stirn und sprach in Epigrammen; er duzte sich mit
den Ohnehosen,[2] die Grisetten liefen hinter seinen Waden drein,
und die Leute blieben stehn und zischelten sich in die Ohren, was
5 er gesagt hatte.—Wir werden den Vorteil des Angriffs verlieren.
Willst du noch länger zaudern? Wir werden ohne dich handeln.
Wir sind entschlossen.

ROBESPIERRE: Was wollt ihr tun?

ST. JUST: Wir berufen den Gesetzgebungs-, den Sicherheits- und
10 den Wohlfahrtsausschuß zu feierlicher Sitzung.

ROBESPIERRE: Viel' Umstände.

ST. JUST: Wir müssen die große Leiche mit Anstand begraben, wie
Priester, nicht wie Mörder; wir dürfen sie nicht verstümmeln,
all ihre Glieder müssen mit hinunter.

. . .

ZWEITER AKT

Freies Feld.

15 DANTON: Ich mag nicht weiter. Ich mag in dieser Stille mit dem
Geplauder meiner Tritte und dem Keuchen meines Atems nicht
Lärmen machen.

(*Er setzt sich nieder; nach einer Pause:*)

Man hat mir von einer Krankheit erzählt, die einem das Gedächtnis
20 verlieren mache. Der Tod soll etwas davon haben. Dann kommt
mir manchmal die Hoffnung, daß er vielleicht noch kräftiger wirke
und einem *alles* verlieren mache. Wenn das wäre!—Dann lief
ich wie ein Christ, um einen Feind, d. h. mein Gedächtnis, zu retten.
   Der Ort soll sicher sein, ja für mein Gedächtnis, aber nicht für
25 mich; mir gibt das Grab mehr Sicherheit, es schafft mir wenigstens
Vergessen. Es tötet mein Gedächtnis. Dort aber lebt mein Gedächtnis
und tötet mich. Ich oder es? Die Antwort ist leicht.

(*Er erhebt sich und kehrt um.*)

   Ich kokettiere mit dem Tod; es ist ganz angenehm, so aus der
30 Ferne mit dem Lorgnon mit ihm zu liebäugeln.
   Eigentlich muß ich über die ganze Geschichte lachen. Es ist ein
Gefühl des Bleibens in mir, was mir sagt: es wird morgen sein
wie heute, und übermorgen und weiter hinaus ist alles wie eben.

[2]**Ohnehosen** (sans-culotte: without knee breeches) contemptuous term for the lower-class
republican but adopted by the revolutionists as a badge of honor

Das ist leerer Lärm, man will mich schrecken; sie werden's nicht wagen!

(*Ab.*)

Ein Zimmer

5 (*Es ist Nacht.*)

DANTON (*am Fenster*): Will denn das nie aufhören? Wird das Licht nie ausglühn und der Schall nie modern? Will's denn nie still und dunkel werden, daß wir uns die garstigen Sünden einander nicht mehr anhören und ansehen?—September!³—

10 JULIE (*ruft von innen*): Danton! Danton!

DANTON: He?

JULIE (*tritt ein*): Was rufst du?

DANTON: Rief ich?

JULIE: Du sprachst von garstigen Sünden, und dann stöhntest
15 du: September!

DANTON: Ich, ich? Nein, ich sprach nicht; das dacht' ich kaum, das waren nur ganz leise, heimliche Gedanken.

JULIE: Du zitterst, Danton!

DANTON: Und soll ich nicht zittern, wenn so die Wände plaudern?
20 Wenn mein Leib so zerschellt ist, daß meine Gedanken unstet, umirrend mit den Lippen der Steine reden? Das ist seltsam.

JULIE: Georg, mein Georg!

. . .

Der Nationalkonvent
(*Eine Gruppe von Deputierten.*)

25 LEGENDRE: Soll denn das Schlachten der Deputierten nicht aufhören? Wer ist noch sicher, wenn Danton fällt?

EIN DEPUTIERTER: Was tun?

EIN ANDERER: Er muß vor den Schranken des Konvents gehört werden.—Der Erfolg dieses Mittels ist sicher; was sollten sie seiner
30 Stimme entgegensetzen?

EIN ANDERER: Unmöglich, ein Dekret verhindert uns.

---

³ **September** reference to the September massacres of royalist prisoners in Paris in 1792, which were partly incited by Danton

modern die away
garstigen filthy

zerschellt shattered

Nationalkonvent National Convention
Deputierten delegates

vor den Schranken before the tribunal

Dekret decree

Ausschnitt aus Gustaf Gründgens
Inszenierung im
Deutschen Schauspielhaus Hamburg.
Richard Münch als Robespierre.
1958

LEGENDRE: Es muß zurückgenommen oder eine Ausnahme gestattet werden.—Ich werde den Antrag machen; ich rechne auf eure Unterstützung.

DER PRÄSIDENT: Die Sitzung ist eröffnet.

5 LEGENDRE (*besteigt die Tribüne*): Vier Mitglieder des Nationalkonvents sind verflossene Nacht verhaftet worden. Ich weiß, daß Danton einer von ihnen ist, die Namen der übrigen kenne ich nicht. Mögen sie übrigens sein, wer sie wollen, so verlange ich, daß sie vor den Schranken gehört werden.

10 Bürger, ich erkläre es: ich halte Danton für ebenso rein wie mich selbst, und ich glaube nicht, daß mir irgendein Vorwurf gemacht werden kann. Ich will kein Mitglied des Wohlfahrts- oder des Sicherheitsausschusses angreifen, aber gegründete Ursachen lassen mich fürchten, Privathaß und Privatleidenschaften möchten der

15 Freiheit Männer entreißen, die ihr die größten Dienste erwiesen haben. Der Mann, welcher im Jahre 1792 Frankreich durch seine Energie rettete, verdient gehört zu werden; er muß sich erklären dürfen, wenn man ihn des Hochverrats anklagt.

(*Heftige Bewegung.*)

20 EINIGE STIMMEN: Wir unterstützen Legendres Vorschlag.

. . .

ROBESPIERRE: . . . Legendre scheint die Namen der Verhafteten nicht zu wissen; der ganze Konvent kennt sie. Sein Freund Lacroix ist darunter. Warum scheint Legendre das nicht zu wissen? Weil er wohl weiß, daß nur die Schamlosigkeit Lacroix verteidigen

an . . . knüpfe sich was connected with

25 kann. Er nannte nur Danton, weil er glaubt, an diesen Namen knüpfe sich ein Privilegium. Nein, wir wollen keine Privilegien,

Götzen idols

wir wollen keine Götzen!

(*Beifall.*)

Was hat Danton vor Lafayette, vor Dumouriez, vor Brissot, Fabre, Chabot, Hébert[4] voraus? Was sagt man von diesen, was man nicht auch von ihm sagen könnte? Habt ihr sie gleichwohl geschont? Wodurch verdient er einen Vorzug vor seinen Mitbürgern? . . .

Die Zahl der Schurken ist nicht groß; wir haben nur wenige Köpfe zu treffen, und das Vaterland ist gerettet.

Schurken scoundrels

(*Beifall.*)

Ich verlange, daß Legendres Vorschlag zurückgewiesen werde.

(*Die Deputierten erheben sich sämtlich zum Zeichen allgemeiner Beistimmung.*)

ST. JUST: Es scheint in dieser Versammlung einige empfindliche Ohren zu geben, die das Wort „Blut" nicht wohl vertragen können. Einige allgemeine Betrachtungen mögen sie überzeugen, daß wir nicht grausamer sind als die Natur und als die Zeit. Die Natur folgt ruhig und unwiderstehlich ihren Gesetzen; der Mensch wird vernichtet, wo er mit ihnen in Konflikt kommt. Eine Änderung in den Bestandteilen der Luft, ein Auflodern des tellurischen

Auflodern flaring up
tellurischen terrestrial

---

[4]**Lafayette . . . Hébert** Marquis de Lafayette was a moderate in the French Revolution and desired the preservation of the monarchy; later he fled to Austria. Charles François Dumouriez, a French general, defected to the Austrians in the French Revolutionary Wars. Jacques Pierre Brissot, a leader of the Girondists, the more moderate revolutionary faction, was guillotined in October, 1793. Fabre d'Églantine, a dramatist and revolutionist, was for a time Danton's private secretary; he was arrested by the Committee of Public Safety on a groundless charge of forgery and guillotined in April, 1794. François Chabot, a radical revolutionist, was condemned and executed in April, 1794, on a charge of bribery. Jacques René Hébert, a journalist and politician, was a virulent revolutionist whose power led Robespierre to have him guillotined.

Ausschnitt aus Gustaf Gründgens Inszenierung im Deutschen Schauspielhaus Hamburg.
Ulrich Haupt als Danton.
1958

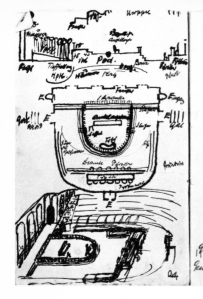

*Skizze für den Bühnenaufbau
des Revolutionstribunals.
Aus Max Reinhardts Regiebuch*

Seuche pestilence
vulkanischer volcanic
Überschwemmung flood

Feuers, ein Schwanken in dem Gleichgewicht einer Wassermasse und eine Seuche, ein vulkanischer Ausbruch, eine Überschwemmung begraben Tausende. . . .

Der Weltgeist bedient sich in der geistigen Sphäre unserer
5 Arme ebenso, wie er in der physischen Vulkane und Wasserfluten gebraucht. Was liegt daran, ob sie nun an einer Seuche oder an der Revolution sterben? . . .

Die Revolution ist wie die Töchter des Pelias[5]: sie zerstückt die Menschheit, um sie zu verjüngen. Die Menschheit wird aus dem

Blutkessel kettle of blood
Sündflut deluge

10 Blutkessel wie die Erde aus den Wellen der Sündflut mit urkräftigen Gliedern sich erheben, als wäre sie zum ersten Male geschaffen.

(Langer, anhaltender Beifall. Einige Mitglieder erheben sich im Enthusiasmus.)

Alle geheimen Feinde der Tyrannei, welche in Europa und auf
15 dem ganzen Erdkreise den Dolch des Brutus unter ihren Gewändern tragen, fordern wir auf, diesen erhabnen Augenblick mit uns zu teilen.

(Die Zuhörer und die Deputierten stimmen die Marseillaise[6] an.)

DRITTER AKT

Das Revolutionstribunal

DANTON: Die Republik ist in Gefahr, und er hat keine Instruktion!
20 Wir appellieren an das Volk; meine Stimme ist noch stark genug, um den Dezemvirn[7] die Leichenrede zu halten.—Ich wiederhole

---

[5] **Töchter des Pelias** In Greek legend the daughters of Pelias cut to pieces and boiled their own father in order to try to restore him to youth and vigor.
[6] **Marseillaise** French national anthem composed during the French Revolution
[7] **Dezemvirn** the ten members of the Committee for Public Safety of whom Robespierre was the most influential

es, wir verlangen eine Kommission; wir haben wichtige Ent-
deckungen zu machen. Ich werde mich in die Zitadelle der
Vernunft zurückziehen, ich werde mit der Kanone der Wahrheit
hervorbrechen und meine Feinde zermalmen.

Zitadelle citadel

zermalmen crush

5   *(Zeichen des Beifalls.)*

   (FOUQUIER, AMAR und VOULAND[8] treten ein.)

FOUQUIER: Ruhe im Namen der Republik, Achtung dem Gesetz!
Der Konvent beschließt:
   In Betracht, daß in den Gefängnissen sich Spuren von Meutereien

In Betracht considering
Meutereien mutinies

10 zeigen, in Betracht, daß Dantons und Camilles[9] Weiber Geld unter
das Volk werfen und daß der General Dillon[10] ausbrechen und sich
an die Spitze der Empörer stellen soll, um die Angeklagten zu
befreien, in Betracht endlich, daß diese selbst unruhige Auftritte
herbeizuführen sich bemüht und das Tribunal zu beleidigen

Empörer insurgents

[8]**Fouquier . . . Vouland** Antoine Fouquier-Tinville was the chief prosecutor of the
Revolutionary Tribunal during the Reign of Terror; Amar and Vouland were members
of the Security Committee.
[9]**Camille Desmoulins** reckless revolutionary journalist and friend of Danton
[10]**General Dillon** one-time member of the Revolutionary army; executed as a Girondist

Szene aus Fritz Kortners Inszenierung im Bayerischen Staatsschauspiel München.
Hans Christian Blech als Danton, Karl Paryla als Robespierre. 1964

versucht haben, wird das Tribunal ermächtigt, die Untersuchung ohne Unterbrechung fortzusetzen und jeden Angeklagten, der die dem Gesetze schuldige Ehrfurcht außer Augen setzen sollte, von den Debatten auszuschließen.

außer Augen setzen lose sight of
Debatten debates

5 DANTON: Ich frage die Anwesenden, ob wir dem Tribunal, dem Volke oder dem Nationalkonvent Hohn gesprochen haben?

Hohn gesprochen flouted

VIELE STIMMEN: Nein! Nein!

.   .   .

DANTON: Eines Tages wird man die Wahrheit erkennen. Ich sehe großes Unglück über Frankreich hereinbrechen. Das ist die
10 Diktatur; sie hat ihren Schleier zerrissen, sie trägt die Stirne hoch, sie schreitet über unsere Leichen.

Diktatur dictatorship

(*Auf* AMAR *und* VOULAND *deutend:*)

Seht da die feigen Mörder, seht da die Raben des Wohlfahrtsausschusses!
15   Ich klage Robespierre, St. Just und ihre Henker des Hochverrats an.—Sie wollen die Republik im Blut ersticken. Die Gleise der Guillotinenkarren sind die Heerstraßen, auf welchen die Fremden in das Herz des Vaterlandes dringen sollen.
    Wie lange sollen die Fußstapfen der Freiheit Gräber sein?—Ihr
20 wollt Brot, und sie werfen euch Köpfe hin! Ihr durstet, und sie machen euch das Blut von den Stufen der Guillotine lecken!

Raben ravens

Guillotinenkarren tumbrils
Fußstapfen footsteps

(*Heftige Bewegung unter den Zuhörern, Geschrei des Beifalls.*)
VIELE STIMMEN: Es lebe Danton, nieder mit den Dezemvirn!

(*Die Gefangenen werden mit Gewalt hinausgeführt.*)

Platz vor dem Justizpalast
25 (*Ein Volkshaufe.*)

EINIGE STIMMEN: Nieder mit den Dezemvirn! Es lebe Danton!

ERSTER BÜRGER: Ja, das ist wahr, Köpfe statt Brot, Blut statt Wein!

EINIGE WEIBER: Die Guillotine ist eine schlechte Mühle und Samson ein schlechter Bäckerknecht; wir wollen Brot, Brot!

Bäckerknecht baker's helper

30 ZWEITER BÜRGER: Euer Brot, das hat Danton gefressen. Sein Kopf wird euch allen wieder Brot geben, er hatte recht.

ERSTER BÜRGER: Danton war unter uns am 10. August, Danton war unter uns im September.[11] Wo waren die Leute, welche ihn angeklagt haben?

ZWEITER BÜRGER: Und Lafayette war mit euch in Versailles und war doch ein Verräter.

5 ERSTER BÜRGER: Wer sagt, daß Danton ein Verräter sei?

ZWEITER BÜRGER: Robespierre.

ERSTER BÜRGER: Und Robespierre ist ein Verräter!

ZWEITER BÜRGER: Wer sagt das?

ERSTER BÜRGER: Danton.

10 ZWEITER BÜRGER: Danton hat schöne Kleider, Danton hat ein schönes Haus, Danton hat eine schöne Frau, er badet sich in Burgunder, ißt das Wildbret von silbernen Tellern und schläft bei euren Weibern und Töchtern, wenn er betrunken ist.—Danton war arm wie ihr. Woher hat er das alles? Das Veto[12] hat es ihm 15 gekauft, damit er ihm die Krone rette. Der Herzog von Orléans[13] hat es ihm geschenkt, damit er ihm die Krone stehle. Der Fremde hat es ihm gegeben, damit er euch alle verrate.—Was hat Robespierre? Der tugendhafte Robespierre! Ihr kennt ihn alle.

Burgunder Burgundy wine
Wildbret venison

ALLE: Es lebe Robespierre! Nieder mit Danton! Nieder mit dem 20 Verräter!

Der Revolutionsplatz

(*Die Wagen kommen angefahren und halten vor der Guillotine. Männer und Weiber singen und tanzen die Carmagnole.[14] Die Gefangenen stimmen die Marseillaise an.*)

EIN WEIB MIT KINDERN: Platz! Platz! Die Kinder schreien, sie haben 25 Hunger. Ich muß sie zusehen machen, daß sie still sind. Platz!

EIN WEIB: He, Danton, du kannst jetzt mit den Würmern Unzucht treiben.

Unzucht lechery

(EXERCISES, SEE P. 189)

---

[11] August and September of 1792
[12] **Veto** reference to the king's power of veto
[13] **Herzog von Orléans** Louis Philippe, duc d'Orléans, supported the French Revolution; guillotined in 1793 on the charge of aspiring to the crown
[14] **Carmagnole** famous revolutionary song

Ölgemälde von Karl Stauffer-Bern. 1886

GOTTFRIED KELLER 1819– 1890

Gottfried Keller is probably the most important of the German-speaking novelists and prose writers of the nineteenth century. Although the majority of Keller's stories deal almost parochially with his own native Switzerland, his psychological insight and masterly narrative style give them a universal appeal.

One of Keller's finest works is the long *Bildungsroman* (educational novel) *Der grüne Heinrich* (1880). This novel follows a German literary tradition that had reached a climax in Goethe's *Wilhelm Meisters Lehrjahre*. Constructed around the development of a young man as he gains knowledge and understanding of his place in the world, the novel is largely autobiographical. In the first version, the artist hero, the "green," or immature, Heinrich Lee, dies an early death; but in a later reworking of the material, Keller led his hero to a secure and active life. Keller himself, after impoverished and unstable early years in which he sought a career both as a painter and as a novelist, returned home from travels in Germany to take up a responsible position as an official of the Canton of Zürich. He worked conscientiously at this task; but, unlike his hero, he was never fully satisfied. The claims of art could not be suppressed. He took his pension early in order to devote full time again to his writing.

Apart from this major novel, Keller's greatest success lay as a writer of *Novellen*. These shorter tales, usually built around one central turning point, became a favorite genre in Germany, and Keller is one of the masters of the form. He put his stories together in loosely connected cycles— *Züricher Novellen* (1878), *Das Sinngedicht* (1881), the most elaborately interwoven group, and two volumes of *Die Leute von Seldwyla* (1856– 1874). The following story is taken from the first of the Seldwyla group, a varied collection of tales built around the people of an imaginary Swiss village.

Titelblatt
der Erstausgabe

Die drei gerechten Kammacher

Keller's tone in Die drei gerechten Kammacher *is more bitter than in many of his other Novellen. Underneath the comedy of the ambitious combmakers, the reader becomes aware of the perilous turns that men's lives can take. The narrator maintains a humorous reserve, but the melancholy conditions of the combmakers' lives and the desperate rivalry of these "upright" young men produce a grotesque effect, comic and yet frightening.*

. . . .

Zu Seldwyl bestand ein Kammachergeschäft, dessen Inhaber gewohnterweise alle fünf bis sechs Jahre wechselten, obgleich es ein gutes Geschäft war, wenn es fleißig betrieben wurde; denn die Krämer, welche die umliegenden Jahrmärkte besuchten, holten da
5   ihre Kammwaren. Außer den notwendigen Hornstriegeln aller Art wurden auch die wunderbarsten Schmuckkämme für die Dorfschönen und Dienstmägde verfertigt aus schönem durchsichtigem Ochsenhorn, in welches die Kunst der Gesellen (denn die Meister arbeiteten nie) ein tüchtiges braunrotes Schildpattgewölke beizte, je
10 nach ihrer Phantasie, so daß, wenn man die Kämme gegen das Licht hielt, man die herrlichsten Sonnenauf- und -niedergänge zu sehen glaubte. . . . Im Sommer, wenn die Gesellen gerne wanderten und rar waren, wurden sie mit Höflichkeit behandelt und bekamen guten Lohn und gutes Essen; im Winter aber, wenn sie ein Unter
15 kommen suchten und häufig zu haben waren, mußten sie sich ducken, Kämme machen, was das Zeug halten wollte, für geringen Lohn; die Meisterin stellte einen Tag wie den andern eine Schüssel Sauerkraut auf den Tisch und der Meister sagte: „Das sind Fische!" Wenn dann ein Geselle zu sagen wagte: „Bitt' um Verzeihung, es
20 ist Sauerkraut!" so bekam er auf der Stelle den Abschied und mußte wandern in den Winter hinaus. Sobald aber die Wiesen grün wurden und die Wege gangbar, sagten sie: „Es ist doch Sauerkraut!" und schnürten ihr Bündel. Denn wenn dann auch die Meisterin auf der Stelle einen Schinken auf das Kraut warf und der
25 Meister sagte: „Meiner Seel! ich glaube, es wären Fische! Nun,

Krämer tradesmen
Jahrmärkte annual fairs
Hornstriegeln currycombs
made of horn

Schildpattgewölke beizte
etched a cloudy pattern in
the tortoise shell

sich ducken be humble
was . . . wollte as many
as possible

schnürten laced

Richtersweil am Zürichsee.
Tuschzeichnung von Keller.
Um 1840

dieses ist doch gewiß ein Schinken!" so sehnten sie sich doch hinaus,
da alle drei Gesellen in einem zweispännigen Bett schlafen mußten
und sich den Winter durch herzlich satt bekamen wegen der
Rippenstöße und erfrorenen Seiten.

Three men from Germany—the Swabian Dietrich, the Saxon Jobst,
and the Bavarian Fridolin—find their way to this comb factory. All are
alike in their grimly held ambition to save enough money to acquire the
business for themselves. Soberly devoted to this cause at all costs, they
live lives of drab and empty drudgery, working constantly, even on
Sundays, and often far into the night. All three sleep in the same bed,
still and straight "like three pencils." Unfortunately, and partly as a
result of their excessive industry, the market for combs becomes glutted.
The owner is forced to let two of his workers go; since he cannot make a
choice between them, he suggests a footrace to determine who will be the
lucky one.

The prize also includes the hand of a neighbor's daughter, Züs, who
has a small inheritance of her own. The Swabian Dietrich, who is younger
than the others and has not yet had time to build up his savings, determines
to try his luck with her, but his rivals are soon in pursuit of the girl, too,
and Züs secretly prefers them since she sees the advantages of combining
fortunes. Consequently, Züs determines to insure Dietrich's failure by
leading him intimately aside when the race is about to begin. He is caught
between two poles, for he is pleased at her interest while at the same time
anxiously concerned about his rivals' gaining too great a lead.

Das Dorf Meierhof
in Obersaxen.
Zeichnung um 1890

Zeitgenössische Karikatur
von drei Handwerkern
(„Erster, Zweiter und
Dritter Souverain")

Da sie aber befürchtete, daß Dietrich als der Jüngste leicht am besten springen und die Palme erringen könnte, beschloß sie, selbst mit den drei Liebhabern auszuziehen und zu sehen, was etwa zu ihrem Vorteil zu machen wäre; denn sie wünschte, daß
5 nur einer der zwei Ältern Sieger würde, und es war ihr ganz gleichgültig, welcher.

Confident of his ability to defeat his older rivals, Dietrich grants them
a head start and permits Züs to take hold of his arm.

„O Dietrich, lieber Dietrich," sagte sie mit einem noch viel stärkern Seufzer, „ich fühle mich oft recht einsam!" „Hopsele, so muß es kommen!" rief er und sein Herz hüpfte wie ein Häschen
10 im Weißkohl. „O Dietrich!" rief sie und drückte sich fester an ihn; es ward ihm schwül und sein Herz wollte zerspringen vor pfiffigem Vergnügen; aber zugleich entdeckte er, daß seine Vorläufer nicht mehr sichtbar, sondern um eine Ecke herum verschwunden waren. Sogleich wollte er sich losreißen von
15 Züsis Arm und jenen nachspringen; aber sie hielt ihn so fest, daß es ihm nicht gelang, und klammerte sich an, wie wenn sie schwach würde. „Dietrich!" flüsterte sie, die Augen verdrehend, „lassen Sie mich jetzt nicht allein, ich vertraue auf Sie, stützen Sie mich!" „Den Teufel noch einmal, lassen Sie mich los, Jungfer!" rief er
20 ängstlich, „oder ich komm' zu spät und dann ade, Zipfelmütze!"[1] „Nein, nein! Sie dürfen mich nicht verlassen, ich fühle, mir wird übel!" jammerte sie. „Übel oder nicht übel!" schrie er und riß sich gewaltsam los; er sprang auf eine Erhöhung und sah sich um

Hopsele Oops

Weißkohl white cabbage
es . . . schwül he became uneasy
pfiffigem artful

Jungfer Miss

---

[1]**ade, Zipfelmütze** farewell to my nightcap (symbol of the comfortable bourgeois life)

und sah die Läufer schon im vollen Rennen weit den Berg hinunter. Nun setzte er zum Sprung an, schaute sich aber im selben Augenblick noch einmal nach Züs um. Da sah er sie, wie sie am Eingange eines engen schattigen Waldpfades saß und lieblich lockend ihm
5 mit den Händen winkte. Diesem Anblicke konnte er nicht widerstehen, sondern eilte, statt den Berg hinunter, wieder zu ihr hin. Als sie ihn kommen sah, stand sie auf und ging tiefer in das Holz hinein, sich nach ihm umsehend; denn sie dachte ihn auf alle Weise vom Laufen abzuhalten und so lange zu vexieren, bis er zu
10 spät käme und nicht in Seldwyl bleiben könne.

Allein der erfindungsreiche Schwabe änderte zu selber Zeit seine Gedanken und nahm sich vor, sein Heil hier oben zu erkämpfen, und so geschah es, daß es ganz anders kam, als die listige Person es hoffte. Sobald er sie erreicht und an einem verbor-
15 genen Plätzchen mit ihr allein war, fiel er ihr zu Füßen und bestürmte sie mit den feurigsten Liebeserklärungen, welche ein Kammacher je gemacht hat. Erst suchte sie ihm Ruhe zu gebieten und, ohne ihn fortzuscheuchen, auf gute Manier hinzuhalten, indem sie alle ihre Weisheiten und Anmutungen spielen ließ. Als er ihr aber
20 Himmel und Hölle vorstellte, wozu ihm sein aufgeregter und gespannter Unternehmungsgeist herrliche Zauberworte lieh, als er sie mit Zärtlichkeiten jeder Art überhäufte und bald ihrer Hände, bald ihrer Füße sich zu bemächtigen suchte und ihren Leib und ihren Geist, alles was an ihr war, lobte und rühmte, daß der Himmel hätte
25 grün werden mögen, als dazu Witterung und der Wald so still und lieblich waren, verlor Züs endlich den Kompaß, als ein Wesen, dessen Gedanken am Ende doch so kurz sind als seine Sinne; ihr Herz krabbelte so ängstlich und wehrlos wie ein Käfer, der auf dem Rücken liegt, und Dietrich besiegte es in jeder Weise. Sie hatte ihn
30 in dies Dickicht verlockt, um ihn zu verraten, und war im Handumdrehen von dem Schwäbchen erobert. Sie blieben wohl eine Stunde in dieser kurzweiligen Einsamkeit, umarmten sich immer aufs neue und gaben sich tausend Küßchen. Sie schwuren sich ewige Treue und in aller Aufrichtigkeit und wurden einig, sich zu
35 heiraten auf alle Fälle.

Unterdessen hatte sich in der Stadt die Kunde von dem seltsamen Unternehmen der drei Gesellen verbreitet und der Meister selbst zu seiner Belustigung die Sache bekannt gemacht. Eine große Menschenmenge zog vor das Tor und lagerte sich zu beiden
40 Seiten der Straße, wie wenn man einen Schnelläufer erwartet. . . .

Vor dem Tore aber sahen jetzt die Buben auf den höchsten Bäumen eine kleine Staubwolke sich nähern und begannen zu rufen: „Sie kommen, sie kommen!" Und nicht lange dauerte es, so kamen Fridolin und Jobst wirklich wie ein Sturmwind heran-
45 gesaust, mitten auf der Straße, eine dicke Wolke Staubes aufrührend.

---

fortzuscheuchen to scare away
Anmutungen pretensions
spielen ließ set going

Unternehmungsgeist spirit of enterprise

Witterung weather

Kompaß bearings

krabbelte wriggled
Käfer beetle

im Handumdrehen in a jiffy

Belustigung amusement

Mit der einen Hand zogen sie die Felleisen, welche wie toll über die Steine flogen, mit der anderen hielten sie die Hüte fest, welche ihnen im Nacken saßen, und ihre langen Röcke flogen und wehten um die Wette. Beide waren von Schweiß und Staub bedeckt, sie

5 sperrten den Mund auf und lechzten nach Atem, sahen und hörten nichts, was um sie her vorging, und dicke Tränen rollten den armen Männern über die Gesichter, welche sie nicht abzuwischen Zeit hatten. Sie liefen sich dicht auf den Fersen, doch war der Bayer voraus um eine Spanne. . . .

10 Schon waren sie dem Tore nah, dessen Türme von Neugierigen besetzt waren, die ihre Mützen schwenkten; die Zwei rannten wie scheu gewordene Pferde, das Herz voll Qual und Angst; da kniete ein Gassenjunge wie ein Kobold auf Jobstens fahrendes Felleisen und ließ sich unter dem Beifallsgeschrei der Menge

15 mitfahren. Jobst wandte sich und flehte ihn an, loszulassen, auch schlug er mit dem Stocke nach ihm; aber der Junge duckte sich und grinste ihn an. Darüber gewann Fridolin einen größern Vorsprung, und wie Jobst es merkte, warf er ihm den Stock zwischen die Füße, daß er hinstürzte. Wie aber Jobst über ihn

20 wegspringen wollte, erwischte ihn der Bayer am Rockschoß und zog sich daran in die Höhe; Jobst schlug ihm auf die Hände und schrie: „Laß los, laß los!" Fridolin ließ nicht los, Jobst packte dafür seinen Rockschoß, und nun hielten sie sich gegenseitig fest und drehten sich langsam zum Tore hinein, nur zuweilen einen Sprung

25 versuchend, um einer dem andern zu entrinnen. Sie weinten, schluchzten und heulten wie Kinder und schrieen in unsäglicher Beklemmung: „ O Gott! laß los! Du lieber Heiland! Laß los, Jobst! Laß los, Fridolin! Laß los, du Satan!" Dazwischen schlugen sie sich fleißig auf die Hände, kamen aber immer um ein weniges

30 vorwärts. Hut und Stock hatten sie verloren, zwei Buben trugen dieselben, die Hüte auf die Stöcke gesteckt, voran, und hinter ihnen her wälzte sich der tobende Haufen. . . . Das rauschende Vergnügen schmeckte den Bewohnern so gut, daß kein Mensch den zwei Ringenden ihr Ziel zeigte: des Meisters Haus, an welchem

35 sie endlich angelangt. Sie selber sahen es nicht, sie sahen überhaupt nichts, und so wälzte sich der tolle Zug durch das ganze Städtchen und zum andern Tore wieder hinaus. . . .

Halb tot vor Scham, Mattigkeit und Ärger lagen Jobst und Fridolin in der Herberge, wohin man sie geführt hatte, nachdem sie

40 auf dem freien Felde endlich umgefallen waren, ganz ineinander verbissen. Die ganze Stadt, da sie einmal aufgeregt war, hatte die Ursache schon vergessen und feierte eine lustige Nacht. In vielen Häusern wurde getanzt, und in den Schenken wurde gezecht und gesungen wie an den größten Seldwylertagen; denn die Seldwyler

45 brauchten nicht viel Zeug, um mit Meisterhand eine Lustbarkeit

Felleisen knapsack

um die Wette in rivalry
sperrten . . . auf opened wide

Spanne length

Kobold elf

duckte sich ducked

Rockschoß coattail

Beklemmung anguish

Mattigkeit weakness

ineinander verbissen biting (and clawing) each other

Schenken taverns
gezecht caroused

Lustbarkeit diversion

Gespött laughingstock

besonnener sensible
eingebüßt forfeited

liederlicher dissolute
Handwerksbursch
  journeyman

daraus zu formen. Als die beiden armen Teufel sahen, wie ihre Tapferkeit, mit welcher sie gedacht hatten, die Torheit der Welt zu benutzen, nur dazu gedient hatte, dieselbe triumphieren zu lassen und sich selbst zum allgemeinen Gespött zu machen, wollte

5 ihnen das Herz brechen; denn sie hatten nicht nur den weisen Plan mancher Jahre verfehlt und vernichtet, sondern auch den Ruhm besonnener und rechtlich ruhiger Leute eingebüßt.

Jobst, der der Älteste war und sieben Jahre hier gewesen, war ganz verloren und konnte sich nicht zurechtfinden. Ganz schwer-

10 mütig zog er vor Tag wieder aus der Stadt und hing sich an der Stelle, wo sie alle gestern gesessen, an einen Baum. Als der Bayer eine Stunde später da vorüberkam und ihn erblickte, faßte ihn ein solches Entsetzen, daß er wie wahnsinnig davonrannte, sein ganzes Wesen veränderte und, wie man nachher hörte, ein lieder-

15 licher Mensch und alter Handwerksbursch wurde, der keines Menschen Freund war.

Dietrich der Schwabe allein blieb ein Gerechter und hielt sich oben in dem Städtchen; aber er hatte nicht viel Freude davon; denn Züs ließ ihm gar nicht den Ruhm, regierte und unterdrückte

20 ihn und betrachtete sich selbst als die alleinige Quelle alles Guten.

(EXERCISES, SEE P. 191)

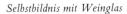

WILHELM BUSCH 1832– 1908

Wilhelm Busch, poet, painter, and caricaturist, belongs to the most popular authors of the German people and has gained a wide following throughout the world. His special position in German literature is due to the fact that he is a caricaturist both in words and pictures. While we laugh at his delightful drawings and their texts, we must not forget that he is, behind the blithe façade, a serious and subtle artist. He is unsurpassed as a satirist of the weaknesses and pretenses of middle-class Germany during the last half of the nineteenth century. Nevertheless, his hatred of shallowness is never obtrusive and is always overshadowed by his sense of humor.

Das Zahnweh (1884)

. . .

    Das Zahnweh, subjektiv genommen,
    Ist ohne Zweifel unwillkommen;
    Doch hat's die gute Eigenschaft,
    Daß sich dabei die Lebenskraft,
5   Die man nach außen oft verschwendet,
    Auf einen Punkt nach innen wendet
    Und hier energisch konzentriert.
    Kaum wird der erste Stich verspürt,
    Kaum fühlt man das bekannte Bohren,
10 Das Rucken, Zucken und Rumoren—
    Und aus ist's mit der Weltgeschichte,

Rucken jolting
Rumoren rumbling

121

Kursberichte
  market reports
Steuern taxes
Einmaleins
  multiplication table

Vergessen sind die Kursberichte,
Die Steuern und das Einmaleins.
Kurz, jede Form gewohnten Seins,
Die sonst real erscheint und wichtig,
5 Wird plötzlich wesenlos und nichtig.

rostet gets rusty

Ja, selbst die alte Liebe rostet—
Man weiß nicht, was die Butter kostet—
Denn einzig in der engen Höhle

Backenzahnes molar
Gesaus storming

Des Backenzahnes weilt die Seele,
10 Und unter Toben und Gesaus
Reift der Entschluß: Er muß heraus!!—

Noch eh' der neue Tag erschien,
War Bählamm auch soweit gediehn.
Er steht und läutet äußerst schnelle
15 An Doktor Schmurzel seiner Schelle.

Emporgeschreckt
  startled

Der Doktor wird von diesem Lärme
Emporgeschreckt aus seiner Wärme.
Indessen kränkt ihn das nicht weiter;
Ein Unglück stimmt ihn immer heiter!

Er ruft: ,,Seid mir gegrüßt, mein Lieber!
Lehnt Euch gefälligst hintenüber!

gefälligst if you please

Gleich kennen wir den Fall genauer!"
(Der Finger schmeckt ein wenig sauer.)

"Nun stützt das Haupt auf diese Lehne
Und denkt derweil an alles Schöne!

derweil meanwhile

Holupp!!
Wie ist es? Habt Ihr nichts gespürt?"
5 „Ich glaub', es hat sich was gerührt!"

„Da dies der Fall, so gratulier' ich!
Die Sache ist nicht weiter schwierig!

Hol———upp!!!"
Vergebens ist die Kraftentfaltung;
5   Der Zahn verharrt in seiner Haltung.

verharrt persists

„Hab's mir gedacht!" sprach Doktor Schmurzel,
„Das Hindernis liegt in der Wurzel.

Ich bitte bloß um drei Mark zehn!
Recht gute Nacht! Auf Wiedersehn!"

(EXERCISES, SEE P. 193)

GERHART HAUPTMANN 1862- 1946

Ölbild von Leonid Pasternak. 1930

Gerhart Hauptmann's name is primarily associated with the naturalist movement toward the end of the nineteenth century. As a young man he wrote a series of plays—*Vor Sonnenaufgang* (1889), *Die Weber* (1892), *Der Biberpelz* (1893), *Rose Bernd* (1903), and many others—which startled the public by a new realism in subject matter and treatment. To be sure, the introduction of previously forbidden themes such as alcoholism, syphilis, and hereditary diseases was a sensational innovation, but Hauptmann's main achievement was to bring to the theatre an astonishingly new sense of reality. He aimed to capture, as far as the requirements of dramatic plot permitted, the characteristic features of everyday speech and gesture. He introduced dialect and modern colloquialisms and required the actors to reproduce the hesitations and inaccuracies of ordinary conversation. At the same time, Hauptmann was probably the first and most effective dramatist to present the working-class life of the cities and to show to his primarily middle-class audience the hardships and sufferings of the poor.

Hauptmann continued his productive career both as a dramatist and novelist throughout his whole life, but never again was he so completely the spokesman of his time as he had been as a young man.

Bahnwärter Thiel

The following selection is from one of Hauptmann's early naturalistic short stories, Bahnwärter Thiel *(1888). This story of a railroad signalman begins quietly, but leads to a tumultuous pitch of violence. Thiel is a powerful man, yet slow and uncommunicative. In perhaps typically modern fashion, his life is divided between his family and his work. At home he falls more and more under the control of his energetic, but crude and domineering, second wife. At work, alone in a remote signal station deep in a pine forest, he indulges in mystical dreams of contact with his gentle first wife who has died. The worst victim of this arrangement is Tobias, his young son by his first wife, who is neglected and even abused by his stepmother. Thiel tries hopelessly to protect Tobias, as he had promised the dying mother, but manages only to nurse resentment at his own failure.*

Our opening passage shows Hauptmann's power of description: in a scene at sunset, as Thiel waits near his post, a train passes violently through the silent forest, anticipating the outburst of passion in Thiel himself.

Akkorde chords
Gewebe web
fortrankten crept along
Scharen flocks
Specht woodpecker

Säulenarkaden pillar arcades
Kiefernstämme pine tree trunks
Dammes embankment

Der Wind hatte sich erhoben und trieb leise Wellen den Waldrand hinunter und in die Ferne hinein. Aus den Telegraphenstangen, die die Strecke begleiteten, tönten summende Akkorde. Auf den Drähten, die sich wie das Gewebe einer Riesenspinne von Stange
5 zu Stange fortrankten, klebten in dichten Reihen Scharen zwitschernder Vögel. Ein Specht flog lachend über Thiels Kopf weg, ohne daß er eines Blickes gewürdigt wurde.

Die Sonne, welche soeben unter dem Rande mächtiger Wolken herabhing, um in das schwarzgrüne Wipfelmeer zu versinken,
10 goß Ströme von Purpur über den Forst. Die Säulenarkaden der Kiefernstämme jenseits des Dammes entzündeten sich gleichsam vom innen heraus und glühten wie Eisen.

Auch die Geleise begannen zu glühen, feurigen Schlangen gleich; aber sie erloschen zuerst. Und nun stieg die Glut langsam vom
15 Erdboden in die Höhe, erst die Schäfte der Kiefern, weiter den

Bekleidung gegen Eisenbahnunfälle. Karikatur um 1850

Eisenbahnunglück im Jahre 1865.
Nach einer Zeichnung
von A. Ochs jun.

größten Teil ihrer Kronen in kaltem Verwesungslichte zurück-
lassend, zuletzt nur noch den äußersten Rand der Wipfel mit einem
rötlichen Schimmer streifend. Lautlos und feierlich vollzog sich
das erhabene Schauspiel. Der Wärter stand noch immer regungslos
5   an der Barriere. Endlich trat er einen Schritt vor. Ein dunkler
Punkt am Horizont, da, wo die Geleise sich trafen, vergrößerte
sich. Von Sekunde zu Sekunde wachsend, schien er doch auf einer
Stelle zu stehen. Plötzlich bekam er Bewegung und näherte sich.
Durch die Geleise ging ein Vibrieren und Summen, ein rhyth-
10 misches Geklirr, ein dumpfes Getöse, das, lauter und lauter werdend,
zuletzt den Hufschlägen eines heranbrausenden Reitergeschwaders
nicht unähnlich war.
    Ein Keuchen und Brausen schwoll stoßweise fernher durch die
Luft. Dann plötzlich zerriß die Stille. Ein rasendes Tosen und
15 Toben erfüllte den Raum, die Geleise bogen sich, die Erde zitterte—
ein starker Luftdruck—eine Wolke von Staub, Dampf und Qualm,
und das schwarze, schnaubende Ungetüm war vorüber. So wie
sie anwuchsen, starben nach und nach die Geräusche. Der Dunst
verzog sich. Zum Punkte eingeschrumpft, schwand der Zug in die
20 Ferne, und das alte heilige Schweigen schlug über dem Waldwinkel
zusammen.

                        .   .   .

The story reaches a climax when Thiel's second wife, Lene, comes out
to a stretch of the tracks near where Thiel works in order to cultivate a
potato patch they have been given. His wife's intervention in his workday
world arouses a sense of foreboding in Thiel. His fears become justified when
disaster strikes the little boy. Lene is too busy to watch the child, who
wanders onto the line in front of an express train and is struck down
brutally.

Der Zug hatte eine reichbemessene Fahrzeit und durfte überall
anhalten, um die hie und da beschäftigten Arbeiter aufzunehmen,
andere hingegen abzusetzen. Ein gutes Stück vor Thiels Bude

Verwesungslichte
disintegrating light

Geklirr clanking
Getöse din
Hufschlägen hoof beats
Reitergeschwaders
cavalry squadron

Tosen und Toben roaring
and blustering

Qualm thick smoke
schnaubende Ungetüm
snorting monster

schlug . . . zusammen
settled over

reichbemessene Fahrzeit
amply allotted travel time

begann man zu bremsen. Ein lautes Quietschen, Schnarren, Rasseln und Klirren durchdrang weithin die Abendstille, bis der Zug unter einem einzigen schrillen, langgedehnten Ton stillstand.

Etwa fünfzig Arbeiter und Arbeiterinnen waren in den Loren verteilt. Fast alle standen aufrecht, einige unter den Männern mit entblößtem Kopfe. In ihrer aller Wesen lag eine rätselhafte Feierlichkeit. Als sie des Wärters ansichtig wurden, erhob sich ein Flüstern unter ihnen. Die Alten zogen die Tabakspfeifen zwischen den gelben Zähnen hervor und hielten sie respektvoll in den Händen. Hie und da wandte sich ein Frauenzimmer, um sich zu schneuzen. Der Zugführer stieg auf die Strecke herunter und trat auf Thiel zu. Die Arbeiter sahen, wie er ihm feierlich die Hand schüttelte, worauf Thiel mit langsamem, fast militärisch steifem Schritt auf den letzten Wagen zuschritt.

Keiner der Arbeiter wagte ihn anzureden, obgleich sie ihn alle kannten.

Aus dem letzten Wagen hob man soeben das kleine Tobiaschen. Es war tot.

Lene folgte ihm; ihr Gesicht war bläulichweiß, braune Kreise lagen um ihre Augen.

Thiel würdigte sie keines Blickes; sie aber erschrak beim Anblick ihres Mannes. Seine Wangen waren hohl. Wimpern und Barthaare verklebt, der Scheitel, so schien es ihr, ergrauter als bisher. Die Spuren vertrockneter Tränen überall auf dem Gesicht, dazu ein unstetes Licht in seinen Augen, davor sie ein Grauen ankam.

Auch die Tragbahre hatte man wieder mitgebracht, um die Leiche transportieren zu können.

Eine Weile herrschte unheimliche Stille. Eine tiefe entsetzliche Versonnenheit hatte sich Thiels bemächtigt. Es wurde dunkler. Ein Rudel Rehe setzte seitab auf den Bahndamm. Der Bock blieb stehen, mitten zwischen den Geleisen. Er wandte den gelenken Hals neugierig herum, da pfiff die Maschine, und blitzartig verschwand er samt seiner Herde.

In dem Augenblick, als der Zug sich in Bewegung setzen wollte, brach Thiel zusammen.

Der Zug hielt abermals, und es entspann sich eine Beratung über das, was nun zu tun sei. Man entschied sich dafür, die Leiche des Kindes einstweilen im Wärterhaus unterzubringen und statt ihrer den durch kein Mittel wieder ins Bewußtsein zu rufenden Wärter mittels der Bahre nach Hause zu bringen.

Und so geschah es. Zwei Männer trugen die Bahre mit dem Bewußtlosen, gefolgt von Lene, die fortwährend schluchzend, mit tränenüberströmtem Gesicht den Kinderwagen mit dem Kleinsten durch den Sand stieß.

· · · ·

,,Die Klage''.
Bronzebildnis von
Käthe Kollwitz.
1938

Rüstig, aber vorsichtig schritt man vorwärts, jetzt durch enggedrängtes Jungholz, dann wieder an weiten, hochwaldumstandenen Schonungen entlang, darin sich das bleiche Licht wie in großen, dunklen Becken angesammelt hatte.

5   Der Bewußtlose röchelte von Zeit zu Zeit oder begann zu phantasieren. Mehrmals ballte er die Fäuste und versuchte mit geschlossenen Augen sich emporzurichten.

Es kostete Mühe, ihn über die Spree[1] zu bringen; man mußte ein zweites Mal übersetzen, um die Frau und das Kind nachzuholen.

10   Als man die kleine Anhöhe des Ortes emporstieg, begegnete man einigen Einwohnern, welche die Botschaft des geschehenen Unglücks sofort verbreiteten.

Die ganze Kolonie kam auf die Beine.

Angesichts ihrer Bekannten brach Lene in erneutes Klagen aus.

15   Man beförderte den Kranken mühsam die schmale Stiege hinauf in seine Wohnung und brachte ihn sofort zu Bett. Die Arbeiter kehrten sogleich um, um Tobiaschens Leiche nachzuholen.

Alte, erfahrene Leute hatten kalte Umschläge angeraten, und Lene befolgte ihre Weisung mit Eifer und Umsicht. Sie legte
20   Handtücher in eiskaltes Brunnenwasser und erneuerte sie, sobald die brennende Stirn des Bewußtlosen sie durchhitzt hatte. Ängstlich beobachtete sie die Atemzüge des Kranken, welche ihr mit jeder Minute regelmäßiger zu werden schienen.

Die Aufregungen des Tages hatten sie doch stark mitgenommen,
25   und sie beschloß, ein wenig zu schlafen, fand jedoch keine Ruhe. Gleichviel ob sie die Augen öffnete oder schloß, unaufhörlich zogen die Ereignisse der Vergangenheit daran vorüber. Das Kleine schlief, sie hatte sich entgegen ihrer sonstigen Gewohnheit wenig darum bekümmert. Sie war überhaupt eine andere geworden.
30   Nirgend eine Spur des früheren Trotzes. Ja, dieser kranke Mann mit dem farblosen, schweißglänzenden Gesicht regierte sie im Schlaf.

Eine Wolke verdeckte die Mondkugel, es wurde finster im

[1] **Spree** tributary of the Havel, which flows through Brandenburg and Berlin

Zimmer, und Lene hörte nur noch das schwere, aber gleichmäßige Atemholen ihres Mannes. Sie überlegte, ob sie Licht machen sollte. Es wurde ihr unheimlich im Dunkeln. Als sie aufstehen wollte, lag es ihr bleiern in allen Gliedern, die Lider fielen ihr zu, sie entschlief.

Nach Verlauf von einigen Stunden, als die Männer mit der Kindesleiche zurückkehrten, fanden sie die Haustür weit offen. Verwundert über diesen Umstand stiegen sie die Treppe hinauf, in die obere Wohnung, deren Tür ebenfalls weit geöffnet war.

Man rief mehrmals den Namen der Frau, ohne eine Antwort zu erhalten. Endlich strich man ein Schwefelholz an der Wand, und der aufzuckende Lichtschein enthüllte eine grauenvolle Verwüstung.

,,Mord! Mord!"

. . .

,,Er hat seine Frau ermordet, er hat seine Frau ermordet!"

Kopflos lief man umher. Die Nachbarn kamen, einer stieß an die Wiege. ,,Heiliger Himmel!" Und er fuhr zurück, bleich, mit entsetzensstarrem Blick. Da lag das Kind mit durchschnittenem Halse.

Der Wärter war verschwunden; die Nachforschungen, welche man noch in derselben Nacht anstellte, blieben erfolglos. Den Morgen darauf fand ihn der diensttuende Wärter zwischen den Bahngeleisen und an der Stelle sitzend, wo Tobiaschen überfahren worden war.

Er hielt das braune Pudelmützchen im Arm und liebkoste es ununterbrochen, wie etwas, das Leben hat.

Der Wärter richtete einige Fragen an ihn, bekam jedoch keine Antwort und bemerkte bald, daß er es mit einem Irrsinnigen zu tun habe.

Der Wärter am Block, davon in Kenntnis gesetzt, erbat telegraphisch Hilfe.

Nun versuchten mehrere Männer ihn durch gutes Zureden von den Geleisen fortzulocken; jedoch vergebens.

Der Schnellzug, der um diese Zeit passierte, mußte anhalten, und erst der Übermacht seines Personals gelang es, den Kranken, der alsbald furchtbar zu toben begann, mit Gewalt von der Strecke zu entfernen.

Man mußte ihm Hände und Füße binden, und der inzwischen requirierte Gendarm überwachte seinen Transport nach dem Berliner Untersuchungsgefängnisse, von wo aus er jedoch schon am ersten Tage nach der Irrenabteilung der Charité überführt wurde. Noch bei der Einlieferung hielt er das braune Mützchen in Händen und bewachte es mit eifersüchtiger Sorgfalt und Zärtlichkeit.

Schwefelholz match

Verwüstung devastation

entsetzensstarrem rigid with horror

diensttuende on duty

Pudelmützchen tassel cap
liebkoste fondled

Irrsinnigen lunatic

Block signal box

requirierte summoned
Untersuchungsgefängnisse prison for the accused before trial
Irrenabteilung der Charité psychopathic ward of the Charité Hospital
Einlieferung admittance

(EXERCISES, SEE P. 194)

LYRIC POETS AT THE TURN OF THE TWENTIETH CENTURY

Around 1900, a number of important new poets appeared. Each had his own unique and individual voice, but together they created a new poetic atmosphere. Instead of the direct expression of emotion characteristic of Romantic poetry, these writers sought external and objective symbols which they could invest with their own essential, and often very personal, meanings.

CONRAD FERDINAND MEYER 1825– 1898

The Swiss poet and novelist Conrad Ferdinand Meyer was a forerunner of this new movement and among the first to introduce symbolist techniques into German literature. In the two poems, „Der römische Brunnen" and „Zwei Segel," the objects observed are described quite factually; but by the tone and structure of the poem—by what is emphasized or omitted—Meyer conveys, beyond the objects themselves, a symbolic sense of harmony and balance.

1 George. Photographie
2 Rilke. Gemälde von Loulou Albert Lasard. 1916
3 Meyer. Radierung von Karl Stauffer-Bern. 1887

Der römische Brunnen

Aufsteigt der Strahl, und fallend gießt
Er voll der Marmorschale Rund,
Die, sich verschleiernd, überfließt
In einer zweiten Schale Grund;
5   Die zweite gibt, sie wird zu reich,
Der dritten wallend ihre Flut,
Und jede nimmt und gibt zugleich,
    Und strömt und ruht.

(EXERCISES, SEE P. 196)

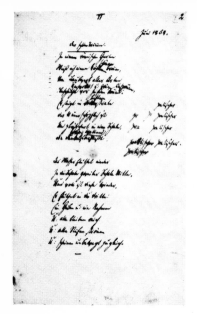

*Frühere Fassung
des ,,Römischen Brunnen".
Handschrift Meyers.
1864*

Zwei Segel

Zwei Segel erhellend
Die tiefblaue Bucht!
Zwei Segel sich schwellend
Zu ruhiger Flucht!

5 Wie eins in den Winden
sich wölbt und bewegt,
Wird auch das Empfinden
Des andern erregt.

Begehrt eins zu hasten,
10 Das andre geht schnell,
Verlangt eins zu rasten,
Ruht auch sein Gesell.

(EXERCISES, SEE P. 196)

STEFAN GEORGE 1868-1933

Stefan George was the center of a devoted and influential circle of admirers, the so-called *George-Kreis*. He sought in his poetry an aesthetic ideal of form and structure: the poem should exist in itself as an object of beauty. To achieve this purpose, George was even concerned with the look of the poem on the page and created his own orthography and typesetting.

Komm in den totgesagten park

"Komm in den totgesagten park" belongs in the cycle Das Jahr der Seele (1897) *in which the emotions of the artist's life are depicted through the changes of nature's year. The cycle begins in the fall after the harvest, not in the spring as is more usual. Although in our poem the park is said to be dead, George does find life and expresses a restrained joy in the beauty of the autumnal world.*

Komm in den totgesagten park und schau:
Der schimmer ferner lächelnder gestade·
15 Der reinen wolken unverhofftes blau
Erhellt die weiher und die bunten pfade.

Gestade shores

,,Der singende Mann".
Bronzebildnis von
Ernst Barlach.
1928

Dort nimm das tiefe gelb · das weiche grau
Von birken und von buchs · der wind ist lau·
Die späten rosen welkten noch nicht ganz ·
Erlese küsse sie und flicht den kranz.

Birken birches
Buchs box tree

5 Vergiss auch diese letzten astern nicht ·
Den purpur um die ranken wilder reben
Und auch was übrig blieb von grünem leben
Verwinde leicht im herbstlichen gesicht.

Astern asters
Ranken shoots

verwinde weave

(EXERCISES, SEE P. 197)

Vogelschau

,,Vogelschau" is the final poem of the exotic
cycle Algabal *(1892), which concerns the Roman*
Emperor Heliogabalus. While the poem is the
expression of one of the emperor's moods, it also
seems to point to the future of the poet, who has
reached a new stage in his development.

Weisse schwalben sah ich fliegen ·
10 Schwalben schnee- und silberweiss
Sah sie sich im winde wiegen ·
In dem winde hell und heiss.

Bunte häher sah ich hüpfen·
Papagei und kolibri
15 Durch die wunder-bäume schlüpfen
In dem wald der Tusferi.[1]

Häher jays
Papagei und Kolibri parrot and hummingbird
Wunder-bäume magic trees

[1] **Tusferi** an invented name

(EXERCISES, SEE P. 197)

Raben ravens
Dohlen jackdaws
Nattern adders
Gehau clearing

Grosse raben sah ich flattern ·
Dohlen schwarz und dunkelgrau
Nah am grunde über nattern
Im verzauberten gehau.

5 Schwalben seh ich wieder fliegen ·
Schnee- und silberweisse schar ·
Wie sie sich im winde wiegen
In dem winde kalt und klar!

RAINER MARIA RILKE 1875-1926

Rainer Maria Rilke is probably the greatest of the poets of this period. The precision of his language and the power of feeling imbued in it opens in us a new sensitivity and awareness. Rilke's early poems are tender, delicate, often mystical, as ,,Herbst'' shows.

Herbst

Die Blätter fallen, fallen wie von weit,
10 als welkten in den Himmeln ferne Gärten;
sie fallen mit verneinender Gebärde.

Und in den Nächten fällt die schwere Erde
aus allen Sternen in die Einsamkeit.

Wir alle fallen. Diese Hand da fällt.
15 Und sieh dir andre an: es ist in allen.

Und doch ist Einer, welcher dieses Fallen
Unendlich sanft in seinen Händen hält.

(EXERCISES, SEE P. 199)

Der Schwan

Later, in the period of the Neue Gedichte *(1907–1908), Rilke's tone is clear, hard, and very exact. In a poem like ,,Der Schwan,'' he presents us with an object that is not described impersonally or seen merely as a symbol but so pictured that our feelings and associations are incorporated in the swan itself.*

Mühsal struggle

ungeschaffnen clumsy

Diese Mühsal, durch noch Ungetanes
schwer und wie gebunden hinzugehn,
20 gleicht dem ungeschaffnen Gang des Schwanes.

Und das Sterben, dieses Nichtmehrfassen
jenes Grunds, auf dem wir täglich stehn,
seinem ängstlichen Sich-Niederlassen—:

in die Wasser, die ihn sanft empfangen
5   und die sich, wie glücklich und vergangen,
unter ihm zurückziehn, Flut um Flut;
während er unendlich still und sicher
immer mündiger und königlicher
und gelassener zu ziehn geruht.   **geruht** deigns

(EXERCISES, SEE P. 199)

Frühling ist wiedergekommen

The poems of Rilke's later period, of the Duineser
Elegien (1923) *and the* Sonette an Orpheus (1923),
*are more complex and interwoven, though more
directly personal and deeply moving.* „Frühling ist
wiedergekommen,“ *celebrating the eternal renewal
of life, is one of the sonnets addressed to Orpheus, the
singer-god. These sonnets have fourteen lines and
are divided in the conventional way, but the meter and
rhythms are far removed from the traditional iambic
pentameter.*

10   Frühling ist wiedergekommen. Die Erde
ist wie ein Kind, das Gedichte weiß;
viele, o viele . . . Für die Beschwerde   **Beschwerde** hardship
langen Lernens bekommt sie den Preis.

Streng war ihr Lehrer. Wir mochten das Weiße
15   an dem Barte des alten Manns.
Nun, wie das Grüne, das Blaue heiße,
dürfen wir fragen: sie kann's, sie kann's!

Erde, die frei hat, du glückliche, spiele
nun mit den Kindern. Wir wollen dich fangen,
20   fröhliche Erde. Dem Frohsten gelingt's.

O, was der Lehrer sie lehrte, das Viele,
und was gedruckt steht in Wurzeln und langen
schwierigen Stämmen: sie singt's, sie singt's!

(EXERCISES, SEE P. 199)

THOMAS MANN 1875– 1955

Thomas Mann is probably the most famous and most successful of all German novelists. His creative career spanned a period of over fifty years, from the publication of his great family novel *Buddenbrooks* in 1901 to the appearance of the ironic and amusing *Bekenntnisse des Hochstaplers Felix Krull* in 1954. Of his other novels perhaps the best known are *Der Zauberberg* (1924), which, through the experience of one individual, presents a picture of the cultural and social scene in Europe on the verge of World War I; *Joseph und seine Brüder* (1933–1943), an astonishing re-creation in four separate novels of the Biblical story of Joseph; and *Doktor Faustus* (1947), a new version of the Faust legend, which tells the story of a modern German composer and associates his experience with the tragic fate of the Germany that ended in Nazism and the terrible destruction of World War II.

Tonio Kröger

Of all Thomas Mann's works, none was closer to his heart (he said much later) than Tonio Kröger (1903). This early story— in many respects autobiographical—tells of a lonely boy's development into a conscientious and disciplined artist. As a boy, Tonio already feels himself an outsider, longing to participate in ordinary life, but condemned to be separate by the sensitivity of his feelings and the very quality of his insight into human desires and activities.

138

The following episode at the dancing class shows Tonio's ambivalence of attitude, his pride in seeing through human follies, and, at the same time, his longing for the simple and uncomplicated life as expressed in his love for the "blond and blue-eyed" Ingeborg Holm. The warmth and feeling of this passage and the charm of presentation show us why Thomas Mann has become so enormously popular. The solitude of the hero reflects the loneliness of us all.

Die blonde Inge, Ingeborg Holm, Doktor Holms Tochter, der am Markte wohnte, dort, wo hoch, spitzig und vielfach der gotische Brunnen stand, sie war's, die Tonio Kröger liebte, als er sechzehn Jahre alt war.

5   Wie geschah das? Er hatte sie tausendmal gesehen; an einem Abend jedoch sah er sie in einer gewissen Beleuchtung, sah, wie sie im Gespräch mit einer Freundin auf eine gewisse übermütige Art lachend den Kopf zur Seite warf, auf eine gewisse Art ihre Hand, eine gar nicht besonders schmale, gar nicht besonders feine Klein-

10 Mädchenhand zum Hinterkopfe führte, wobei der weiße Gazeärmel von ihrem Ellenbogen zurückglitt, hörte, wie sie ein Wort, ein gleichgültiges Wort, auf eine gewisse Art betonte, wobei ein warmes Klingen in ihrer Stimme war, und ein Entzücken ergriff sein Herz, weit stärker als jenes, das er früher zuweilen empfunden

15 hatte, wenn er Hans Hansen betrachtete, damals, als er noch ein kleiner dummer Junge war.

   An diesem Abend nahm er ihr Bild mit fort, mit dem dicken blonden Zopf, den länglich geschnittenen, lachenden, blauen Augen und dem zart angedeuteten Sattel von Sommersprossen

20 über der Nase, konnte nicht einschlafen, weil er das Klingen in ihrer Stimme hörte, versuchte leise, die Betonung nachzuahmen, mit der sie das gleichgültige Wort ausgesprochen hatte, und erschauerte dabei. Die Erfahrung lehrte ihn, daß dies die Liebe sei. Aber obgleich er genau wußte, daß die Liebe ihm viel Schmerz,

25 Drangsal und Demütigung bringen müsse, daß sie überdies den Frieden zerstöre und das Herz mit Melodien überfülle, ohne daß man Ruhe fand, eine Sache rund zu formen und in Gelassenheit etwas Ganzes daraus zu schmieden, so nahm er sie doch mit Freuden auf, überließ sich ihr ganz und pflegte sie mit den Kräften seines

30 Gemütes, denn er wußte, daß sie reich und lebendig mache, und er sehnte sich, reich und lebendig zu sein, statt in Gelassenheit etwas Ganzes zu schmieden . . .

   Dies, daß Tonio Kröger sich an die lustige Inge Holm verlor, ereignete sich in dem ausgeräumten Salon der Konsulin Husteede,

35 die es an jenem Abend traf, die Tanzstunde zu geben; denn es war ein Privatkursus, an dem nur Angehörige von ersten Familien teilnahmen, und man versammelte sich reihum in den elterlichen

gotische Gothic

Klein-Mädchenhand schoolgirl hand
Gazeärmel gossamer sleeve

Zopf pigtail
Sattel saddle
Sommersprossen freckles

erschauerte was thrilled with horror

Drangsal affliction

ausgeräumten cleared
Konsulin Husteede Consul Husteede's wife

Angehörige members

reihum in succession

Anstand deportment
zu diesem Behufe for
  this purpose
Ballettmeister
  dancing teacher

Häusern, um sich Unterricht in Tanz und Anstand erteilen zu lassen. Aber zu diesem Behufe kam allwöchentlich Ballettmeister Knaak eigens von Hamburg herbei.

François Knaak war sein Name, und was für ein Mann war das! „J'ai l'honneur de me vous représenter," sagte er, „mon nom est Knaak . . ."[1] Und dies spricht man nicht aus, während man sich verbeugt, sondern wenn man wieder aufrecht steht,—gedämpft und dennoch deutlich. Man ist nicht täglich in der Lage, sich auf französisch vorstellen zu müssen, aber kann man es in dieser Sprache korrekt und tadellos, so wird es einem auf deutsch erst recht nicht fehlen. Wie wunderbar der seidig schwarze Gehrock sich an seine fetten Hüften schmiegte! In weichen Falten fiel sein Beinkleid auf seine Lackschuhe hinab, die mit breiten Atlasschleifen geschmückt waren, und seine braunen Augen blickten mit einem müden Glück über ihre eigene Schönheit umher . . .

Gehrock frock coat

Beinkleid trousers
Lackschuhe
  patent leather shoes
Atlasschleifen satin bows

erdrückt crushed
Wohlanständigkeit
  propriety

Jedermann ward erdrückt durch das Übermaß seiner Sicherheit und Wohlanständigkeit. Er schritt—und niemand schritt wie er, elastisch, wogend, wiegend, königlich—auf die Herrin des Hauses zu, verbeugte sich und wartete, daß man ihm die Hand reiche. Erhielt er sie, so dankte er mit leiser Stimme dafür, trat federnd zurück, wandte sich auf dem linken Fuße, schnellte den rechten mit niedergedrückter Spitze seitwärts vom Boden ab und schritt mit bebenden Hüften davon.

federnd lightly

schnellte . . . ab sprang up

Man ging rückwärts und unter Verbeugungen zur Tür hinaus, wenn man eine Gesellschaft verließ, man schleppte einen Stuhl nicht herbei, indem man ihn an einem Bein ergriff, oder am Boden entlang schleifte, sondern man trug ihn leicht an der Lehne herzu und setzte ihn geräuschlos nieder. Man stand nicht da, indem

[1]J'ai l'honneur de me vous représenter . . . mon nom est Knaak. I have the honor of introducing myself to you . . . my name is Knaak.

Einbandzeichnung von Erich M. Simon.
Taschenbuchausgabe.
1913

Selbstkarikatur. 1889

man die Hände auf dem Bauch faltete und die Zunge in den Mundwinkel schob; tat man es dennoch, so hatte Herr Knaak eine Art, es ebenso zu machen, daß man für den Rest seines Lebens einen Ekel vor dieser Haltung bewahrte . . .

5 Dies war der Anstand. Was aber den Tanz betraf, so meisterte Herr Knaak ihn womöglich in noch höherem Grade. In dem ausgeräumten Salon brannten die Gasflammen des Kronleuchters und die Kerzen auf dem Kamin. Der Boden war mit Talkum bestreut, und in stummem Halbkreise standen die Eleven umher.

10 Aber jenseits der Portieren, in der anstoßenden Stube, saßen auf Plüschstühlen die Mütter und Tanten und betrachteten durch ihre Lorgnetten Herrn Knaak, wie er, in gebückter Haltung, den Saum seines Gehrockes mit je zwei Fingern erfaßt hielt und mit federnden Beinen die einzelnen Teile der Masurka demonstrierte.

15 Beabsichtigte er aber, sein Publikum gänzlich zu verblüffen, so schnellte er sich plötzlich und ohne zwingenden Grund vom Boden empor, indem er seine Beine mit verwirrender Schnelligkeit in der Luft umeinander wirbelte, gleichsam mit denselben trillerte, worauf er mit einem gedämpften, aber alles in seinen Festen

20 erschütternden Plumps zu dieser Erde zurückkehrte . . .

Was für ein unbegreiflicher Affe, dachte Tonio Kröger in seinem Sinn. Aber er sah wohl, daß Inge Holm, die lustige Inge, oft mit einem selbstvergessenen Lächeln Herrn Knaaks Bewegungen verfolgte, und nicht dies allein war es, weshalb alle diese wundervoll

25 beherrschte Körperlichkeit ihm im Grunde etwas wie Bewunderung abgewann. Wie ruhevoll und unverwirrbar Herrn Knaaks Augen blickten! Sie sahen nicht in die Dinge hinein, bis dorthin, wo sie kompliziert und traurig werden; sie wußten nichts, als daß sie braun und schön seien. Aber deshalb war seine Haltung so

30 stolz! Ja, man mußte dumm sein, um so schreiten zu können wie er;

Bauch stomach

Kronleuchters chandelier

Eleven pupils
Portieren door curtains
Plüschstühlen plush chairs

Saum hem

schnellte er sich . . . empor he sprang up

trillerte trilled

Plumps thud

Körperlichkeit bodily control

und dann wurde man geliebt, denn man war liebenswürdig. Er verstand es so gut, daß Inge, die blonde, süße Inge, auf Herrn Knaak blickte, wie sie es tat. Aber würde denn niemals ein Mädchen so auf ihn selbst blicken?

Rechtsanwalt attorney

Schwärmerei rapture

5 O doch, das kam vor. Da war Magdalena Vermehren, Rechtsanwalt Vermehrens Tochter, mit dem sanften Mund und den großen, dunklen, blanken Augen voll Ernst und Schwärmerei. Sie fiel oft hin beim Tanzen; aber sie kam zu ihm bei der Damenwahl, sie wußte, daß er Verse dichtete, sie hatte ihn zweimal 10 gebeten, sie ihr zu zeigen, und oftmals schaute sie ihn von weitem mit gesenktem Kopfe an. Aber was sollte ihm das? Er, er liebte Inge Holm, die blonde, lustige Inge, die ihn sicher darum verachtete, daß er poetische Sachen schrieb . . . er sah sie an, sah ihre schmal geschnittenen, blauen Augen, die voll Glück und Spott waren, und 15 eine neidische Sehnsucht, ein herber, drängender Schmerz, von ihr ausgeschlossen und ihr ewig fremd zu sein, saß in seiner Brust und brannte . . .

„Erstes Paar *en avant!*"[2] sagte Herr Knaak, und keine Worte schildern, wie wunderbar der Mann den Nasallaut hervorbrachte. 20 Man übte Quadrille, und zu Tonio Krögers tiefem Erschrecken

Karree group

befand er sich mit Inge Holm in ein und demselben Karree. Er mied sie, wie er konnte, und dennoch geriet er beständig in ihre Nähe; er wehrte seinen Augen, sich ihr zu nahen, und dennoch traf sein Blick beständig auf sie . . . Nun kam sie an der Hand des 25 rotköpfigen Ferdinand Matthiessen gleitend und laufend herbei, warf den Zopf zurück und stellte sich aufatmend ihm gegenüber, Herr Heinzelmann, der Klavierspieler, griff mit seinen knochigen

Tasten keys

Händen in die Tasten, Herr Knaak kommandierte, die Quadrille begann. 30 Sie bewegte sich vor ihm hin und her, vorwärts und rückwärts, schreitend und drehend, ein Duft, der von ihrem Haar oder dem zarten, weißen Stoff ihres Kleides ausging, berührte ihn manchmal, und seine Augen trübten sich mehr und mehr. Ich liebe dich, liebe, süße Inge, sagte er innerlich, und er legte in diese Worte seinen 35 ganzen Schmerz darüber, daß sie so eifrig und lustig bei der Sache war und sein nicht achtete. Ein wunderschönes Gedicht von Storm[3] fiel ihm ein: „Ich möchte schlafen; aber du mußt tanzen." Der

Widersinn absurdity

demütigende Widersinn quälte ihn, der darin lag, tanzen zu müssen, während man liebte . . . 40 „Erstes Paar *en avant!*" sagte Herr Knaak, denn es kam eine neue Tour. „*Compliment! Moulinet des dames! Tour de main!*"[4] Und

---

[2] *en avant* step forward
[3] Theodor Storm (1817–1888) German writer of the realistic period
[4] *Compliment! Moulinet des dames! Tour de main!* Bow! The ladies turn out! Hands around!

niemand beschreibt, auf welch graziöse Art er das stumme e vom
„de" verschluckte.

„Zweites Paar *en avant!*" Tonio Kröger und seine Dame waren
daran. „*Compliment!*" Und Tonio Kröger verbeugte sich.
„*Moulinet des dames!*" Und Tonio Kröger, mit gesenktem Kopfe
und finsteren Brauen legte seine Hand auf die Hände der vier
Damen, auf die Inge Holms, und tanzte „*moulinet*".

Ringsum entstand ein Kichern und Lachen. Herr Knaak fiel
in eine Ballettpose, welche ein stilisiertes Entsetzen ausdrückte.
„O weh!" rief er. „Halt, halt! Kröger ist unter die Damen geraten!
En arrière,[5] Fräulein Kröger, zurück, *fi donc!*[6] Alle haben es nun
verstanden, nur Sie nicht. Husch! Fort! Zurück mit Ihnen!" Und
er zog sein gelbseidenes Taschentuch und scheuchte Tonio Kröger
damit an seinen Platz zurück.

Alles lachte, die Jungen, die Mädchen und die Damen jenseits
der Portieren, denn Herr Knaak hatte etwas gar zu Drolliges aus
dem Zwischenfall gemacht, und man amüsierte sich wie im Theater.
Nur Herr Heinzelmann wartete mit trockener Geschäftsmiene auf
das Zeichen zum Weiterspielen, denn er war abgehärtet gegen
Herrn Knaaks Wirkungen.

Dann ward die Quadrille fortgesetzt. Und dann war Pause.
Das Folgmädchen klirrte mit einem Teebrett voll Weingeleegläsern
zur Tür herein, und die Köchin folgte mit einer Ladung Plumcake
in ihrem Kielwasser. Aber Tonio Kröger stahl sich fort, ging
heimlich auf den Korridor hinaus und stellte sich dort, die Hände
auf dem Rücken, vor ein Fenster mit herabgelassener Jalousie,
ohne zu bedenken, daß man durch diese Jalousie gar nichts sehen
konnte, und daß es also lächerlich sei, davorzustehen und zu tun,
als blickte man hinaus.

Er blickte aber in sich hinein, wo so viel Gram und Sehnsucht
war. Warum, warum war er hier? Warum saß er nicht in seiner
Stube am Fenster und las in Storms *Immensee* und blickte hie und
da in den abendlichen Garten hinaus, wo der alte Walnußbaum
schwerfällig knarrte? Das wäre sein Platz gewesen. Mochten die
anderen tanzen und frisch und geschickt bei der Sache sein! . . .
Nein, nein, sein Platz war dennoch hier, wo er sich in Inges Nähe
wußte, wenn er auch nur einsam von ferne stand und versuchte,
in dem Summen, Klirren und Lachen dort drinnen ihre Stimme
zu unterscheiden, in welcher es klang von warmem Leben. Deine
länglich geschnittenen, blauen, lachenden Augen, du blonde Inge!
So schön und heiter wie du kann man nur sein, wenn man nicht
Immensee liest und niemals versucht, selbst dergleichen zu machen;
das ist das Traurige! . . .

[5] *en arrière* step back
[6] *fi donc* for shame

*„Sitzender Jüngling".
Bronzeskulptur von
Wilhelm Lehmbruck.
1918*

Sie müßte kommen! Sie müßte bemerken, daß er fort war,
müßte fühlen, wie es um ihn stand, müßte ihm heimlich folgen,
wenn auch nur aus Mitleid, ihm ihre Hand auf die Schulter legen
und sagen: Komm herein zu uns, sei froh, ich liebe dich. Und er
5 horchte hinter sich und wartete in unvernünftiger Spannung, daß
sie kommen möge. Aber sie kam keineswegs. Dergleichen geschah
nicht auf Erden.

Hatte auch sie ihn verlacht, gleich allen anderen? Ja, das hatte
sie getan, so gern er es ihret- und seinetwegen geleugnet hätte.

Versunkenheit absorption
was verschlug das? what
did it matter?

10 Und doch hatte er nur aus Versunkenheit in ihre Nähe „*moulinet
des dames*" mitgetanzt. Und was verschlug das? Man würde
vielleicht einmal aufhören zu lachen! Hatte etwa nicht kürzlich
eine Zeitschrift ein Gedicht von ihm angenommen, wenn sie

eingegangen folded

dann auch wieder eingegangen war, bevor das Gedicht hatte
15 erscheinen können? Es kam der Tag, wo er berühmt war, wo
alles gedruckt wurde, was er schrieb, und dann würde man sehen,
ob es nicht Eindruck auf Inge Holm machen würde . . . Es würde
keinen Eindruck machen, nein, das war es ja. Auf Magdalena
Vermehren, die immer hinfiel, ja, auf die. Aber niemals auf Inge
20 Holm, niemals auf die blauäugige, lustige Inge. Und war es also
nicht vergebens? . . .

Tonio Krögers Herz zog sich schmerzlich zusammen bei diesem
Gedanken. Zu fühlen, wie wunderbare spielende und schwermütige
Kräfte sich in dir regen, und dabei zu wissen, daß diejenigen,

Unzugänglichkeit
inaccessibility

25 zu denen du dich hinübersehnst, ihnen in heiterer Unzugänglichkeit
gegenüberstehen, das tut sehr weh. Aber obgleich er einsam,
ausgeschlossen und ohne Hoffnung vor einer geschlossenen
Jalousie stand und in seinem Kummer tat, als könne er hindurchblicken, so war er dennoch glücklich. Denn damals lebte sein
30 Herz. Warm und traurig schlug es für dich, Ingeborg Holm, und

seine Seele umfaßte deine blonde, lichte und übermütig gewöhn-
liche kleine Persönlichkeit in seliger Selbstverleugnung.

Mehr als einmal stand er mit erhitztem Angesicht an einsamen
Stellen, wohin Musik, Blumenduft und Gläsergeklirr nur leise
5   drangen, und suchte in dem fernen Festgeräusch deine klingende
Stimme zu unterscheiden, stand in Schmerzen um dich und war
dennoch glücklich. Mehr als einmal kränkte es ihn, daß er mit
Magdalena Vermehren, die immer hinfiel, sprechen konnte, daß
sie ihn verstand und mit ihm lachte und ernst war, während die
10 blonde Inge, saß er auch neben ihr, ihm fern und fremd und
befremdet erschien, denn seine Sprache war nicht ihre Sprache;
und dennoch war er glücklich. Denn das Glück, sagte er sich, ist
nicht, geliebt zu werden; das ist eine mit Ekel gemischte Genugtuung für die Eitelkeit. Das Glück ist, zu lieben und vielleicht
15 kleine trügerische Annäherungen an den geliebten Gegenstand
zu erhaschen. Und er schrieb diesen Gedanken innerlich auf,
dachte ihn völlig aus und empfand ihn bis auf den Grund.

Treue! dachte Tonio Kröger. Ich will treu sein und dich lieben,
Ingeborg, solange ich lebe! So wohlmeinend war er. Und dennoch
20 flüsterte in ihm eine leise Furcht und Trauer, daß er ja auch Hans
Hansen ganz und gar vergessen habe, obgleich er ihn täglich sah.
Und es war das Häßliche und Erbärmliche, daß diese leise und ein
wenig hämische Stimme recht behielt, daß die Zeit verging und
Tage kamen, da Tonio Kröger nicht mehr so unbedingt wie
25 ehemals für die lustige Inge zu sterben bereit war, weil er Lust
und Kräfte in sich fühlte, auf seine Art in der Welt eine Menge des
Merkwürdigen zu leisten.

Und er umkreiste behutsam den Opferaltar, auf dem die lautere
und keusche Flamme seiner Liebe loderte, kniete davor und
30 schürte und nährte sie auf alle Weise, weil er treu sein wollte. Und
über eine Weile, unmerklich, ohne Aufsehen und Geräusch, war
sie dennoch erloschen.

Aber Tonio Kröger stand noch eine Zeitlang vor dem erkalteten
Altar, voll Staunen und Enttäuschung darüber, daß Treue auf
35 Erden unmöglich war. Dann zuckte er die Achseln und ging
seiner Wege.

(EXERCISES, SEE P. 201)

Selbstverleugnung self-abnegation

Gläsergeklirr clinking of glasses

Eitelkeit vanity

erhaschen snatch at

hämische malicious

behutsam warily
keusche chaste
loderte blazed
schürte stirred up

FRANZ KAFKA 1883– 1924

Franz Kafka is one of the most brilliant and influential of modern German novelists. Born in Prague, Kafka spent most of his life in the small German Jewish circles of this Czech city; but though his work has a local base, it reflects an international, urbane, and business world. The three novels— *Der Prozeß* (1925), *Das Schloß* (1926), and *Amerika* (1927)—on which his fame mainly rests, were all incomplete in his eyes and he did not want them published. Each of them nevertheless forms a satisfactory whole. Kafka's very individual style is evident in all three novels. In each case, the meticulous realism of the detail contrasts with the strange and irrational, yet alarmingly significant, sequence of events. Kafka's writings seem to demand an allegorical explanation, but, at the same time, no logically consistent interpretation of what has happened ever quite satisfies us. The protagonists are very modern men—realistic, clear-sighted, energetic, able to grasp problems and deal with them rationally —but somehow they find themselves hopelessly at a loss, unable to understand what has gone wrong with their lives.

Der Prozeß

In Der Prozeß, *the novel from which the following selection is taken, the hero, Josef K., apparently a successful bank official, is arrested one morning and ultimately condemned to death. No matter how much he involves himself with his case and struggles manfully with the legal and bureaucratic machinery in which he is entangled, he cannot elude his fate. Even though he is perhaps willing to admit his guilt at the end, he still is not able to discover just what his crime is nor who condemns him.*

The tense opening pages of this novel set the tone for the whole.

Jemand mußte Josef K. verleumdet haben, denn ohne daß er etwas Böses getan hätte, wurde er eines Morgens verhaftet. Die Köchin der Frau Grubach, seiner Zimmervermieterin, die ihm jeden Tag gegen acht Uhr früh das Frühstück brachte, kam diesmal
5 nicht. Das war noch niemals geschehen. K. wartete noch ein Weilchen, sah von seinem Kopfkissen aus die alte Frau, die ihm gegenüber wohnte und die ihn mit einer an ihr ganz ungewöhnlichen Neugierde beobachtete, dann aber, gleichzeitig befremdet und hungrig, läutete er. Sofort klopfte es und ein Mann, den er in
10 dieser Wohnung noch niemals gesehen hatte, trat ein. Er war schlank und doch fest gebaut, er trug ein anliegendes schwarzes Kleid, das, ähnlich den Reiseanzügen, mit verschiedenen Falten, Taschen, Schnallen, Knöpfen und einem Gürtel versehen war und infolgedessen, ohne daß man sich darüber klar wurde, wozu es
15 dienen sollte, besonders praktisch erschien. „Wer sind Sie?" fragte K. und saß gleich halb aufrecht im Bett. Der Mann aber ging über die Frage hinweg, als müsse man seine Erscheinung hinnehmen, und sagte bloß seinerseits: „Sie haben geläutet?" „Anna soll mir das Frühstück bringen", sagte K. und versuchte,
20 zunächst stillschweigend, durch Aufmerksamkeit und Überlegung festzustellen, wer der Mann eigentlich war. Aber dieser setzte sich nicht allzulange seinen Blicken aus, sondern wandte sich zur Tür, die er ein wenig öffnete, um jemandem, der offenbar knapp hinter der Tür stand, zu sagen: „Er will, daß Anna ihm das
25 Frühstück bringt." Ein kleines Gelächter im Nebenzimmer folgte, es war nach dem Klang nicht sicher, ob nicht mehrere Personen daran beteiligt waren. Obwohl der fremde Mann dadurch nichts erfahren haben konnte, was er nicht schon früher gewußt hätte, sagte er nun doch zu K. im Tone einer Meldung: „Es ist unmög-
30 lich." „Das wäre neu", sagte K., sprang aus dem Bett und zog rasch seine Hosen an. „Ich will doch sehen, was für Leute im Nebenzimmer sind und wie Frau Grubach diese Störung mir gegenüber verantworten wird." Es fiel ihm zwar gleich ein, daß er das nicht hätte laut sagen müssen und daß er dadurch
35 gewissermaßen ein Beaufsichtigungsrecht des Fremden anerkannte, aber es schien ihm jetzt nicht wichtig. Immerhin faßte es der Fremde so auf, denn er sagte: „Wollen Sie nicht lieber hierbleiben?" „Ich will weder hierbleiben, noch von Ihnen angesprochen werden, solange Sie sich mir nicht vorstellen." „Es war gut gemeint",

verleumdet slandered

Kopfkissen pillow

anliegendes tight

Schnallen buckles

knapp right

Störung disturbance

Beaufsichtigungsrecht a right to inspection

sagte der Fremde und öffnete nun freiwillig die Tür. Im Nebenzimmer, in das K. langsamer eintrat, als er wollte, sah es auf den
ersten Blick fast genau so aus wie am Abend vorher. Es war das
Wohnzimmer der Frau Grubach, vielleicht war in diesem mit
5 Möbeln, Decken, Porzellan und Photographien überfüllten
Zimmer heute ein wenig mehr Raum als sonst, man erkannte das
nicht gleich, um so weniger, als die Hauptveränderung in der
Anwesenheit eines Mannes bestand, der beim offenen Fenster mit
einem Buch saß, von dem er jetzt aufblickte. „Sie hätten in Ihrem
10 Zimmer bleiben sollen! Hat es Ihnen denn Franz nicht gesagt?"
„Ja, was wollen Sie denn?" sagte K. und sah von der neuen Bekanntschaft zu dem mit Franz Benannten, der in der Tür stehengeblieben
war, und dann wieder zurück. Durch das offene Fenster erblickte

*Tuschzeichnung
Kafkas zum Roman
„Der Prozeß"*

man wieder die alte Frau, die mit wahrhaft greisenhafter Neugierde
15 zu dem jetzt gegenüberliegenden Fenster getreten war, um auch
weiterhin alles zu sehen. „Ich will doch Frau Grubach—", sagte
K., machte eine Bewegung, als reiße er sich von den zwei Männern
los, die aber weit von ihm entfernt standen, und wollte weitergehen.
„Nein", sagte der Mann beim Fenster, warf das Buch auf ein
20 Tischchen und stand auf. „Sie dürfen nicht weggehen, Sie sind ja
verhaftet." „Es sieht so aus", sagte K. „Und warum denn?"
fragte er dann. „Wir sind nicht dazu bestellt, Ihnen das zu sagen.
Gehen Sie in Ihr Zimmer und warten Sie. Das Verfahren ist nun
einmal eingeleitet, und Sie werden alles zur richtigen Zeit erfahren.
25 Ich gehe über meinen Auftrag hinaus, wenn ich Ihnen so freundschaftlich zurede. Aber ich hoffe, es hört es niemand sonst als
Franz, und der ist selbst gegen alle Vorschrift freundlich zu Ihnen.
Wenn Sie auch weiterhin so viel Glück haben wie bei der Bestimmung Ihrer Wächter, dann können Sie zuversichtlich sein." K.
30 wollte sich setzen, aber nun sah er, daß im ganzen Zimmer keine
Sitzgelegenheit war, außer dem Sessel beim Fenster. „Sie werden
noch einsehen, wie wahr das alles ist", sagte Franz und ging

greisenhafter senile

Verfahren proceedings

Vorschrift regulation

zuversichtlich hopeful

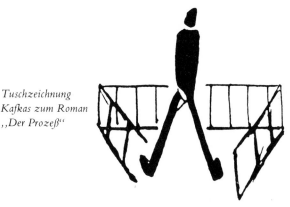

Tuschzeichnung
Kafkas zum Roman
„Der Prozeß"

gleichzeitig mit dem andern Mann auf ihn zu. Besonders der letztere überragte K. bedeutend und klopfte ihm öfters auf die Schulter. . . .

„Wie kann ich denn verhaftet sein? Und gar auf diese Weise?"
5   „Nun fangen Sie also wieder an", sagte der Wächter. . . . „Solche Fragen beantworten wir nicht." „Sie werden sie beantworten müssen", sagte K. „Hier sind meine Legitimationspapiere, zeigen Sie mir jetzt die Ihrigen und vor allem den Verhaftbefehl." „Du lieber Himmel!" sagte der Wächter. „Daß Sie sich in Ihre Lage
10 nicht fügen können und daß Sie es darauf angelegt zu haben scheinen, uns, die wir Ihnen jetzt wahrscheinlich von allen Ihren Mitmenschen am nächsten stehen, nutzlos zu reizen!" „Es ist so, glauben Sie es doch", sagte Franz . . . und sah K. mit einem langen, wahrscheinlich bedeutungsvollen, aber unverständlichen Blick
15 an. . . . K. schlug dann aber doch auf seine Papiere und sagte: „Hier sind meine Legitimationspapiere." „Was kümmern uns denn die?" rief nun schon der große Wächter. „Sie führen sich ärger auf als ein Kind. Was wollen Sie denn? Wollen Sie Ihren

Legitimationspapiere identification papers
Verhaftbefehl warrant

es . . . angelegt made it your object

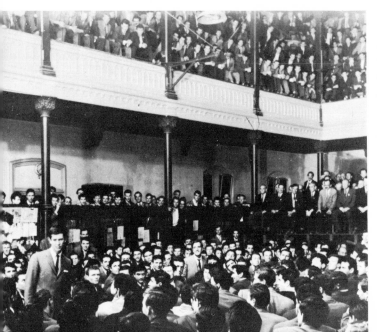

Filmszene mit
Anthony Perkins als K.
Regie Orson Welles.
1963

großen, verfluchten Prozeß dadurch zu einem raschen Ende bringen, daß Sie mit uns, den Wächtern, über Legitimation und Verhaftbefehl diskutieren? Wir sind niedrige Angestellte, die sich in einem Legitimationspapier kaum auskennen und die mit Ihrer Sache

5 nichts anderes zu tun haben, als daß sie zehn Stunden täglich bei Ihnen Wache halten und dafür bezahlt werden. Das ist alles, was wir sind, trotzdem aber sind wir fähig, einzusehen, daß die hohen

Behörden authorities

Behörden, in deren Dienst wir stehen, ehe sie solche Verhaftung verfügen, sich sehr genau über die Gründe der Verhaftung und

10 die Person des Verhafteten unterrichten. Es gibt darin keinen Irrtum. Unsere Behörde, soweit ich sie kenne, und ich kenne nur die niedrigsten Grade, sucht doch nicht etwa die Schuld in der Bevölkerung, sondern wird, wie es im Gesetz heißt, von der Schuld angezogen und muß uns Wächter ausschicken. Das ist

15 Gesetz. Wo gäbe es da einen Irrtum?" „Dieses Gesetz kenne ich nicht", sagte K. „Desto schlimmer für Sie", sagte der Wächter. „Es besteht wohl auch nur in Ihren Köpfen", sagte K., er wollte sich irgendwie in die Gedanken der Wächter einschleichen, sie

sich . . . einbürgern
take root

zu seinen Gunsten wenden oder sich dort einbürgern. Aber der

20 Wächter sagte nur abweisend: „Sie werden es zu fühlen bekommen." Franz mischte sich ein und sagte: „Sieh, Willem, er gibt zu, er kenne das Gesetz nicht, und behauptet gleichzeitig, schuldlos zu sein." „Du hast ganz recht, aber ihm kann man nichts begreiflich machen", sagte der andere. K. antwortete nichts mehr. . . .

(EXERCISES, SEE P. 203)

ÜBUNGEN

THE HEROIC
EPIC

Das Nibelungenlied

FRAGEN

1 In welcher Stadt und in welchem Land beginnt die Geschichte?
2 Wie heißen die Geschwister des Burgunderkönigs Gunther?
3 Erzählen Sie in eigenen Worten Kriemhilds Traum!
4 Wie deutet Kriemhilds Mutter den Traum ihrer Tochter?
5 In welchem Land ist Siegfried aufgewachsen?
6 Was muß Siegfried tun, um Gunthers schöne Schwester Kriemhild für sich als Frau zu gewinnen?
7 Wie heißt die nordische Königin, die der Burgunderkönig Gunther besiegen und freien will?
8 Beschreiben Sie die Kraftproben, die zwischen Brunhild und Gunther (bzw. Siegfried) stattfinden!
9 Wie konnte Siegfried Gunther helfen, ohne entdeckt zu werden?
10 Wen gewinnt Brunhild, ihre Ehre zu rächen?
11 Beschreiben Sie Siegfrieds Tod!
12 Wen heiratet Kriemhild, nachdem Hagen auf der Jagd Siegfried meuchlings getötet und seiner Witwe den Nibelungenhort geraubt hat?
13 Was will sie von Hagen wissen, bevor sie ihn tötet?
14 Was widerfährt Kriemhild, nachdem sie Hagen aus Rachgier erschlagen hat?

SATZBILDUNG

Construct sentences in the imperfect tense from the following word groups. Note that you must conjugate verbs, inflect articles, adjectives, nouns, or pronouns, and possibly change word order. The letter d- indicates the presence of the definite article. The double bar (||) usually indicates the presence of a dependent clause, but it may also indicate a parenthetical expression of some kind. Unless otherwise stated, **sein** *is the verb* to be *and not the possessive adjective. Where no slant appears between a preposition and a letter followed by a dash (usually* d-), *you must combine the two into a single contraction.*

1 D- / Herren / wohnen / zu Worms / an d- / Rhein.
2 Sie / sterben / durch / d- / Streit / zwei- / Frauen.
3 Kriemhild / sagen / ihr- / Mutter / d- / Traum.
4 Siegfrieds / Stärke / ihn / führen / in / manch- / fremd- / Land.
5 Man / tragen / zu d- / Kreis / ein- / schwer- / Stein.
6 Sie / sein / in / d- / Hölle / d- / übl- / Teufels / Braut!
7 Da / mit / ganz- / Kräften / schießen / die / herrlich- / Maid.
8 Da / nehmen / der Degen / d- / Speer // d- / Brunhild / werfen.
9 Brunhild / sich / erheben / und / schwingen / d- / Stein / mit / all- / Kräften.
10 Siegfried / niederlegen / d- / Schild / neben / d- / Quell.
11 Der / edl- / Siegfried / aus / d- / Brunnen / trinken.
12 Hagen / schießen / ihm / durch / d- / Kreuz.

MÜNDLICHE UND SCHRIFTLICHE AUFGABEN

1 Geben Sie eine Zusammenfassung vom *Nibelungenlied*! (Benützen Sie die vorhergehenden Fragen als Abriß der Handlung.)

2 Inwiefern ist das *Nibelungenlied* für ein christliches Publikum geschrieben worden? Beweisen Sie Ihre Antwort mit Hilfe von Beispielen und Belegstellen aus dem Text!

3 Ist Siegfrieds Tod ein tragischer Fall? Erklären Sie, wie Sie das Wort „*tragisch*" verstehen und wie Ihre Definition zu dem Tode Siegfrieds paßt!

4 Untersuchen Sie das *Nibelungenlied* vom Standpunkt der Schuld und Sühne! Inwiefern sind alle Teilnehmer, auch Siegfried, an dem schrecklichen Niedergang der Burgunder schuldig?

5 Besprechen Sie den Schluß des *Nibelungenlieds* unter Berücksichtigung der Bedeutung des Satzes: „Der Mensch, der sich treu bleibt, kann noch im Untergang innerlich siegen."

6 Versuchen Sie jetzt, eine Strophe des *Nibelungenlieds* ins Englische zu übersetzen! Bemühen Sie sich, Zeilenlängen, Hebungen und Reimordnung des deutschen Textes in der englischen Übersetzung einzuhalten.

WALTHER VON DER VOGELWEIDE

Ich saß auf einem Steine

FRAGEN

1 Wo sitzt Walther?
2 Worüber denkt er nach?
3 Welche drei Dinge sind es, die keinem anderen Schaden tun sollen?
4 Was möchte Walther mit diesen dreien tun?
5 Warum kann sein Wunsch nicht erfüllt werden?
6 Welchen Schluß zieht er am Ende des Gedichtes?

SATZBILDUNG

Construct sentences from the following word groups in the imperfect tense.

1 Ich / sitzen / auf / ein- / Stein.
2 Denken / du / je // wie / man / in / d- / Welt / leben / sollen?
3 Ich / können / kein- / Rat / geben.
4 Das / mögen / nicht / leider / sein.
5 Gewalt / fahren / auf / d- / Straße.

MÜNDLICHE UND SCHRIFTLICHE AUFGABEN

1 In diesem Gedicht sucht Walther nach den Werten, auf die das Leben ausgerichtet sein soll. Stimmen Sie mit ihm überein, daß Ehre, Gut und Gottes Huld die höchsten menschlichen Werte sind? Erklären Sie warum!
2 Was, glauben Sie, würde ein Dichter wie Walther, der im zwölften Jahrhundert gelebt hat, unter den Wörtern „Ehre," „Gut" und „Gottes Huld" verstehen?
3 Warum sind diese drei Werte nach Walther im Menschen unvereinbar?
4 Erläutern Sie, auf welche Weise uns Walther eine positive (oder negative?) Auffassung von der menschlichen Existenz vorträgt!

Gewährung

FRAGEN

1 Warum ist der Dichter so glücklich?
2 Wovor braucht er jetzt keine Angst mehr zu haben?
3 Wie war ihm bis jetzt zumute?
4 Wer hat ihn von seiner Unzufriedenheit befreit?

GRAMMATISCHE ÜBUNG

Fill in the blanks with the correct inflectional endings.

1 all........ bös........ Herr........ (*nom.*).
2 d........ edl........ König (*nom.*).
3 in d........ Winter (*dat.*).
4 Er hat mein........ „Sang" reingemacht.

MÜNDLICHE UND SCHRIFTLICHE AUFGABEN

1 Nennen Sie alle Gründe für Walthers Dankbarkeit in diesem Gedicht!
2 Vergleichen Sie den Begriff „fahrendes Gut" (aus dem Gedicht „Ich saß auf einem Steine") mit der „Freude am Lehen" aus dem vorliegenden Gedicht. Inwiefern sind diese Begriffe der beiden Gedichte einander ähnlich aber auch verschieden?
3 Warum sagt Walther, seine Nachbarn sehen ihn „nicht mehr an als ein Gespenst"? Wie ist das Wort „Gespenst" hier zu erklären?

Elegie

FRAGEN

1 Was will der Dichter am Anfang des Gedichtes wissen?
2 Was möchte er über sein vergangenes Leben aussagen?
3 Was will Walther mit dem Satz ausdrücken: „Nun bin ich erwacht"?
4 Welche Erlebnisse scheinen ihm jetzt so fremd zu sein?
5 Wodurch kommen seine Gedanken zum Ausdruck?
6 Welchen Schluß zieht er in Bezug auf die Welt?
7 Warum sitzt er am Ende „voll Wehmut"?

SATZBILDUNG

Rearrange the following word groups into sentences in the present perfect tense.

1 Sein / denn / mein / Leben / wahr?
2 Träumen / ich / es?
3 Ich / schlafen.
4 Voll Wehmut / ich / denken / an / manch- / freudenvoll / Tag.
5 Der / schön- / Tag / entfallen.

MÜNDLICHE UND SCHRIFTLICHE AUFGABEN

1 Besprechen Sie die Stimmung des Dichters und ihre Gründe!
2 Worin liegt die Schwierigkeit, Traum und Wirklichkeit zu unterscheiden?
3 Warum steht der Satz „Die Welt ist allenthalben voll Mißgunst" geradezu im Gegensatz zur ganzen Stimmung des Gedichtes? (Lesen Sie das Gedicht einige Male laut, um den Unterschied im Ton festzustellen!)
4 „O weh" steht am Anfang und am Ende des Gedichtes, aber die Bedeutung dieses Ausrufes ist jeweils eine andere. Wie erklären Sie sich das?

Unter der Linde

FRAGEN

1 Welcher Ort wird in der ersten Strophe beschrieben?
2 Wie wird die Frau an diesem Ort empfangen?
3 Warum lacht jeder, der am Blumenbett vorbeikommt?
4 Wer weiß von diesem heimlichen Treffen?
5 Warum sollte niemand etwas darüber erfahren?

SATZBILDUNG

Construct sentences in the present tense from the following word groups.

1 Mein / Liebst- / sitzen / dort.
2 Er / mögen / finden / es / dort.
3 Vor / d- / Wald / in / ein- / Tal / die Nachtigall / singen.
4 Da / sein / mein / Liebster / schon.
5 Ich / sein / selig / immerfort.

6 Mein / Liebst- / uns / machen / ein / Bett von Blumen.
7 Jeder / mögen / merken / wohl // wo / d- / Haupt / liegen.
8 Ich / sich / schämen.

MÜNDLICHE UND SCHRIFTLICHE AUFGABEN

1 Walthers Minnelyrik verbindet oft das Ideal der Liebe mit der Freude an der Natur. Zeigen Sie, wie Liebe und tiefes Naturempfinden in diesem Gedicht verwoben sind!

2 Welche Bedeutung und Wirkung hat das Wort „Tandaradei" in den verschiedenen Strophen?

3 Wie hätte die Gesellschaft reagiert, wenn sie über eine solche heimliche Liebe etwas erfahren hätte? (Beachten Sie besonders „mancher . . . lachet", „wüßt' es einer" und „keiner erfahre das".)

WERNHER DER GÄRTNER

Meier Helmbrecht

FRAGEN

1 Welche Lehre erteilt der Vater seinem Sohn?
2 Wie antwortet Meier Helmbrecht auf den Rat seines Vaters?
3 Was bedeutet der Traum, den der Vater seinem Sohn erzählt?
4 Wohin reitet Meier Helmbrecht?
5 Was lernt er am Hof?
6 Welche sind die „Weisheiten", die er am Hofe sammelt?
7 Wie wird Meier Helmbrecht von den Bauern bestraft?
8 Um was bittet der Dichter am Ende des Gedichtes?

SATZBILDUNG

Construct sentences in the present tense from the following word groups.

1 Bleiben (*imperative*) / zu Hause / und / führen / d- / Pflug!
2 Sein / ich / nicht / d- / stolzest- / Hofes / wert?
3 Ich / wollen / sein / wie / d- / ältest- / Ritter.
4 Hören (*imperative*) / noch / von / mein- / Traum!
5 Man / messen / anderthalben Klafter / von / dein- / Füßen / bis / an / d- / Gras.
6 Er / kommen / reiten / auf / ein- / Burg.
7 Er / stoßen / alles / in / ein- / Sack.
8 Er / d- / Mantel / nehmen / und / d- / Rock.
9 Ein / Bauer / ihn / sehen / in / d- / Walde.
10 Sie (*pl.*) / schlagen / bis / auf / d- / Blut / ihn.
11 D- / blond- / Locken / beisammenbleiben / nicht.
12 D- / lieb- / Gott / sollen / ein / gut- / Richter / sein / und / ihm / gnädig sein.

MÜNDLICHE UND SCHRIFTLICHE AUFGABEN

1 In dieser Geschichte von Wernher dem Gärtner spiegelt sich nicht nur *ein* Konflikt! Untersuchen Sie also die folgenden Gegensätze, die im Rahmen dieser Lektüre zu finden sind:

a. der Gegensatz zwischen dem kernigen Bauerntum und dem verfallenen Rittertum.

b. der Gegensatz zwischen der Lebenseinstellung des Vaters und des Sohnes.

c. der Gegensatz zwischen der ritterlichen Epoche und einer neuen Zeit, in der auch die Massen der deutschen Bauern etwas mitzubestimmen haben.

2 Inwiefern ist dieses Werk theologisch zu erklären? Ein Germanist (Georg Ried) schreibt: „Wernher malt ergreifend das *Schicksal eines Menschen*, der in verblendetem Hochmut über die von Gott gesetzten Schranken seines Wesens hinaus will." Sind Sie mit dieser Deutung einverstanden? Begründen Sie Ihre Antwort anhand einiger Beispiele!

3 Wie hofft Wernher der Gärtner—Ihres Erachtens—die Leser des Gedichtes zu belehren? Was kritisiert er am heftigsten: das Rittertum? die Großtuerei? den Ungehorsam? den Hochmut? was sonst?

4 Schon in einem Gedicht von Walther von der Vogelweide sind wir dem Problem von Traum und Wirklichkeit begegnet. In gewissem Sinne begegnet Meier Helmbrecht einem ähnlichen Problem, dem Problem der Unversöhnlichkeit von Illusion und Wirklichkeit. Erklären Sie, wie Meier Helmbrecht an diesem Zwiespalt zugrunde geht!

MARTIN LUTHER

Das Evangelium des Lukas: Die Bergpredigt
Ein feste Burg ist unser Gott

GRAMMATISCHE ÜBUNG

Put the following sentences first into the imperfect and then into the present perfect tense.

1   Er bleibt über Nacht in dem Gebet.
2   Er geht hernieder und tritt auf einen Platz.
3   Euer Lohn ist groß.
4   Wer schlägt dich auf den Backen?
5   Wer nimmt dir den Mantel?
6   Die Sünder leihen den Sündern.
7   Was gebt ihr dann?
8   Sie fallen beide in die Grube.
9   Was siehst du?
10   Der Baum trägt faule Frucht.
11   Ein guter Mensch bringt Gutes hervor.
12   Er hilft uns aus aller Not.

Fill in the blanks with the correct words or endings.

1   Es begab sich aber zu d........ Zeit, daß er auf ein........ Berg ging.
2   Er ging hernieder mit (*them*) .... und trat auf ein........ Platz in d........ Feld.
3   Er hob sein........ Augen auf über sein........ Jünger.
4   Tut (*those*) .... wohl, (*who*) .... euch hassen!
5   Wer (*you*) .... schlägt auf ein........ Backen, (*to him*) .... biete den andern auch dar.
6   Kann auch ein Blind........ ein........ Blind........ d........ Weg weisen?
7   Es ist kein gut........ Baum, d........ faul........ Frucht trägt.
8   Ein gut........ Mensch bringt Gut........ hervor.

MÜNDLICHE UND SCHRIFTLICHE AUFGABEN

1   Vergleichen Sie diese Verse aus Luthers Übersetzung mit denjenigen der King James Bibelübersetzung! Wo finden Sie Ungleichheiten und Unterschiede? Welche Verse gefallen Ihnen besser in der deutschen, welche in der englischen Übersetzung?

2 Wie erklären Sie die anscheinend „fehlerhaften" Endungen der Verben und Adjektive im Lied „Ein feste Burg ist unser Gott"? (Versuchen Sie, etwas über die Sprachentwicklung in Deutschland zu Luthers Zeit zu lesen!)

HANS JAKOB CHRISTOFFEL VON GRIMMELSHAUSEN

Der abenteuerliche Simplicissimus

FRAGEN

1 Warum nennt Simplicissimus am Anfang der Geschichte sein Leben „edel"?

2 Worin sieht Simplicissimus eine Ähnlichkeit zwischen sich und König David?

3 Warum sollte er, der Unterweisung seines Knans zufolge, die Sackpfeife so laut spielen?

4 Was ist das Resultat seines lauten Spielens und Geschreis?

5 Wie behandelten die Soldaten Simplicissimus, als sie ihm begegneten?

6 Wohin führen ihn die Reiter?

7 Was haben die Reiter alles auf dem Bauernhof angestellt?

8 Unter welchen Umständen haben die Reiter den Bauernhof verlassen? Wo befand sich Simplicissimus zur selben Zeit?

9 Warum nennt der Einsiedler den Buben *Simplex?*

10 Wie haben die „eisernen Männer" Simplicissimus' Knan gequält? Warum?

11 Warum will Simplex bei dem Einsiedler bleiben?

12 Warum sah der Einsiedler Simplex mit tiefstem Seufzen an?

SATZBILDUNG

Rearrange the following word groups into sentences in the present perfect tense.

1 Ich / sein / vollkommen / in / d- / Unwissenheit.

2 Mein / Knan / wollen / genießen / lassen / mich / solch- / Glückseligkeit / nicht / länger.

3 Ich / kennen / d- / Wolf / wenig // und / ich / wissen / nicht // wie / aussehen / er.

4 Mein / grob- / Verstand / können / nicht / fassen / sein- / subtil- / Unterweisungen.

5 Ich / werden / in / ein- / Augenblick / von / ein- / Trupp / umgeben.

6 Man / schleudern / mich / auf / ein / Bauernpferd.

7 Die / Reiter / durchstürmen / d- / Haus / unten und oben // bis / sein / nichts / mehr / sicher.

8 Kupfer und Zinngeschirr / zusammenschlagen / sie.

9 Einer / lösen / sein- / Karabiner / auf / mich.

10 Die / Reiter / fortreiten / und / mich / liegen / lassen / ohne Zweifel / für tot.

11 Als / es / werden / wieder / Nacht // ich / aufstehen / und / fortwandern / in / d- / Wald.

12 Von / fern / ich / sehen / ein- / faul- / Baum.

MÜNDLICHE UND SCHRIFTLICHE AUFGABEN

1 Lesen Sie erneut das Gespräch zwischen dem Einsiedler und Simplicissimus, und versuchen Sie zu erkennen, worin der Humor besteht! (Untersuchen Sie den Humor im Dialog, und zwar vom Standpunkt der Begegnung zweier Lebensperspektiven aus!)

2 Aus welchem Grund, glauben Sie, hat der Einsiedler die Außenwelt verlassen, um im Wald zu leben? (In diesem Lesestück bekommen Sie einen Einblick in die grauenvollen Ereignisse der Zeit. Lesen Sie im Lexikon nach, was über den Verlauf des Dreißigjährigen Krieges in Deutschland geschrieben steht, und berichten Sie darüber!)

3 Wie in *Meier Helmbrecht* besteht hier ein starker Konflikt zwischen dem Bauernstand und dem Raubrittertum. Wie kommt dieser Konflikt im Lied von Simplex zum Ausdruck? Bestätigt sich dieses Urteil des Schriftstellers dann auch in der Schilderung von Bauern und Soldaten?

FRIEDRICH GOTTLIEB KLOPSTOCK

Der Messias

FRAGEN

1 Wer wird mit dem Befehl „Sing!" angesprochen?
2 Wovon sollte gesungen werden?
3 Wie unterscheidet der Dichter das Geschlecht Adams von den anderen Geschlechtern auf Erden? Was bedeutet hier „Adams Geschlecht"?
4 Wer bringt der Menschheit Erlösung?
5 Was verlangt der Dichter vom schöpferischen Geist?
6 Welche Absicht verfolgt der Dichter in diesem Werk?

GRAMMATISCHE ÜBUNG

Translate these phrases from „Der Messias" into English.

1 der sündigen Menschen Erlösung
2 des Ewigen Wille
3 wider ihn
4 Geist Schöpfer
5 voll unsterblicher Kraft

MÜNDLICHE UND SCHRIFTLICHE AUFGABEN

1 Was will der Dichter mit dem Satz sagen: „er tat's, und vollbrachte die große Versöhnung"?
2 Vertritt der Dichter einen Standpunkt der Kirche oder ein persönliches religiöses Gefühl? Erklären Sie!

Dem Unendlichen

FRAGEN

1 Welcher Gegensatz findet sich in der ersten Strophe?
2 Wer rettet einen von „Nacht und Tod"?
3 Was lobt der Dichter in jeder der letzten drei Strophen?

GRAMMATISCHE ÜBUNG

Fill in the blanks with the appropriate words or endings.

1 Du rufst mich aus mein......... Nacht.
2 Der hilft in d......... Tode!
3 Weht, Bäume d......... Leben.........!
4 Rausche mit (*them*) ....!
5 Rausche, kristalln......... Strom!
6 Donnert in feierlich......... Gang!
7 Tönt auf d......... Straße voll Glanz!
8 Gott ist es, (*whom*) .... ihr preist!

MÜNDLICHE UND SCHRIFTLICHE AUFGABEN

1 Untersuchen Sie die Satzzeichen in diesem Gedicht, und erklären Sie, wie sie zur Bedeutung des Ganzen beitragen!
2 Warum wiederholt der Dichter so oft „Nie es ganz"?
3 Welche Bedeutung hat der Titel für das ganze Gedicht?
4 Es scheint, als ob die letzten drei Strophen des Gedichtes gleichsam aus der Sicht des Komponisten geschrieben wurden. Warum? Worin liegt die musikalische Wirkung dieser Beschreibung?
5 Erläutern Sie genau, wie sich das Gedicht von Strophe zu Strophe steigert!

Das Rosenband

FRAGEN

1 Von wem spricht der Dichter hier?
2 Wie ist dem Dichter in der zweiten Strophe zumute?
3 Was tut der Dichter in der dritten Strophe?
4 Wie empfindet das Mädchen die zärtliche Liebe des Dichters?

SATZBILDUNG

Rearrange the following word groups into sentences in the present perfect tense.

1 Ich / finden / sie / in / d- / Frühlingschatten.
2 Ich / sie / ansehen.
3 Mein / Leben / hängen / mit / dies- / Blick / an / ihr- / Leben.
4 Ich / zulispeln / sprachlos / ihr.
5 Ich / rauschen / mit / d- / Rosenbändern.
6 Da / aufwachen / sie / aus / d- / Schlummer.
7 Sie / mich / ansehen.
8 Ihr / Leben / hängen / mit / dies- / Blick / an / mein- / Leben.

MÜNDLICHE UND SCHRIFTLICHE AUFGABEN

1 Wie würden Sie die Überschrift dieses Gedichtes deuten? Erläutern Sie „Rosen" und „Band" als mögliche Sinnbilder!
2 Wie verständigen sich die beiden? Welche tiefere Bedeutung liegt darin?
3 Vergleichen Sie die zweite Strophe mit der vierten! Wie erklären Sie die Ähnlichkeiten und Unterschiede beider Strophen?

GOTTHOLD EPHRAIM LESSING

Emilia Galotti

FRAGEN

1 Worüber spricht der Prinz bei seinem Auftritt in der ersten Szene?
2 Was muß der Prinz unterschreiben?
3 Worüber beklagt sich Camillo Rota?
4 Welche Botschaft überbringt Marinelli Appiani?
5 Warum ist Appiani von der Botschaft überrascht?
6 Warum muß Appiani den Auftrag des Prinzen ablehnen?
7 Was mutet Marinelli Appiani infolge seiner Ablehnung zu?
8 Warum ruft Marinelli am Ende aus: „Nur Geduld?"

SATZBILDUNG

Rearrange the following word groups into sentences in the present perfect tense.

1 Nun / mitnehmen / ich / es / nicht / doch wohl.
2 Ich / lassen / mögen / unterschreiben / es / ihn / in / dies- / Augenblick / nicht.
3 Dies- / gräß- / Recht / gern / gehen / mir / durch / d- / Seele.
4 Ich / sein / d- / Überbringer / ein- / vorzüglich- / Gnade.
5 D- / Prinz / sein / lange / unschlüssig // wen / er / sollen (*subj.*) / dazu / ernennen.
6 Ich / erwarten / schon / das / längst / nicht mehr.
7 Sie / müssen (*subj.*) / abreisen / noch / heute?
8 D- / Sache / sein / von / d- / äußerst- / Eile.
9 Ich / können / nicht / abreisen / heute.
10 Es / mir / leid / tun.

MÜNDLICHE UND SCHRIFTLICHE AUFGABEN

1 Welche Bedeutung hat das Wort „Freundschaft" in dem Gespräch zwischen Marinelli und Appiani? Wie kommt man unter Berücksichtigung dieses Begriffes zu einem besseren Verständnis der Personen?
2 In jeder Szene findet sich deutliche Kritik am Prinzen. Erläutern Sie, worauf sich diese Kritik stützt, und begründen Sie Ihre Antwort mit einem Beispiel aus dem Text!

168

JOHANN WOLFGANG VON GOETHE

Faust

FRAGEN

PROLOG IM HIMMEL

1. Was ist der Kern der Aussage der Engel am Anfang des Prologs?
2. Wie bezeichnet Mephistopheles die Begrenzung seiner Macht? Betrachtet er sie als Schwäche? Welche Absicht steckt eigentlich hinter dieser abwertenden Selbstbetrachtung?
3. Wie beschreibt Mephistopheles die Menschen?
4. Wie beschreibt er Faust?
5. Beschreiben Sie die Wette zwischen dem „Herrn" und Mephisto!

NACHT

1. Worüber beklagt sich Faust am Anfang dieser Szene?
2. Warum möchte Faust sein Zimmer endgültig verlassen? Wovon hat er nun genug?
3. Wohin will er gehen? Warum? Was will er dort?
4. Warum nennt Faust sein Zimmer einen „Kerker" und ein „Mauerloch"?
5. Was beabsichtigt Faust mit dem Buch Nostradamus'?
6. Warum beurteilt Faust das Zeichen von Nostradamus als „ein Schauspiel nur"?
7. Warum wirkt das Zeichen des Erdgeistes auf Faust anders als das Zeichen Nostradamus'?
8. Warum nennt der Erdgeist Faust einen Wurm?
9. Wie beschreibt der Erdgeist sich selbst?

STUDIERZIMMER

1. Wie ist Mephisto verkleidet, als er Fausts Zimmer betritt?
2. Worin liegt der Kern der Klagen, die Faust an Mephisto richtet?
3. Was verflucht Faust vor Mephistopheles? Warum?
4. Wie reagiert Mephistos Geisterchor auf Fausts Flüche?
5. Welche Bedingungen stellt Mephisto in Bezug auf den Pakt? Mit welchen Bedingungen entgegnet ihm Faust?
6. Wie muß Faust den Pakt unterschreiben?

SATZBILDUNG

First rearrange the following word groups into sentences in the present tense. Then, using your sentences as an outline, relate in your own words the contents of the Faust *reading selection.*

PROLOG IM HIMMEL

1 Die / Sonne / tönen / nach / alt- / Weise.
2 Die / unbegreiflich / hoh- / Werke / sein / herrlich / wie / am / erst- / Tag.
3 Ich / sehen / nur // wie / sich plagen / die / Menschen.
4 Der / klein- / Gott / d- / Welt / bleiben / stets / vom / gleich- / Schlag.
5 Sein / auf / d- / Erde / nichts / dir / recht / ewig?
6 Ich / mögen / plagen / sogar / d- / Arm- / selbst / nicht.
7 Kennen / du / d- / Faust?
8 Von / d- / Himmel / er / fordern / d- / schönst- / Sterne.
9 Ein / gut- / Mensch / in / sein- / dunkl- / Drange / sein / sich / d- / recht- / Weg- / wohl / bewußt.
10 Es / nur / nicht / dauern / lange.

NACHT

1 Ich / mir / einbilden // zu wissen / etwas / Recht-.
2 Es / kein / Hund / mögen / leben / so / länger!
3 Ich / sich ergeben / d- / Magie // daß / ich / nicht / mehr / mit / sauer- / Schweiß / brauchen / zu / sagen // was / ich / wissen / nicht.
4 Hinausfliehen (*imperative*) / in / d- / weit- / Land!
5 Sein / es / ein / Gott // d- / schreiben (*imperfect*) / dies- / geheimnisvoll- / Buch?
6 Wie / anders / einwirken / dies- / Zeichen / auf / mich!
7 Es / herabwehen / ein / Schauer / von / d- / Gewölbe.
8 Wo / sein / du, / Faust // d- / sich drängen / an / mich / mit / all- Kräften?

STUDIERZIMMER

1 In / jed- / Kleide / werden / ich / fühlen / d- / Pein / d- / eng- / Erdenlebens.
2 Und / doch / sein / nie / d- / Tod / ein / willkommn- / Gast.
3 So / fluchen / ich / all- // was umspannen / d- / Seele / mit Gaukelwerk.
4 Aufhören (*imperative*) / mit / dein- / Gram / zu spielen!
5 Wollen / du / mit / mir / vereint / dein- / Schritte / durch d- / Leben / nehmen?
6 D- / Teufel / tun / nicht / leicht // was / ein- / ander- / sein / nützlich.
7 Ein / solch- / Diener / bringen / Gefahr / in / d- / Haus.
8 Ich / wollen / sich verbinden / zu / dein- / Dienst.

9   Aus / dies- / Erde / quillen / mein- / Freuden.
10 Was / wollen / geben / du / arm- / Teufel?
11 Werden / ich / je / beruhigt / mich / legen / auf / ein / Faulbett // so /
    sein (*imperative*) / es / gleich / getan / um / mich!
12 Können / du / mich / belügen / schmeichelnd?
13 Können / du / mich / betrügen / mit Genuß?
14 Werden / ich / zu- / Augenblicke / sagen: „Verweile doch! du
    bist so schön!" // dann / wollen / ich / zugrunde / gehen / gern.
15 Ich / werden / heute / gleich / erfüllen / mein- / Pflicht / als / Diener.
16 Du / sich unterzeichnen / mit / ein- / Tropfen / Blut.

MÜNDLICHE UND SCHRIFTLICHE AUFGABEN

1   Vergleichen Sie die Wette zwischen Gott und Mephistopheles mit
    den Bedingungen des Paktes zwischen Mephistopheles und Faust!
    Wie sind die Bedingungen des Paktes auf das Gespräch zwischen
    Gott und Mephisto zurückzuführen? Unterstützen Sie Ihre Antwort
    mit Belegstellen aus dem Text! (Wie verändert Faust Mephistos
    Vorschläge?)
2   Machen Sie eine graphische Darstellung von den Veränderungen
    der Launen Fausts in der „Nacht"-Szene!
3   Warum ist es Faust unmöglich, den Erdgeist zu begreifen?
4   Was kann mit dem Satz gemeint sein: „Nur durch seinen Dämon
    ist der Mensch mit der Welt verbunden"?

Willkommen und Abschied

FRAGEN

1   Warum hat es der Mann so eilig—gemäß der Aussage in den ersten
    beiden Versen?
2   Welche Tageszeit haben wir in der ersten Strophe?
3   Wie beschreibt der Erzähler die Finsternis?
4   In was für einem Gemütszustand befindet sich der Erzähler in der
    zweiten Strophe?
5   Wie und warum verändert sich die Stimmung in der dritten
    Strophe?
6   Welche Tageszeit haben wir in der letzten Strophe?
7   Wie verhält sich das Mädchen beim Abschied?
8   Zu welcher Einsicht kommt der Erzähler am Ende?

GRAMMATISCHE ÜBUNG

Put the following sentences into the present tense.

1 Es schlug mein Herz.
2 Es war getan.
3 An den Bergen hing die Nacht.
4 Der Mond sah kläglich aus dem Duft hervor.
5 Die Nacht schuf tausend Ungeheuer.
6 Die milde Freude floß von dem süßen Blick.
7 Ich ging, du standst und sahst zur Erden.
8 Ich verdiente es nicht!

MÜNDLICHE UND SCHRIFTLICHE AUFGABEN

1 Lesen Sie das Gedicht einige Male laut vor, und erläutern Sie, wie sich der Rhythmus der Strophen im Einklang mit dem Inhalt verändert!
2 Vergleichen Sie das Nebeneinander der Naturerscheinungen mit det Gemütsbewegung des Erzählers!
3 Beschreiben Sie die verschiedenen Liebesstadien des Erzählers in den einzelnen Strophen, und erklären Sie, wie seine Erlebnisse zu der am Ende stehenden Einsicht führen!

Heidenröslein

FRAGEN

1 Über wen spricht der Dichter in der ersten Strophe?
2 Wie beschreibt er das Röslein?
3 Was sagt der Knabe in der zweiten Strophe?
4 Wie antwortet das Röslein darauf?
5 Warum will das Röslein den Knaben stechen?
6 Was tut der Knabe in der letzten Strophe?

GRAMMATISCHE ÜBUNG

Rewrite each of the following sentences, replacing the subject pronoun with the pronoun given in parentheses. Make any other changes that are necessary.

1 Ich sehe ein Röslein. (er)
2 Ich laufe schnell. (er)
3 Ich breche dich. (er)

4 Er denkt an mich. (du)
5 Wir wollen es nicht leiden. (ich)
6 Ich steche dich. (es)
7 Wir helfen ihm. (es)
8 Wir müssen es leiden. (er)

MÜNDLICHE UND SCHRIFTLICHE AUFGABEN

1 Im Gegensatz zum vorhergehenden handelt dieses Gedicht von „Liebesleiden". Trotzdem ähneln sich beide Gedichte sehr. Vergleichen Sie die beiden, und versuchen Sie festzustellen, inwiefern Ähnlichkeiten vorhanden sind!
2 Die letzte Strophe ist zweideutig wegen des Nebeneinanders von „ihm" und „es". Auf wen beziehen sich die Wörter, auf den Knaben oder auf das Röslein? Warum?

Wanderers Nachtlied

FRAGEN

1 Wer wird in diesem Gedicht angesprochen?
2 Was vermag der „süße Friede"?
3 Auf wen bezieht sich „Den" in der dritten Zeile?
4 Was verlangt „er" für sich?

MÜNDLICHE UND SCHRIFTLICHE AUFGABEN

1 Vergleichen Sie die melodische Wirkung der Laute mit den einzelnen Aussagen des Gedichtes! Was sagen Rhythmus und Melodie über den Inhalt aus?
2 Welche Bedeutung hat die Überschrift des Gedichtes? Beziehen Sie sich in Ihrer Antwort auf „Wanderer", „Nacht" *und* „Lied"!

Ein Gleiches

FRAGEN

1 Nennen Sie die Gegenstandsbegriffe, die in diesem Gedicht erscheinen, und erklären Sie, welches Bild der Natur sie vermitteln!
2 Was bewegt sich im Gedicht? Was hört man?

MÜNDLICHE UND SCHRIFTLICHE AUFGABEN

1 Schreiben Sie das Gedicht ab, und unterstreichen Sie die Vokale *a, i, u, ü,* und *au*. Welche Gruppierungen lassen sich feststellen? Können Sie den Sinn dieser Gruppierungen irgendwie erklären?
2 Welche Bilderreihe vergegenwärtigt sich der Leser, wenn er das Gedicht liest? Kann man diese Entwicklungsreihe irgendwie logisch erklären? Man fängt mit den „Gipfeln" an und hört mit dem „du" als Menschen auf! Warum?
3 Erläutern Sie, bis zu welchem Grade der Dichter nun das gewonnen hat, was er in „Wanderers Nachtlied" erbittet.

Lied des Harfners

FRAGEN

1 Wer wird in der ersten Strophe angesprochen?
2 Was verursachen die himmlischen Mächte?
3 Wer fällt den Mächten zum Opfer?
4 Was widerfährt dem Armen am Ende?

SATZBILDUNG

Rearrange the following word groups into sentences in the present tense.

1 Wer / nie / d- / kummervoll- / Nächte / auf / sein- / Bette / weinend / sitzen // d- / kennen / euch / nicht.
2 Ihr / uns / in / d- / Leben / hinein führen.
3 Ihr / lassen / d- / Arm- / werden / schuldig.

MÜNDLICHE UND SCHRIFTLICHE AUFGABEN

1 Was für ein Leben muß man gehabt haben, um die himmlischen Mächte zu kennen? Warum?
2 Was bedeutet „himmlische Mächte"? Sind sie mit „Schicksal" gleichzusetzen?
3 Wie ist das Wort „schuldig" in der letzten Strophe zu verstehen? Ist dieser Arme wirklich schuldig?
4 Was bedeuten die beiden letzten Verse?

Selige Sehnsucht

FRAGEN

1 Warum soll man „es" nur den Weisen sagen?
2 Was bedeutet „es", d. h. was will der Dichter preisen?
3 Worauf bezieht sich das Wort „dich" in der zweiten Strophe?
4 Was widerfährt dem Lebendigen schon in der Nacht seiner Zeugung?
5 Welche Veränderung erfährt das Lebendige in der dritten Strophe?
6 Wie weit „fliegt" das Lebendige?
7 Was widerfährt ihm am Ende?
8 Was wäre aber das Gegenteil von diesem noch möglichen Schicksal?
9 Welches Motto formuliert der Dichter als Geleitwort fürs Leben?
10 Welche Wendung nimmt das Schicksal, wenn man dem Gesetz „Stirb und Werde" nicht folgt?

SATZBILDUNG

Rearrange the following word groups into sentences in the present tense.

1 Sagen (*imperative*) es / nur / d- / Weise-.
2 Das / Lebendige / wollen / ich / preisen.
3 Das / sich sehnen / nach / d- / Tod.
4 Wenn / d- / still- / Kerze / leuchten // dich / überfallen / fremd- / Fühlung.
5 Dich / reißen / neu- / Verlangen.
6 Du / kommen / geflogen / und / gebannt.
7 Du / haben / nur / dieses.
8 Du / sein / ein / trüb- / Gast / auf / d- / dunkl- / Erde.

MÜNDLICHE UND SCHRIFTLICHE AUFGABEN

1 Beschreiben Sie die These, die Goethe in diesem Gedicht entwickelt! Stimmen Sie damit überein?
2 Warum nennt der Dichter das Lebendige einen Schmetterling?

FRIEDRICH SCHILLER

Maria Stuart

FRAGEN

1 Welche Haltung erwartet Elisabeth von Maria Stuart?
2 Wozu entschließt sich Maria Stuart im Augenblick ihrer Begegnung mit Elisabeth?
3 Wie reagiert Elisabeth, als sie Maria zu ihren Füßen liegen sieht?
4 Was erbittet Maria an Elisabeth?
5 Welches Verbrechen wirft Elisabeth Maria vor?
6 Welche bühnentechnische Bedeutung haben die Gedankenstriche in Maria Stuarts Rede: ,,Womit soll ich den Anfang machen . . .''? (S. 78–79).
7 Was wirft Elisabeth Maria und deren Oheim vor?
8 Wie hätte in den Augen Marias das Verhältnis zwischen Elisabeth und ihr sein können?
9 Warum meint Elisabeth, daß sie beide niemals hätten Freundinnen sein können?
10 Welche letzte Entscheidung erfleht Maria von Elisabeth?
11 Wie erregt Elisabeth Maria Stuarts Zorn?
12 Wie greift Maria sie in ihrem Zorn an?

SATZBILDUNG

Rearrange the following word groups into sentences in the imperfect tense.

1 Wer / sein / es / denn // d- / mir / ankündigen / ein- / Tiefgebeugte?
2 Ich / wollen / vergessen // w- / ich / sein / und / was / ich / leiden.
3 Es / leben / Götter // d- / d- / Hochmut / rächen.
4 Ich / folgen / d- / Trieb / d- / Großmut.
5 Ihr / wissen // daß / ihr / wollen / mich / ermorden / lassen.
6 Man / stellen / mich / vor / ein / schimpflich- / Gericht.
7 Ein / bös- / Geist / aufsteigen / aus / d- / Abgrund.
8 Mein / gut- / Stern / mich / bewahren / davor.
9 Nichts / Feindlich- / geschehen / zwischen / uns.
10 Ich / entsagen / jedwed- / Anspruch / auf / dies- / Reich.
11 Jetzt / zeigen / Ihr / Euer / wahr- / Gesicht.
12 Ich / ertragen // was / ein / Mensch / können / ertragen.

MÜNDLICHE UND SCHRIFTLICHE AUFGABEN

1 Welche Vorstellungen haben die Königinnen voneinander, bevor sie sich treffen?

2 Wodurch werden diese Vorstellungen, die sie voneinander haben, zunichte gemacht? Wer ist Ihrer Meinung nach wirklich schuld daran?

3 Vergleichen Sie Leicesters Redeweise am Anfang und am Ende des Gespräches! Wie verändert sich seine Haltung im Laufe des Gespräches zwischen den beiden Königinnen? Was sagt diese Verhaltensweise über seine Person aus?

4 Welche der beiden Königinnen lernt in dieser Szene am meisten über sich selbst? Begrunden Sie Ihre Antwort an Hand von Beispielen aus dem Text!

Die Teilung der Erde

FRAGEN

1 Was rief Zeus den Menschen zu?

2 Wonach greift der Ackermann?

3 Was nimmt der Kaufmann?

4 Was beansprucht der König?

5 Worüber beklagt sich der Dichter?

6 Warum kommt der Dichter zu spät, d. h. erst nachdem die Erde aufgeteilt worden ist?

7 Welches Recht spricht Zeus dem Dichter zu?

GRAMMATISCHE ÜBUNG

Fill in the blanks with the appropriate endings.

1 d........ Feldes Früchte

2 durch d........ Wald

3 Er wählt d........ edel........ Firnewein.

4 Der König sperrt d........ Straßen.

5 nachdem d........ Teilung längst geschehen

6 aus weit........ Ferne

7 dein getreust........ Sohn

8 d........ Klage Ruf

9 dein........ Himmels Harmonie

10 Verzeih d........ Geiste!

11 von dein........ Lichte

12 Leb' in mein........ Himmel!

MÜNDLICHE UND SCHRIFTLICHE AUFGABEN

1 Schreiben Sie in eigenen Worten nieder, was dieses Gedicht aussagen will! Bleiben Sie nicht nur beim Inhalt, sondern dringen Sie zum Kern des Gedichtes vor.

2 Beschreiben Sie die Form des Gedichtes aufs genaueste (d.h. Versmaß, Reim u.s.w.)!

HEINRICH VON KLEIST

Prinz Friedrich von Homburg

FRAGEN

1 Welche Stellung nimmt Kottwitz zur Frage der Schuld des Prinzen von Homburg?
2 Wie hat der Angriff des Prinzen den Kampfplan des Kurfürsten verändert?
3 Warum sagt der Kurfürst: „Den Sieg nicht mag ich, der, ein Kind des Zufalls, mir von der Bank fällt; das Gesetz will ich…"?
4 Was ist der einzige Lohn, für den Kottwitz bereit wäre, auf dem Schlachtfeld zu sterben?
5 In welcher Absicht läßt der Kurfürst den Prinzen von Homburg aus dem Gefängnis holen?
6 Was für ein Blatt zeigt der Kurfürst dem Prinzen?
7 Wie reagiert der Prinz, als ihm dieses Blatt gegeben wird?
8 Zu welchem Entschluß ist der Prinz endlich gekommen?

SATZBILDUNG

Rearrange the following word groups into sentences in the present tense.

1 Du / alt- / Krieger, // du / nehmen / d- / Tat / d- / Prinz- / in Schutz?
2 Du / nehmen // was / ich / bieten / dir.
3 Mit / welch- / Recht / du / erhoffen / das?
4 Du / wollen / machen / d- / Heer / gleich / ein- / Schwert.
5 Das / sein / d- / Lohn // d- / ich / verkaufen / mein / Herz.
6 Er / mir / zuschicken / ein / Schreiben.
7 Geben (*imperative*) / mir / dein- / Hand, // alt- / Freund.
8 Was / sprechen / du / da?
9 Er / sollen / und / dürfen / sterben / nicht.
10 Es / sein / mein / unbeugsam- / Wille!
11 Ich / wollen / d- / heilig- / Gesetz / d- / Krieges / durch / ein- / frei- / Tod / verherrlichen!
12 Ich / nennen / dich / mein- / liebst- / Sohn!

MÜNDLICHE UND SCHRIFTLICHE AUFGABEN

1 Vergleichen Sie die Gesetzauslegung des Kurfürsten und Kottwitz'! Gibt es Unterschiede in ihren Auffassungen? Welche sind es?

2 Mit wem stimmt der Prinz in der Gesetzauslegung überein, mit dem Kurfürsten oder mit Kottwitz? Oder stimmen am Ende alle drei miteinander überein?

3 Warum antwortet der Kurfürst auf Kottwitz' Hauptargument: „du alter, wunderlicher Herr . . ."? Was will er damit sagen?

4 Warum, meinen Sie, muß der Prinz Haft und Todesangst durchmachen, ehe er befreit werden soll?

5 Übersetzen Sie die letzte Rede des Prinzen, und versuchen Sie, nicht nur die deutschen Worte einfach ins Englische zu übertragen, sondern auch etwas von der Überzeugung und dem Stil der Rede beizubehalten!

NOVALIS

Wenn ich ihn nur habe

FRAGEN

1 Wer ist der Begleiter, den sich der Schriftsteller wünscht? (Siehe die letzten beiden Zeilen!)
2 Wovon weiß der Dichter nichts, wenn er „ihn" nur hat? (Siehe die erste Strophe!)
3 Was fühlt der Dichter in der ersten Strophe, wenn er „ihn" nur hat?
4 Wann folgt der Dichter seinem Herrn?
5 Wo wandern die andern?
6 Wie selig ist der Dichter, wenn er „ihn" hat?
7 Wie verhält sich der Dichter zum Irdischen, wenn er „ihn" hat?
8 Was findet der Dichter dort, wo er „ihn" hat?
9 Was fällt dem Dichter in die Hand?
10 Was findet der Dichter am Ende?

GRAMMATISCHE ÜBUNG

Supply the appropriate endings as used in the poem and explain the reason for each case.

1 an mein......... Wanderstabe
2 ich folge mein......... Herrn
3 Schleier d......... Jungfrau
4 d......... ander......... wandern
5 Hingesenkt i......... Schauen
6 es fällt in d......... Hand
7 vor d......... Irdischen
8 in sein......... Jüngern

MÜNDLICHE UND SCHRIFTLICHE AUFGABEN

1 Könnte die Überschrift dieses Gedichtes ebensogut „Treue und Erlösung" lauten? Rechtfertigen Sie Ihre Antwort!
2 Erläutern Sie die Zweideutigkeit dieses Gedichtes, das die Eigenschaften eines Liebesgedichtes und religiösen Gedichtes hat!
3 Ist der Sprecher des Gedichtes von männlicher oder weiblicher Gestalt? Warum glauben Sie das?

CLEMENS
BRENTANO

Wiegenlied

FRAGEN

1 Was soll man singen?
2 Wie soll man es singen?
3 Von wem soll man die Weise lernen?
4 Wo „zieht" der Mond?
5 Womit vergleicht der Dichter das Singen des Liedes in der zweiten Strophe?
6 Können Sie den Unterschied zwischen „summen", „murmeln", flüstern" und „rieseln" erklären?

GRAMMATISCHE ÜBUNG

Rewrite the following sentences so that each begins with Er sagt, daß . . . *and change the word order accordingly.*

1 Ihr singt ein Wiegenlied.
2 Er hat die Weise von dem Mond gelernt.
3 Der Mond zieht so still am Himmel.
4 Ihr singt ein Lied so süß gelinde.
5 Die Quellen rieseln so süß auf den Kieseln.
6 Die Bienen summen um die Linde.

MÜNDLICHE UND SCHRIFTLICHE AUFGABEN

1 Was entspricht in der Natur der Bewegung einer Wiege? (Beachten Sie, daß in diesem Gedicht die gemeinsame Bewegung sowohl anschaulich als auch hörbar ist!)
2 Zeigen Sie, wie die metrische Form dazu beiträgt, den Inhalt des Gedichtes zu verdeutlichen!

LUDWIG UHLAND

Der gute Kamerad

FRAGEN

1 Wen werden wir—gemäß der Aussage des Erzählers—nicht finden können?
2 Warum schlug die Trommel?
3 Wo ging der Kamerad?
4 Wie ging er?
5 Was kam geflogen?
6 Wem gilt die Kugel?
7 Wo liegt der Kamerad?
8 Was will der Kamerad?
9 Warum kann der Erzähler dem Kameraden die Hand nicht geben?
10 Wo soll sein guter Kamerad bleiben?

SATZBILDUNG

Rearrange the following word groups into sentences in the present perfect tense.

1 Ich / haben / ein- / Kamerad-.
2 Du / finden / kein- / besser-.
3 D- / Trommel / schlagen / zu- / Streite.
4 Er / gehen / an / mein- / Seite.
5 Es / ihn / wegreißen.
6 Ich / können / d- / Kameraden / d- / Hand / nicht / geben.
7 Du / bleiben / im / ewig- / Leben.
8 Du / sein / mein / gut- / Kamerad.

MÜNDLICHE UND SCHRIFTLICHE AUFGABEN

1 Was will der Dichter in diesem Gedicht verherrlichen? (Es sind eigentlich *zwei* Hauptaussagen zu finden!)
2 Glauben Sie, daß auch der Soldat, der seinen gefallenen Freund auf dem Schlachtfeld liegen läßt, *ein guter Kamerad* ist? Warum?

HEINRICH
HEINE

Sie saßen und tranken am Teetisch

FRAGEN

1. Wo sitzen die Herren und Damen?
2. Wovon sprechen sie?
3. Was hat der Hofrat zu sagen?
4. Wie reagiert die Hofrätin auf die Aussage ihres Mannes?
5. Welche Meinung hat der Domherr von der Liebe?
6. Wie beschreibt die Gräfin die Liebe?
7. Wer fehlt noch am Tisch?
8. Wovon hätte die fehlende Person erzählt?

SATZBILDUNG

Rearrange the following word groups into sentences in the imperfect tense.

1. Sie / sitzen / und / trinken / a- / Teetisch.
2. D- / Damen / sein / von / zart- / Gefühl.
3. D- / Liebe / müssen / sein / platonisch.
4. D- / Hofrätin / lächeln / und / seufzen.
5. D- / Domherr / öffnen / d- / Mund / weit.
6. D- / Liebe / schaden / d- / Gesundheit.
7. D- / Liebe / sein / ein- / Passion.
8. Sie / präsentieren / d- / Tasse / d- / Herrn Baron.
9. Es / sein / noch / a- / Tische / ein / Plätzchen.
10. Du / erzählen / von / dein- / Liebe.

MÜNDLICHE UND SCHRIFTLICHE AUFGABEN

1. Inwiefern stimmen die Beschreibungen der Liebe durch Hofrat, Domherrn und Gräfin mit den weiteren Aussagen des Gedichtes überein?
2. Schlagen Sie die Bedeutung des Wortes „Ironie" nach! Gebrauchen Sie es, um die Überschrift des Gedichtes als Spiegelbild der Gesamtaussage zu deuten!

EDUARD MÖRIKE

Um Mitternacht

FRAGEN

1 Wie stieg die Nacht ans Land?
2 Wo lehnt sie?
3 Was sieht das Auge der Nacht?
4 Was rauscht kecker hervor?
5 Wovon singen die Quellen?
6 Was achtet die Nacht nicht?
7 Was klingt der Nacht süßer noch als das uralt alte Schlummerlied?
8 Wer aber behält doch immer das Wort?

GRAMMATISCHE ÜBUNG

Supply the appropriate endings in the blanks.

1 D........ Nacht lehnt träumend an d........ Wand d .... Berge.
2 Ihr Auge sieht d........ goldn........ Waage d........ Zeit in gleich........ Schalen stille ruhn.
3 Sie singen d........ Nacht in........ Ohr.
4 Sie singen vom heute gewesen........ Tage d........alt........ Schlummerlied.
5 Ihr klingt d........ Bläue d........ Himmels süßer.
6 Ihr klingt d........ gleichgeschwungen........ Joch d........ flüchtig........ Stunden süßer noch.
7 Doch immer behalten d........ Quellen d........ Wort.

MÜNDLICHE UND SCHRIFTLICHE AUFGABEN

1 Beschreiben Sie, wie sich die Nacht und auch die Quellen der Zeit gegenüber verhalten!
2 Geben Sie die genaue Bedeutung der folgenden im Gedicht erscheinenden Bilder an:
    a. die goldne Waage der Zeit   c. das Schlummerlied
    b. in gleichen Schalen   d. gleichgeschwungenes Joch

In der Frühe

FRAGEN

1 Was kann der Erzähler am Anfang nicht tun?
2 Was „bricht schon heran"?
3 Wie ist es dem Erzähler zumute?
4 Warum soll sich die Seele des Dichters freuen?

GRAMMATISCHE ÜBUNG

Rewrite the following sentences so that each begins with the introductory clause Der Dichter schreibt, daß . . . *and change the word order accordingly.*

1 Er kann nicht schlafen.
2 Der Tag geht schon an seinem Kammerfenster vorbei.
3 Sein Sinn wühlt zwischen Zweifeln hin und her.
4 Seine Seele sollte sich freuen.
5 Die Morgenglocken sind wach geworden.

MÜNDLICHE UND SCHRIFTLICHE AUFGABEN

1 Immer wieder personifiziert Mörike Dinge aus seiner Umwelt und aus der Natur. Belegen Sie diese Personifizierungsabsicht des Dichters an Hand einiger Beispiele aus dem vorliegenden Gedicht!
2 In den beiden Gedichten—„Um Mitternacht" und „In der Frühe"— umreißt Mörike die Zeitspanne vom vergangenen Tag über Mitternacht bis zum Anbruch des neuen Tages. Beschreiben Sie nun jede dieser Übergangsstufen! Würde der Dichter die Hitze des Tages begrüßen?

JOSEPH VON EICHENDORFF

Aus dem Leben eines Taugenichts

FRAGEN

1. In welcher Jahreszeit beginnt die Geschichte?
2. Warum nennt der Vater seinen Sohn einen „Taugenichts"?
3. Warum sollte Taugenichts selbst einmal in die Welt hinausgehen?
4. Wie bereitet sich Taugenichts auf seine Reise vor?
5. Wie ist es Taugenichts zumute, als er seine Heimat verläßt?
6. Worüber singt Taugenichts ein Lied?
7. Was folgt dem Taugenichts eine Zeitlang?
8. Wer sitzt darin?
9. Wozu laden die Damen ihn ein?
10. Warum wird es dem Taugenichts bei der lustigen Fahrt plötzlich „so kurios zumute"?

SATZBILDUNG

Rearrange the following word groups into sentences in the present perfect tense.

1. Ich / sitzen / auf / d– / Türschwelle / und / wischen / mir / d– / Schlaf / aus / d– / Augen.
2. Da / treten / mein / Vater / aus / d– / Hause.
3. Hinausgehen (*imperative*) / in / d– / Welt / und / erwerben / selber / dein / Brot!
4. Es / mir / selber / einfallen / kurz / vorher, // auf / Reisen / zu / gehen.
5. Ich / hineingehen / also / in / d– / Haus / und / holen / mein– / Geige.
6. Ich / zurufen / d– / arm– / Leuten / nach / all– / Seiten.
7. Wie / ich / sich umsehen // herankommen / ein / köstlich– / Reisewagen / ganz / nahe / an / mich.
8. Zwei / vornehm– / Damen / stecken / d– / Köpfe / aus / d– / Wagen / und / zuhören / mir.
9. Sie / fragen // wohin / ich / wandern / so / am / früh– / Morgen.
10. Mit / ein– / Sprung / sein / ich / hinter / d– / Wagen.
11. Wir / fortfliegen / über / d– / glänzend– / Straße.
12. Mir / sein / dabei / so / kurios / zumute // daß / ich / mich setzen / voll– / Gedanken / auf / d– / Wagentritt / und / einschlafen.

187

MÜNDLICHE UND SCHRIFTLICHE AUFGABEN

1 Vergleichen Sie die Lebensweise vom Taugenichts—wie sie im ersten Abschnitt beschrieben wird—mit den Naturerscheinungen des Liedes! Inwiefern gibt das Lied über das Wesen des Taugenichts Auskunft?

2 Inwiefern würden Sie Stil und Inhalt dieses Lesestücks als romantisch bezeichnen?

3 Welche Bedeutung hat der Name „*Taugenichts*"? Könnte man diesen Namen nicht ebensogut für die Naturwesen, die erwähnt werden, benutzen? Begründen Sie Ihre Antwort!

GEORG BÜCHNER

Dantons Tod

FRAGEN

1. Wie lange sollen nach Robespierre die Hinrichtungen noch weitergehen?
2. Was hält Danton von Robespierres Tugendhaftigkeit?
3. Warum fragt Danton Robespierre, ob er der Polizeisoldat des Himmels sei?
4. Wie unterscheidet Danton zwischen Tugend und Laster?
5. Wozu entschließt sich Robespierre, nachdem Danton fortgeht? Warum?
6. Wie hoch schätzt Danton die Gefahr auf sein Leben ein, als er im freien Feld nachdenkt?
7. Was hört Danton am Fenster des Zimmers?
8. Wie drückt Danton im Gespräch mit Julie seine Angst aus?
9. Was beantragt Legendre vor dem Nationalkonvent?
10. Wie reagiert Robespierre auf Legendres Antrag?
11. Was sagt Danton vor dem Revolutionstribunal für Frankreich voraus?
12. Was wirft Danton Robespierre und St. Just vor?
13. Warum entschließt sich das Volk gegen Danton?
14. Warum verlangt die Frau einen Platz für ihr Kind, damit es Dantons Hinrichtung sehen kann?

SATZBILDUNG

Rearrange the following word groups into sentences in the present perfect tense.

1. Ich / sehen / kein- / Grund // d- / uns / länger / zu- / Töten / zwingen (*subj.*).
2. Die / Tugend / müssen / durch / d- / Schrecken / herrschen.
3. Man / dürfen / nicht / mehr / treffen / d- / Unschuldigen / mit / d- / Schuldigen.
4. Dantons / gigantisch- / Gestalt / werfen / zu / viel / Schatten / auf / mich.
5. Wir / verlieren / d- / Vorteil / d- / Angriffs.
6. Das / sein / leer- / Lärm // denn / man / wollen / mich / schrecken.

7 Du / sprechen / von / garstig- / Sünden.

8 Er / müssen / vor / d- / Schranken / d- / Konvent- / gehört / werden.

9 Er / scheinen (*present*) // nicht / d- / Namen / d- / Verhafteten / zu / wissen.

10 All- / geheim- / Feind- / d- / Tyrannei / auffordern / wir.

11 Ich / sehen / hereinbrechen / groß- / Unglück / über / Frankreich.

12 Ich / anklagen / Robespierre / d- / Hochverrat-.

13 Er / wollen / ersticken / d- / Republik / in d- / Blut.

14 Wie / lange / sollen / d- / Fußstapfen / d- / Freiheit / Gräber / sein?

15 D- / Guillotine / sein / ein- / schlecht- / Mühle / und / Samson / ein / schlecht- / Bäckerknecht.

MÜNDLICHE UND SCHRIFTLICHE AUFGABEN

1 Versuchen Sie, dieses Lesestück aus der Sicht eines Konflikts zwischen Idealismus und Nihilismus zu beschreiben, und erklären Sie, wo die Stärken und Schwächen dieser beiden Standpunkte liegen!

2 Beschreiben Sie so genau wie möglich Dantons moralische Auffassung! Stimmen Sie damit überein? Erklären Sie Ihre Antwort!

3 Untersuchen Sie die letzte Rede des Lesestückes vom Standpunkt der Ironie! Wie bezieht sich diese Ironie auf das ganze Drama?

4 Was sagt Danton über Robespierres Lebensauffassung? Beschreiben Sie Robespierres Lebensauffassung aus der Sicht Dantons!

GOTTFRIED KELLER

Die drei gerechten Kammacher

FRAGEN

1 Was für ein Geschäft finden wir in Seldwyla am Anfang der Geschichte?
2 Wie werden die Gesellen dort im Sommer und im Winter behandelt?
3 Welchen von den drei Gesellen zieht Züs vor?
4 Wann entschließt sich Dietrich, beim Wettrennen nicht mitzumachen?
5 Wie erfolgreich war Züs' Plan?
6 Was sahen die jungen Buben von den höchsten Bäumen aus?
7 Warum kommt keiner der Kammacher ans Ziel?
8 Was taten die Seldwyler am Abend nach dem Rennen?
9 Wie endet die Geschichte von Jobst?
10 Wie endet die Geschichte von Fridolin?
11 Wie endet die Geschichte von Dietrich?
12 Wie endet die Geschichte von Züs?

SATZBILDUNG

Rearrange the following word groups into sentences in the present tense.

1 Zu / Seldwyla / bestehen / ein / Kammachergeschäft // des- / Inhaber / alle / fünf bis sechs / Jahr- / wechseln.
2 In d- / Sommer / bekommen / d- / Gesellen / gut- / Lohn / und / gut- / Essen.
3 Wenn / ein / Geselle / wagen / etwas / zu / sagen // er / bekommen / auf / d- / Stelle / d- / Abschied.
4 Züs / beschließen // selbst / mit / d- / drei / Liebhaber- / zu / ausziehen.
5 Dietrich / entdecken // daß / sein- / Vorläufer / um / ein- / Ecke / verschwinden.
6 Dietrich / wollen / von / Züs / sich / losreißen.
7 Da sehen / er // wie / sie / an / d- / Eingang / ein- / schattig- / Waldpfad- / sitzen.
8 Dies- / Anblick / er / können / nicht / widerstehen.

9 Als / sie / ihn / sehen / kommen // sie / aufstehen / und / hineingehen / tiefer / in / d- / Holz.

10 Sobald / d- / Schwabe / sie / erreichen / und / sein / mit / ihr / an / ein- / verborgen- / Plätzchen / allein // er / fallen / ihr / zu Füße-.

11 Unterdessen / ein- / groß- / Menschenmenge / ziehen / vor / d- / Tor.

12 Schon / nah / sein / Jobst und Fridolin / d- / Tor.

13 Jobst / schlagen / d- / Bayer / auf / d- / Hände.

14 Fridolin / nicht / d- / Rockschoß / loslassen.

15 D- / ganz- / Stadt / vergessen / es / schon / und / feiern / ein- / lustig- / Nacht.

16 Jobst // d- / d- / Älteste / sein // sein / ganz / verloren / und / können / nicht / sich zurechtfinden.

17 Er / ziehen / aus / d- / Stadt / und / sich erhängen / an / d- / Stelle.

18 Als / d- / Bayer / da / vorüberkommen / und / ihn / erblicken // ihn / fassen / ein / solch- / Entsetzen // daß / er / wie / wahnsinnig / davonrennen.

19 Dietrich / bleiben / ein / Gerechter / und / sich halten / oben / in d- / Städtchen.

20 Er / haben / aber / nicht / viel / Freude / davon // denn / Züs / lassen / ihm / nicht / d- / Ruhm.

MÜNDLICHE UND SCHRIFTLICHE AUFGABEN

1 Spielt der Begriff der Gerechtigkeit in dieser Novelle eine Rolle? Erläutern Sie Ihre Antwort ausführlich in Bezug auf das Schicksal der drei Kammacher und ihrer Geliebten.

2 Wie entsteht in der ernst erlebten Geschichte der Humor der drei Kammacher?

3 Ist das groteske Ende der Geschichte gerechtfertigt? Welche Schwächen der Kammacher führen dieses Ende herbei?

4 Wie wird durch Sprache und Beschreibung der Grundton der ganzen Geschichte bereits im ersten Abschnitt angedeutet?

Das Zahnweh

FRAGEN

1 Welche gute Eigenschaft hat das Zahnweh?
2 Warum sagt Busch: „in der engen Höhle des Backenzahnes weilt die Seele"?
3 Wann erscheint Bählamm beim Zahnarzt?
4 Welche Wirkung hat ein Unglück auf den Zahnarzt?
5 Welches Problem begegnet dem Zahnarzt?
6 Wieviel verlangt der Zahnarzt für seine Leistung?

SATZBILDUNG

Rearrange the following word groups into sentences in the present perfect tense.

1 D- / Lebenskraft / sich wenden / nach innen / auf / ein- / Punkt.
2 Kaum / fühlen / man / d- / bekannt- / Bohren // und / es / sein / mit / d- / Welt / aus.
3 Man / wissen / nicht // was / kosten / d- / Butter.
4 Er / stehen / und / läuten / an / d- / Schelle.
5 D- / Doktor / werden / emporschrecken / aus / sein- / Wärme.
6 Gleich / kennen / wir / d- / Fall / genauer.
7 Er / stützen / d- / Haupt / auf / d- / Lehne / und / denken / an / all- / Schön-.
8 D- / Hindernis / liegen / in / d- /Wurzel.

MÜNDLICHE UND SCHRIFTLICHE AUFGABEN

1 Vergleichen Sie die Laune des Doktors mit der des Patienten.
2 Wie macht sich Busch in dem ersten Abschnitt über die Welt der Bürger lustig?
3 Wie ist der Humor in dieser Geschichte mit dem in *Die drei gerechten Kammacher* zu vergleichen? Worüber lacht man eigentlich in beiden Werken? Warum?

GERHART HAUPTMANN

Bahnwärter Thiel

FRAGEN

1 Mit was für einem Bild führt uns Hauptmann in diese Szene ein?
2 Wie beschreibt er die Geleise?
3 Wo steht Thiel, als der Zug vorbeifährt?
4 Beschreiben Sie das Vorbeirasen des Zuges!
5 Wer stieg aus dem Zug aus?
6 Wer war tot?
7 Wie sah Thiel aus?
8 Warum bricht Thiel zusammen?
9 Wohin trug man die Leiche des Kindes?
10 Wie ergeht es Thiels Frau, Lene, als alle wieder allein in der Wohnung sind?
11 Was finden die Männer, als sie mit der Kindesleiche zurückkehren?
12 Welches Unglück widerfuhr dem kleinen Kind von Thiel und Lene?
13 Wo fand man Thiel wieder, nachdem er verschwunden war?
14 Was mußte man endlich tun, um Thiel vom Geleise zu entfernen?
15 Wo findet man Thiel am Ende der Geschichte?

SATZBILDUNG

Rearrange the following word groups into sentences in the imperfect tense.

1 D- / Wind / sich erheben / und / hinuntertreiben / leis- / Wellen / d- / Waldrand.
2 Ein / Specht / wegfliegen // ohne / daß / er / werden / gewürdigt / ein- / Blick-.
3 Nun / steigen / d- / Glut / langsam / von d- / Boden / in / d- / Höhe.
4 Ein / dunkl- / Punkt / an d- / Horizont / sich vergrößern.
5 Ein / rasend- / Tosen / erfüllen / d- / Raum.
6 Ein / gut- / Stück / vor / d- / Mann / beginnen / man / zu / bremsen.
7 D- / Alten / hervorziehen / d- / Tabakspfeifen / zwischen / d- / gelb- / Zähnen.
8 D- / Zugführer / heruntersteigen / auf / d- / Strecke.

9 Thiel / zuschreiten / mit / fast / militärisch / steif- / Schritt / auf / d- / letzt- / Wagen.

10 Aus / d- / letzt- / Wagen / heben / man / soeben / d- / klein- / tot- / Tobiaschen.

11 In / d- / Augenblick // als / sich setzen / in / Bewegung / d- / Zug // Thiel / zusammenbrechen.

12 Zwei / Männer / tragen / d- / Bahre / mit / d- / Bewußtlos-.

13 Man / hinaufbefördern / d- / Kranken / in / sein- / Wohnung.

14 Nach / Verlauf / von / einig- / Stunden // als / die / Männer / zurückkehren / mit / d- / Kindesleiche // sie / finden / d- / Haustür / offen.

15 Er / ermorden / sein- / Frau / und / d- / Kind.

16 D- / Wärter / richten / an / ihn / einig- / Fragen.

17 D- / Schnellzug // d- / um / dies- / Zeit / passieren // müssen / anhalten.

18 Noch / bei / d- / Überführung / in / d- / Irrenabteilung der Charité / er / halten / d- / braun- / Mützchen / in / d- / Händen.

MÜNDLICHE UND SCHRIFTLICHE AUFGABEN

1 Vergleichen Sie das erste ruhige Bild dieses Lesestückes mit dem wilden Vorbeirasen des Zuges. Beachten Sie dabei das Verhältnis zwischen der Technik der Menschen und der reinen Natur! Wie schließt dieser Kontrast auch die späteren Ereignisse der Geschichte ein?

2 Welche Rolle spielen die klassischen Ideale wie Menschlichkeit, Freiheit und Würde in diesem Lesestück?

3 Schlagen Sie die Wörter „Determinismus" und „Naturalismus" im Wörterbuch nach, und erklären Sie, inwiefern diese Begriffe auf Hauptmanns Geschichte anzuwenden sind!

CONRAD FERDINAND MEYER

Der römische Brunnen
Zwei Segel

FRAGEN

1 Wie viele Schalen hat der römische Brunnen?
2 Beschreiben Sie die Eigenschaften der verschiedenen Schalen!
3 Was haben alle drei Schalen gemeinsam?

ZWEI SEGEL

1 Was sieht der Dichter in der ersten Strophe?
2 Was geschieht, wenn es windet?
3 Was macht das zweite Boot, wenn das erste stillsteht?

GRAMMATISCHE ÜBUNG

Supply the appropriate endings according to the context of the poem. Explain the reason for each ending.

1 die tiefblau .... Bucht
2 zu ruhig........ Flucht
3 in ein........ zweit........ Schale
4 ein........ begehrt zu hasten
5 in d........ Winden

MÜNDLICHE UND SCHRIFTLICHE AUFGABEN

1 Vergleichen Sie in den beiden Gedichten den Zusammenklang einzelner Elemente! Wie und zu welchem Zweck wird eine allumfassende Einheit der anscheinend getrennten Gegenstände betont?
2 Erläutern Sie, welche Bedeutung dem Impuls der Bewegung in beiden Gedichten zukommt, z. B. „hasten" und „rasten" im zweiten und „strömt" und „ruht" im ersten!
3 Wie passen die Bilder der „Schale" und der „Bucht" zum Sinn der Gedichte? (Berücksichtigen Sie die Formen und ihre Bedeutung!)

STEFAN GEORGE

Komm in den totgesagten park
Vogelschau

FRAGEN

KOMM IN DEN TOTGESAGTEN PARK

1 Warum sollte man „schauen", wenn man in den totgesagten Park kommt? Was sollte man in der ersten Strophe sehen? In der zweiten?
2 Was darf man nicht vergessen?
3 Was sollte man denn mit allen Gegenständen und Dingen, die man gesehen hat, tun?

VOGELSCHAU

1 Welche Vögel sieht der Dichter in der ersten und in der letzten Strophe, und wie beschreibt er sie?
2 In welchen Farben stellen Sie sich in der zweiten Strophe das Gefieder der Vögel vor?
3 Welche Farben haben die Vögel in der dritten Strophe?
4 Wie hoch fliegen die Vögel in der zweiten und dritten Strophe?
5 Wie hoch fliegen die Schwalben in der ersten und letzten Strophe?

GRAMMATISCHE ÜBUNG

Supply the appropriate endings according to the context of the poems. Explain the reason for each ending.

1 Komm in d......... totgesagt......... Park!
2 in d......... Winde
3 d......... rein.........Wolken unverhofft......... Blau
4 durch d......... Wunderbäume
5 der Schimmer fern......... lächelnd......... Gestade
6 groß......... Raben

MÜNDLICHE UND SCHRIFTLICHE AUFGABEN

1 Was sollte der Zuschauer (der Dichter) im ersten Gedicht im „herbstlichen Gesicht verwinden"?

2 Wie gelingt es dem Dichter, wieder schöpferisches Leben in den totgesagten Park zu bringen? Welche Elemente der sterbenden Natur flicht er in seinem Bild (oder Gedicht oder Gesicht) zusammen?

3 Wie sind die Schwalben in „Vogelschau" von den andern Vögeln zu unterscheiden?

4 In welcher Weise identifiziert sich der Dichter mit den Schwalben?

5 Warum wechselt der Dichter von „hell und heiß" in der ersten Strophe zu „kalt und klar" in der letzten?

6 Versuchen Sie, mit Hilfe dieser zwei Gedichte ein Bild des Künstlers zu entwerfen, wie George sich ihn vorstellen mag!

RAINER MARIA RILKE

Herbst
Der Schwan
Frühling ist wiedergekommen

FRAGEN

HERBST

1 Wie und woher scheinen die Blätter zu fallen?
2 Wohin fällt die Erde in der Nacht?
3 Wer fällt sonst noch?
4 Wer hat die Herrschaft über dieses Fallen?

DER SCHWAN

1 Beschreiben Sie den Gang des Schwanes!
2 Wie beschreibt der Dichter das Sterben?
3 Welche Spuren hinterläßt der Schwan im Wasser?
4 Wie sieht der Dichter den Schwan am Ende des Gedichtes?

FRÜHLING IST WIEDERGEKOMMEN

1 Wie sieht die Erde im Frühling aus?
2 Was bekommt die Erde im Frühling?
3 Was bedeutet das „Weiße an dem Barte des alten Manns"?
4 Was „kann" die Erde?
5 Wem gelingt es, die Erde zu fangen?
6 Welche Bedeutung hat das Wort „Lehrer"?
7 Was lag in den Wurzeln und Stämmen gedruckt?
8 Wie singt die Erde?

GRAMMATISCHE ÜBUNG

Fill in the blanks with the appropriate endings according to the context of the poems. Explain the reason for each ending.

1 mit verneinend........ Gebärde
2 dies........ Nichtmehrfassen
3 des alt........ Mannes
4 Es gelingt d....... Frohsten.

5 Er hält es sanft in sein......... Händen.

6 mit d......... Kinder.........

7 aus all......... Sternen

8 Es gleicht d......... ungeschaffn......... Gang d......... Schwan..........

MÜNDLICHE UND SCHRIFTLICHE AUFGABEN

1 Informieren Sie sich über die Form des Sonetts! Vergleichen Sie diese Gedichtform aufs genaueste mit derjenigen von „Frühling ist wiedergekommen"!

2 Würden Sie das Gedicht „Der Schwan" auch als Sonett bezeichnen? Warum?

3 Wir haben hier zwei Gedichte, die zwar von verschiedenen Jahreszeiten—Frühling und Herbst—handeln, trotzdem aber viele Ähnlichkeiten haben. Vergleichen Sie die beiden Gedichte, und zeigen Sie, welche Gemeinsamkeiten sich finden lassen.

4 Wäre es vielleicht möglich, das Gedicht „Der Schwan" mit „Der Gang des Schwanes" zu überschreiben, weil darüber ebensoviel geschrieben wird wie über den Schwan selbst? Für welche Überschrift würden Sie sich entscheiden? Warum?

5 Worin liegt der Unterschied des „Sterbens" im Herbst- und im Schwan-Gedicht?

THOMAS MANN

Tonio Kröger

FRAGEN

1. In wen verliebte sich Tonio Kröger, als er sechzehn Jahre alt war?
2. Wie sieht Ingeborg Holm aus?
3. Was ereignet sich im Salon der Konsulin Husteede?
4. Wie stellt sich François Knaak vor?
5. Wie ist Tanzmeister Knaak angezogen?
6. Welchen Eindruck hinterläßt François Knaaks Art zu tanzen beim Publikum?
7. Was denkt Tonio Kröger von ihm?
8. Wie erklärt Tonio Kröger François Knaaks Lebenseinstellung?
9. Wer ist in Tonio Kröger verliebt?
10. Was widerfährt Magdalena Vermehren immer wieder beim Tanzen?
11. Was würde Ingeborg Holm von Tonio halten, wenn sie wüßte, daß Tonio Gedichte schreibt?
12. Was möchte Tonio Kröger Ingeborg Holm sagen?
13. Welches Gedicht von Theodor Storm fällt Tonio beim Tanzen ein?
14. Warum nennt Herr Knaak Tonio „Fräulein Kröger"?
15. Wohin geht Tonio, als das Mädchen mit dem Teebrett hereinkommt?
16. Wo wäre Tonio lieber gewesen als hier beim Tanz?
17. Warum wurde Tonios Gedicht, das bereits von der Zeitschrift angenommen worden war, nicht gedruckt?
18. Worin besteht Tonios Glück?
19. Was würde einmal aus Tonios Treue werden? Was würde sie ersetzen?
20. Warum zuckt Tonio am Ende die Achseln?

SATZBILDUNG

Rearrange the following word groups into sentences in the imperfect tense.

1. Es / sein / d- / blond- / Inge // d- / Tonio Kröger / lieben.
2. An / dies- / Abend / mitnehmen / er / ihr / Bild.
3. D- / Tanzstunde / sein / ein / Privatkursus // an / d- / nur / Angehörig- / von / erst- / Familien / teilnehmen.

4 Man / sein / nicht / täglich / in / d- / Lage // sich vorstellen / auf französisch / zu / müssen.

5 Was / aber / d- / Tanz / betreffen // so / Herr Knaak / meistern / ihn / in / höher- / Grade.

6 Was / für / ein / unbegreiflich- / Affe // denken / Tonio / in / sein- / Sinne.

7 Herr Knaaks Augen / nicht / hineinsehen / in / d- / Dinge.

8 Da / sein / Magdalena Vermehren / mit / d- / sanft- / Mund / und / d- / groß-, / dunkl-, / blank- / Augen.

9 Sie / hinfallen / oft / beim / Tanzen.

10 Zu / Tonios / tief- / Erschrecken / sich befinden / er / mit / Inge Holm.

11 Ein / wunderschön- / Gedicht / von / Storm / ihm / einfallen.

12 Mit / gesenkt- / Kopfe / und / finster- / Brauen / Tonio / legen / sein- / Hand / auf / d- / Hände / d- / vier / Damen.

13 Kröger / geraten / unter / d- / Damen.

14 Alles / lachen // denn / Herr Knaak / machen / etwas / zu / Drollig- / aus / d- / Zwischenfall.

15 Tonio Kröger / hinausgehen / heimlich / auf / d- / Korridor / und / sich stellen / vor / d- / Fenster.

16 Warum / sitzen / er / nicht / in / sein- / Stube?

17 Tonio Krögers / Herz / sich zusammenziehen / schmerzlich / bei / dies- / Gedanken // daß / sein- / Berühmtheit / auf / Inge / nie / ein- / Eindruck / machen / werden.

18 Ich / wollen / sein / treu / und / dich / lieben.

19 Es / sein / d- / Häßlich- // daß / d- / Zeit / vergehen / und / Tage / kommen // da / Tonio Kröger / nicht / für / d- / lustig- / Inge / zu / sterben / bereit / sein.

20 Dann / er / zucken / d- / Achseln / und / gehen / sein- / Wege.

MÜNDLICHE UND SCHRIFTLICHE AUFGABEN

1 Trennen Sie zwischen den Leuten, die tanzen und solchen, die nicht tanzen können, und zählen Sie die Eigenschaften auf, die sie voneinander unterscheiden!

2 Warum kann sich Tonio Kröger nicht wie jeder normale Mensch verlieben?

3 Welche Bedeutung hat die Überschrift des Gedichtes für Tonio: „Ich möchte schlafen; aber du mußt tanzen"?

4 Wenn man das Tanzen in dieser Geschichte als Symbol für *das Leben* schlechthin betrachtet, wie kann man dann die Lebensfähigkeit und -tüchtigkeit von Ingeborg Holm, Tonio Kröger und François Knaak deuten und beurteilen?

5 Versuchen Sie, diese Geschichte als Darstellung der menschlichen Einsamkeit zu deuten! Ist es abwegig, zu behaupten, daß sich heutzutage fast alle Menschen voneinander getrennt und vereinsamt fühlen? Kann Tonio Kröger also als Symbol für alle modernen Menschen verstanden werden?

FRANZ KAFKA

Der Prozeß

FRAGEN

1 Was erlebt Josef K. eines Morgens?
2 Wen sieht er von seinem Kopfkissen aus?
3 Wer betritt sein Schlafzimmer?
4 Was fragt K. den Mann, der eintritt?
5 Was antwortet der Mann darauf?
6 Warum folgt im Nebenzimmer ein kleines Gelächter?
7 Worauf bezieht sich der Ausspruch des Mannes: „Es ist unmöglich"?
8 Warum springt K. aus dem Bett?
9 Wen sieht K., als er ins Nebenzimmer eintritt?
10 Was kann K. an der ganzen Sache gar nicht verstehen?
11 Was will K. den Wächtern zeigen?
12 Was wirft der Wächter K. vor?
13 Worin sollte die Aufgabe der Wächter bestehen?
14 Wie kommt die Behörde auf die Schuld einer Person?
15 Woran erkennt Franz, daß Josef K. sich widerspricht?

SATZBILDUNG

Rearrange the following word groups into sentences in the present and past tenses as necessary.

1 Jemand / müssen / verleumden / haben / Josef K. // denn / ein- / Morgen- / werden / verhaftet / er.
2 Er / sehen / von / sein- / Kopfkissen / aus / d- / alt- / Frau // d- / ihm / gegenüber / wohnen.
3 Sofort / klopfen / es / und / ein / Mann // d- / er / nie / sehen // eintreten.
4 „Wer / sein (*present tense*) / Sie?" // K. fragen / und / aufrechtsitzen / in / d- / Bett.
5 Dieser / sich aussetzen / nicht / allzulange / sein- / Blicken // sondern / sich wenden / zu / d- / Tür.
6 Ein / klein- / Gelächter / folgen / in / d- / Nebenzimmer.
7 K. / springen / aus / d- / Bett / und / rasch / anziehen / sein- / Hosen.
8 Ich / wollen / weder / hierbleiben // noch / von / Ihnen / ansprechen / werden.

9 In / d- / Nebenzimmer // in / d- / K. / langsamer / eintreten // als / er / wollen // aussehen / es / auf / d- / erst- / Blick / fast genauso / wie vorher.

10 Sie / haben (*subj.*) / bleiben / sollen / in / Ihr- / Zimmer.

11 D- / Mann / bei d- / Fenster / werfen / d- / Buch / auf / d- / Tisch / und / aufstehen.

12 Sie dürfen / nicht / weggehen // denn / Sie / sein / verhaftet.

13 Es / aussehen / so.

14 K. / wollen / sich setzen // aber / er / sehen // daß / in d- / ganz- / Zimmer / kein- / Sitzgelegenheit / sein.

15 Wir / nicht / verstehen // daß / Sie / nicht / sich einfügen / können / in / Ihr- / Lage.

16 Wollen / Sie / Ihr- / groß- / verflucht- / Prozeß / zu / ein- / rasch- / Ende / bringen?

17 Unser- / Behörde / suchen / nicht / d- / Schuld / in / d- / Bevölkerung // sondern / werden / von / d- / Schuld / anziehen.

18 Dies- / Gesetz / ich / kennen / nicht.

19 Er / zugeben // er / kennen / das / Gesetz / nicht // und / behaupten / gleichzeitig // schuldlos / zu / sein.

20 Du / rechthaben / ganz // aber / ihm / können / man / nichts / begreiflich / machen.

MÜNDLICHE UND SCHRIFTLICHE AUFGABEN

1 Ereignisse, Personen und Umstände werden sehr sachlich und genau beschrieben. Trotzdem wird im Leser ein starkes Gefühl des Sonderbaren, des Unnatürlichen oder des Surrealistischen erweckt. Wie kommt diese Wirkung zustande?

2 Warum kann Josef K. seine sonderbare Verhaftung weder begreifen noch akzeptieren? Welche Eigenschaften Josef K.'s und der Wächter machen eine verständliche Mitteilung unmöglich?

3 Man spricht oft von einer Einsamkeit der Hauptpersonen in Kafkas Werken. Wie und wo kommt diese Einsamkeit in diesem Lesestück zum Ausdruck?

4 Was wissen wir eigentlich—den Aussagen der Wärter nach zu schließen—über das Gesetz und die Behörde?

WORTSCHATZ

arch.	archaic
coll.	colloquial
conj.	conjunction
dat.	dative
dial.	dialect
fig.	figurative
gen.	genitive
lit.	literally
pl.	plural
poet.	poetical
wk.	weak

Strong and Irregular Verbs

INFINITIVE	IMPERFECT	PAST PARTICIPLE	PRESENT	
beginnen	begann	hat begonnen	beginnt	*to begin*
beißen	biß	hat gebissen	beißt	*to bite*
betrügen	betrog	hat betrogen	betrügt	*to deceive*
biegen	bog	hat *or* ist gebogen	biegt	*to bend*
bieten	bot	hat geboten	bietet	*to offer*
binden	band	hat gebunden	bindet	*to tie*
bitten	bat	hat gebeten	bittet	*to ask*
bleiben	blieb	ist geblieben	bleibt	*to remain*
braten	briet	hat gebraten	brät	*to roast, fry*
brechen	brach	hat *or* ist gebrochen	bricht	*to break*
brennen	brannte	hat gebrannt	brennt	*to burn*
bringen	brachte	hat gebracht	bringt	*to bring*
denken	dachte	hat gedacht	denkt	*to think*
dringen	drang	hat *or* ist gedrungen	dringt	*to press*
dürfen	durfte	hat gedurft	darf	*to be allowed*
empfangen	empfing	hat empfangen	empfängt	*to receive, welcome*
empfehlen	empfahl	hat empfohlen	empfiehlt	*to recommend*
empfinden	empfand	hat empfunden	empfindet	*to feel, perceive*
erlöschen	erlosch	ist erloschen	erlischt	*to be extinguished*
erschrecken	erschrak	ist erschrocken	erschrickt	*to be frightened*
essen	aß	hat gegessen	ißt	*to eat*
fahren	fuhr	ist *or* hat gefahren	fährt	*to drive, ride, go*
fallen	fiel	ist gefallen	fällt	*to fall*
fangen	fing	hat gefangen	fängt	*to catch*
finden	fand	hat gefunden	findet	*to find*
flechten	flocht	hat geflochten	flicht	*to braid, weave*
fliegen	flog	ist *or* hat geflogen	fliegt	*to fly*
fliehen	floh	ist geflohen	flieht	*to flee*
fließen	floß	ist geflossen	fließt	*to flow*
fressen	fraß	hat gefressen	frißt	*to eat (of animals)*
frieren	fror	hat gefroren	friert	*to freeze*
gebären	gebar	hat geboren	gebiert	*to bear, give birth to*
geben	gab	hat gegeben	gibt	*to give*
gedeihen	gedieh	ist gediehen	gedeiht	*to thrive*
gehen	ging	ist gegangen	geht	*to go*
gelingen	gelang	ist gelungen	gelingt	*to succeed*
gelten	galt	hat gegolten	gilt	*to be worth*
genießen	genoß	hat genossen	genießt	*to enjoy*
geraten	geriet	ist geraten	gerät	*to come into*
geschehen	geschah	ist geschehen	geschieht	*to happen*
gewinnen	gewann	hat gewonnen	gewinnt	*to win, gain*
gießen	goß	hat gegossen	gießt	*to pour*
gleichen	glich	hat geglichen	gleicht	*to resemble*
gleiten	glitt	ist geglitten	gleitet	*to glide*
graben	grub	hat gegraben	gräbt	*to dig*
greifen	griff	hat gegriffen	greift	*to seize*
haben	hatte	hat gehabt	hat	*to have*
halten	hielt	hat gehalten	hält	*to hold, keep*
hängen	hing	hat gehangen	hängt	*to hang*

Strong and Irregular Verbs

INFINITIVE	IMPERFECT	PAST PARTICIPLE	PRESENT	
heben	hob	hat gehoben	hebt	*to lift*
heißen	hieß	hat geheißen	heißt	*to be called*
helfen	half	hat geholfen	hilft	*to help*
kennen	kannte	hat gekannt	kennt	*to know*
kommen	kam	ist gekommen	kommt	*to come*
können	konnte	hat gekonnt	kann	*to be able, can*
kriechen	kroch	ist gekrochen	kriecht	*to creep*
laden	lud	hat geladen	lädt	*to load*
lassen	ließ	hat gelassen	läßt	*to let*
laufen	lief	ist gelaufen	läuft	*to run*
leiden	litt	hat gelitten	leidet	*to suffer*
leihen	lieh	hat geliehen	leiht	*to lend*
lesen	las	hat gelesen	liest	*to read*
liegen	lag	hat gelegen	liegt	*to lie, be situated*
lügen	log	hat gelogen	lügt	*to (tell a) lie*
meiden	mied	hat gemieden	meidet	*to avoid*
messen	maß	hat gemessen	mißt	*to measure*
mißlingen	mißlang	ist mißlungen	mißlingt	*to prove unsuccessful*
mögen	mochte	hat gemocht	mag	*to like, may*
müssen	mußte	hat gemußt	muß	*to have to, must*
nehmen	nahm	hat genommen	nimmt	*to take*
nennen	nannte	hat genannt	nennt	*to name*
raten	riet	hat geraten	rät	*to advise, guess*
reiben	rieb	hat gerieben	reibt	*to rub*
reißen	riß	hat *or* ist gerissen	reißt	*to tear*
reiten	ritt	ist *or* hat geritten	reitet	*to ride*
rennen	rannte	ist gerannt	rennt	*to run*
riechen	roch	hat gerochen	riecht	*to smell*
rinnen	rann	ist geronnen	rinnt	*to trickle*
rufen	rief	hat gerufen	ruft	*to call*
saufen	soff	hat gesoffen	säuft	*to drink to excess*
saugen	sog	hat gesogen	saugt	*to suck*
schaffen	schuf	hat geschaffen	schafft	*to create*
scheiden	schied	ist *or* hat geschieden	scheidet	*to part*
scheinen	schien	hat geschienen	scheint	*to seem; shine*
schieben	schob	hat geschoben	schiebt	*to shove*
schießen	schoß	hat geschossen	schießt	*to shoot*
schlafen	schlief	hat geschlafen	schläft	*to sleep*
schlagen	schlug	hat geschlagen	schlägt	*to strike*
schließen	schloß	hat geschlossen	schließt	*to close*
schmelzen	schmolz	ist geschmolzen	schmilzt	*to melt*
schneiden	schnitt	hat geschnitten	schneidet	*to cut*
schreiben	schrieb	hat geschrieben	schreibt	*to write*
schreien	schrie	hat geschrien	schreit	*to cry, scream*
schreiten	schritt	ist geschritten	schreitet	*to stride*
schweigen	schwieg	hat geschwiegen	schweigt	*to be silent*
schwellen	schwoll	ist geschwollen	schwillt	*to swell*
schwimmen	schwamm	ist *or* hat geschwommen	schwimmt	*to swim*

Strong and Irregular Verbs

INFINITIVE	IMPERFECT	PAST PARTICIPLE	PRESENT	
schwinden	schwand	ist geschwunden	schwindet	*to vanish*
schwingen	schwang	hat geschwungen	schwingt	*to swing*
sehen	sah	hat gesehen	sieht	*to see*
sein	war	ist gewesen	ist	*to be*
senden	{ sandte / sendete	hat { gesandt / gesendet	sendet	*to send*
sieden	{ sott / siedete	hat { gesotten / gesiedet	siedet	*to boil*
singen	sang	hat gesungen	singt	*to sing*
sinken	sank	ist gesunken	sinkt	*to sink*
sitzen	saß	hat gesessen	sitzt	*to sit*
sollen	sollte	hat gesollt	soll	*to ought to, be said to, claim to*
sprechen	sprach	hat gesprochen	spricht	*to speak*
sprießen	sproß	ist gesprossen	sprießt	*to sprout*
springen	sprang	ist gesprungen	springt	*to jump*
stechen	stach	hat gestochen	sticht	*to prick*
stehen	stand	hat gestanden	steht	*to stand*
steigen	stieg	ist gestiegen	steigt	*to climb*
sterben	starb	ist gestorben	stirbt	*to die*
stoßen	stieß	hat *or* ist gestoßen	stößt	*to push*
streichen	strich	hat gestrichen	streicht	*to stroke; strike*
streiten	stritt	hat gestritten	streitet	*to quarrel, contend*
tragen	trug	hat getragen	trägt	*to bear; wear; carry*
treffen	traf	hat getroffen	trifft	*to meet; hit*
treiben	trieb	hat *or* ist getrieben	treibt	*to drive*
treten	trat	ist *or* hat getreten	tritt	*to step*
trinken	trank	hat getrunken	trinkt	*to drink*
tun	tat	hat getan	tut	*to do*
verderben	verdarb	hat or *ist* verdorben	verdirbt	*to ruin, spoil*
vergessen	vergaß	hat vergessen	vergißt	*to forget*
verlieren	verlor	hat verloren	verliert	*to lose*
wachsen	wuchs	ist gewachsen	wächst	*to grow*
weichen	wich	ist gewichen	weicht	*to recede*
weisen	wies	hat gewiesen	weist	*to show*
wenden	{ wandte / wendete	hat { gewandt / gewendet	wendet	*to turn*
werben	warb	hat geworben	wirbt	*to woo*
werden	{ wurde / ward *(poet.)*	ist geworden	wird	*to become*
werfen	warf	hat geworfen	wirft	*to throw*
wiegen	wog	hat gewogen	wiegt	*to weigh*
winden	wand	hat gewunden	windet	*to wind*
wissen	wußte	hat gewußt	weiß	*to know*
wollen	wollte	hat gewollt	will	*to want*
ziehen	zog	hat *or* ist gezogen	zieht	*to pull; move*
zwingen	zwang	hat gezwungen	zwingt	*to force*

ab off; exit

das **Abbild, -er** likeness, copy, image

der **Abend, -e** evening; das **Abendessen, -** supper; das **Abendgebet, -e** evening prayers; **abendlich** evening

der **Abenteurer, -** adventurer

aber but, however; **abermals** again, once more

abgehen, i, a (ist) to go off, exit

abgeschlossen locked up, isolated

abgewinnen, a, o to win from

abgewöhnen to disaccustom, give up, break the habit of

der **Abgrund, ⸚e** abyss

abhalten, ie, a, ä to hold off, restrain

abhärten to harden, inure

ablehnen to decline, refuse; reject; die **Ablehnung** refusal, rejection

abreisen (ist) to depart, leave

der **Abriß, -(ss)e** synopsis, summary; outline

der **Absatz, ⸚e** heel (of a shoe)

abschaffen to abolish, do away with

abschicken to dispatch, send off

der **Abschied, -e** leave, departure, parting; farewell; discharge

abschlagen, u, a, ä to strike off

der **Abschnitt, -e** cut, segment; section, paragraph

abschreiben, ie, ie to copy

absetzen to set down, deposit

die **Absicht, -en** intention, purpose

abstechen, a, o, i to contrast

abwegig misleading

abweisen, ie, ie to refuse, reject; dismiss, disavow

abwenden, a, a to avert, turn away from

abwerten to devaluate, disparage

abwischen to wipe off

abziehen, o, o to turn off, divert

ach! alas, ah; das **Ach** groan, moan; oh, ah

die **Achsel, -n** shoulder

achten to regard, respect; pay attention to; die **Achtung** attention, esteem, respect

ad(e)lig noble

die **Ader, -n** vein, artery

der **Affe, -n, -n** ape; monkey

der **Affekt, -e** emotion, passion

der **Ahn, -en, -en** ancestor, forefather

ähnlich similar; die **Ähnlichkeit** similarity

die **Ahnung, -en** premonition

das **All** universe; **alle** all; **alle beide** both of them; **alles** everything, everybody; **aller-** of all, very; **allerlei** all kinds of; der **Alltag** weekday; **allumfassend** all-embracing, comprehensive; **allwissend** all-knowing, omniscient; **allwöchentlich** weekly, every week; **allzu** all too

allein but; alone, sole, single; **alleinig** sole, exclusive, only; die **Alleinherrschaft** absolute power

allerdings to be sure, of course

allgemein general

als when, as, as if; than; but; except; **als(o)bald** immediately, as soon as may be, thereupon; **alsdann** then, thereupon; **als ob** as if; **als wenn** as if

also so, therefore, thus

alt old

das **Altertum, ⸚er** antiquity

sich amüsieren to amuse or enjoy oneself

der **Anbeginn** earliest beginning

anbeten to adore, worship

anbinden, a, u to tie up

anblasen, ie, a, ä to blow on or at

der **Anblick, -e** sight

der **Anbruch, ⸚e** beginning, break

ander- other, next, different, second; **anders** otherwise, different, else

ändern to change; die **Änderung, -en** change, variation

anderthalb one and a half

andeuten to hint, point out, indicate; suggest; allude

der **Andrang** rush; pressure

anerkennen, a, a to acknowledge

anfachen to fan

anfahren, u, a, ä (ist) to drive up, arrive

der **Anfang, ⸚e** beginning; **anfangen, i, a, ä** to begin; **anfänglich** at first

anfassen to take hold of, grasp, seize

anfesseln to fetter, shackle, enchain

anflehen to implore

angeben, a, e, i give, specify

angehen, i, a (ist) to have to do with; **es geht ihn nichts an** it doesn't concern him, it is none of his business

die **Angelegenheit, -en** concern, affair

angenehm pleasant, pleasing

das **Angesicht, -er** face, countenance; **angesichts** in view of

der **Angestellte(r)** employee; **angestellt** employed, placed

angreifen, i, i to attack; der **Angriff, -e** attack

angrinsen to grin at

die **Angst, ⸚e** fear, anxiety; anguish; **ängstlich** anxious, worried, disturbed

anhalten, ie, a, ä to stop; **anhaltend** continuous, lasting

anhand with the aid of

anhängen, i, a to attach, append, affix

anheben, o (u), o to begin

die **Anhöhe, -n** high ground, knoll, hillock

anhören to listen to

anklagen to accuse; der **Angeklagte(r)** accused, defendant

sich anklammern to cling to

der **Anklang, ⸚e** harmony; reminiscences, reminder

ankommen, a, o (ist) to befall, arrive

ankündigen to announce

die **Ankunft** arrival

anlangen (ist) to arrive at, reach

anmessen, a, e, i to measure; fit, adapt

die **Anmut** charm, grace; **anmutig** charming, graceful

die **Annäherung, -en** approach, advance, approximation

annehmen, a, o, i to accept, take on, assume, adopt

anraten, ie, a, ä to recommend, advise

anreden to address

anrennen, a, a (ist) to assail, rush upon

anrichten to prepare, set up

anrühren to touch

ansammeln to collect, accumulate

anschauen to look at; **anschaulich** clear, plain, evident, vivid, graphic

anscheinend apparent, seeming

anschreien, ie, ie to scream or shout at

(sich) ansehen, a, e, ie to look at, regard, view, consider

ansetzen to begin to

ansprechen, a, o, i to speak to, address, claim

der **Anspruch, ⸚e** claim, demand, pretension

anständig decent, decorous

anstellen to set in operation, undertake; do, cause (mischief)

anstimmen to strike up

anstoßen, ie, o, ö to strike, push, knock, nudge; adjoin

die **Antike** (classical) antiquity

das **Antlitz, ⸚e** countenance, face

der **Antrag, ⸚e** motion, proposal; **antragen, u, a, ä** to propose, offer

antreffen, a, o, i to meet with, come across

die **Antwort, -en** answer, reply; **antworten** to answer, reply

anwachsen, u, a, ä (ist) to grow, increase, swell

anwenden to apply

anwesend present; die **Anwesenheit** presence

anzeigen to announce, indicate

anziehen, o, o to dress, put on; attract; cultivate; draw, pull; absorb

der **Anzug, ⸚e** suit, costume

appellieren to appeal

das **Aquarell, -e** water color

die **Arbeit, -en** work, labor; **arbeiten** to work; der **Arbeiter, -** worker

arg bad, wicked; **arglistig** cunning

der **Ärger** vexation, anger

der **Arm, -e** arm; **einem in den ⸚ fallen** to prevent someone from doing something

arm poor

der **Ärmel, -** sleeve

die **Art, -en** way, manner, kind, nature; **Art und Weise** manner; **auf diese Art** in this way; **in dieser Art** in this way

artig nice, good, well-behaved, agreeable

der **Ast, ⸚e** limb, branch

der **Atem** breath, air; das **Atemholen** respiration; der **Atemzug, ⸚e** breath, respiration; **atmen** to breathe

auf on, upon, up; **— einmal** all of a sudden; **— ... hin** toward; **— und ab** up and down, to and fro, back and forth; **— und nieder** up and down; **— ... zu** up to, toward

aufatmen to draw a deep breath (of relief); breathe again

aufbauen to build up, erect

aufblasen, ie, a, ä to blow up, inflate

aufblicken to look up, glance up

auffahren, u, a, ä (ist) to start up

auffassen to conceive, comprehend; die **Auffassung** conception

auffordern to invite, ask, challenge

aufführen to perform, present, act

aufgeben, a, e, i to set, propose

aufgehen, i, a (ist) to rise, go up; be revealed to, dawn on

aufheben, o, o to lift or raise up

aufhören to stop, cease

die **Aufklärung** (Age of) Enlightenment

die **Aufmerksamkeit** attention

aufnehmen, a, o, i to accept, admit, take up; take in, receive, shelter; draw up; take out; pick up

sich aufpflanzen to plant oneself

aufrecht upright, erect, straight

aufrechterhalten, ie, a, ä to maintain, uphold, support

aufrechthalten, ie, a, ä to hold upright

aufregen to excite, arouse

aufreißen, i, i to tear up or open; split; wrench or force open

sich aufrichten to raise oneself; die **Aufrichtigkeit** sincerity

aufrufen, ie, u to call on, summon

aufrühren to stir up, provoke; **aufrührerisch** rebellious, mutinous

aufschäumen to foam up

aufschieben, o, o to postpone

aufschlagen, u, a, ä to open

aufschreiben, ie, ie to write down

das **Aufsehen** sensation, stir

aufspielen to strike up (a tune)

aufspringen, a, u (ist) to jump or leap up

aufstehen, a, a (ist) to stand up, get up, rise; revolt

aufsteigen, ie, ie (ist) to rise, mount; well up

aufteilen to partition, divide up

der **Auftrag, ⸚e** commission, task

auftreten, a, e, i (ist) to appear, enter

der **Auftritt, -e** scene; disturbance

auftürmen to tower up

aufwachen (ist) to wake up

aufwachsen, u, a, ä (ist) to grow up

aufwarten to wait upon, attend; wait; call on; pay one's respects

aufwühlen to root up; upset, excite

aufzählen to enumerate

aufzeigen to show, demonstrate

aufzucken to start convulsively

das **Auge, -n** eye; der **Augenblick, -e** moment; das **Augenlicht** sight, vision; **äugeln** to eye

aus out, out of; all over

ausbitten, a, e to insist on, require, beg for

ausbrechen, a, o, i to break out, erupt

der **Ausbruch, ⸚e** outbreak, eruption

ausdenken, a, a to follow out (a train of thought)

der **Ausdruck, ⸚e** expression; **zum — kommen** to be expressed; **ausdrücken** to express

auseinander apart, asunder

auserwählen to select, choose

die **Ausfertigung** dispatch, execution, issuing

ausführlich detailed

ausgehen, i, a (ist) to go out *or* forth

ausgerichtet oriented

ausglühen to die away, glow no longer

sich auskennen, a, a to know where one is, know one's way about

die **Auskunft, ¨e** information

auslachen to laugh at, deride

auslösen to cause, precipitate

ausmachen to decide

die **Ausnahme, -n** exception

ausnehmen, a, o, i to take out, except

ausrichten to adjust, coordinate, orient

der **Ausruf, -e** exclamation, shout

die **Aussage, -n** statement, assertion; **aussagen** to state, express

ausschicken to send out

ausschließen, o, o to shut out, exclude; **ausschließlich** exclusive

der **Ausschnitt, -e** section, cut-out

aussehen, a, e, ie to look like, look, appear, seem

außen outside; **nach —** outward, externally; die **Außenwelt** external world, environment

außer except (for), besides

äußer outer, exterior; **äußerst** extreme, utmost; exceedingly

aussetzen to expose, defer

aussprechen, a, o, i to pronounce, utter, express; state

der **Ausspruch, ¨e** statement, expression

ausstrecken to stretch out

austrinken, a, u to drink up, drain

der **Auszug, ¨e** excerpt

ausziehen, o, o (ist) to go out *or* forth

der **Autor, -en** author, writer

der **Bach, ¨e** brook

die **Backe, -n** (*or* der **Backen, -**) cheek

baden to bathe

die **Bahn, -en** path, track, road; railway; der **Bahnwärter, -** flagman, signalman

bald soon

ballen to clench

das **Band, -e** tie, bond; das **—, ¨er** ribbon

bang(e) afraid, anxious; **bangen** to be afraid

die **Bank, ¨e** bench

bannen to enchant, charm, captivate

das *or*

der **Barock** Baroque

die **Barriere, -n** barrier, crossing gate

der **Bart, ¨e** beard

die **Basis (Basen)** base, basis

der **Bauch, ¨e** belly, abdomen, stomach, lap

bauen to build, construct; till

der **Bauer, -s** *or* **-n, -n** farmer; peasant; der **Bauernhof, ¨e** farm(stead); der **Bauernstand** peasantry; das **Bauerntum** peasantry; **bäu(e)risch** rustic, boorish

der **Baum, ¨e** tree

der **Bayer, -n, -n** Bavarian

beabsichtigen to intend, have in view *or* mind

beachten to regard, pay attention to

beanspruchen to claim

beantworten to answer

beben to shake, quiver

das **Becken, -** basin

bedacht intent on

bedecken to cover

das **Bedenken** consideration; hesitation, doubt; **bedenken, a, a** to consider, bear in mind; **bedenklich** doubtful, objectionable, suspicious

bedeutend significant, important, meaningful; **bedeutungsvoll** meaningful

sich bedienen to make use of; der **Bediente(r)** servant

die **Bedingung, -en** condition

bedrohen to threaten, menace

beenden to end

das **Beet, -e** flower bed

der **Befehl, -e** order, command

befestigen to fasten, make fast

sich befinden, a, u to be, fare, get on; feel; stand
befolgen to follow, obey
befreien to free, liberate
befremden to estrange, appear strange to; **befremdet** surprised, estranged
befriedigen to satisfy
befürchten to fear, suspect
sich begeben, a, e, i to fall out, chance; happen; go, betake oneself
die **Begebenheit, -en** event, occurrence
begegnen (ist) to meet, encounter; die **Begegnung, -en** meeting, encounter
begehen, i, a to commit
begehren to want, desire; crave; seek
die **Begierde, -n** desire, eagerness; **begierig** desirous, eager for
der **Beginn** beginning, commencement; **beginnen, a, o** to begin
begleiten to accompany; der **Begleiter, -** attendant, escort, companion
beglücken to bless, make happy
begraben, u, a, ä to bury
begreifen, i, i to comprehend, understand; **begreiflich** comprehensible, conceivable
begrenzen to limit; die **Begrenzung, -en** limitation
der **Begriff, -e** concept, idea, notion
begründen establish; substantiate
begrüßen to greet, welcome
behalten, ie, a, ä to keep, retain, remember; maintain; das **Feld —** to remain master of the field
behandeln to treat; die **Behandlung, -en** treatment
beharren to persevere
behaupten to assert, claim
beherrschen to rule over, govern, be master of, control
die **Behörde, -n** authority, authorities
behüten to guard, preserve, protect, keep, watch over; **behüte Gott!** God forbid!
beibehalten, ie, a, ä to keep, retain, preserve

beide both, the two
beieinander together
der **Beifall** applause, approval; das **Beifallsgeschrei** cry of approval
das **Bein, -e** leg; bone
beinhalten (*wk.*) to contain, comprise
beisammen together (in the same place)
beischreiben, ie, ie to write in the margin
beiseite aside
das **Beispiel, -e** example
der **Beistand, ⸚e** support, assistance
beitragen, u, a, ä contribute
bekannt known, familiar, famous; der **Bekannte(r)** acquaintance; die **Bekanntschaft** acquaintance; **bekanntmachen** to make known, introduce
bekehren to convert
bekennen, a, a to confess; das **Bekenntnis, -se** confession
beklagen to lament, bewail, deplore
bekommen, a, o to obtain, receive, get
die **Belagerung, -en** siege
belegen to show proof of, prove, verify; die **Belegstelle, -n** citation; evidence, authority
belehren to teach, instruct; die **Belehrung, -en** instruction
beleidigen to insult, offend
beleuchten to illuminate, light up; die **Beleuchtung, -en** light, illumination
belieben to please, be pleasing
belügen, o, o to deceive by lying
sich bemächtigen to take possession of
bemerken to notice, remark, note; **bemerkbar** noticeable, perceptible
sich bemühen to exert oneself; make an effort; das **Bemühen** effort, exertion
benehmen, a, o, i to take away from
benennen, a, a to name, designate
benutzen to use
beobachten to observe; der

Beobachter, - observer

beordern to order, command

sich bequemen to accommodate oneself, condescend (to)

beraten, ie, a, ä to advise, counsel; furnish; deliberate; endow; die **Beratung, -en** consultation

berauschen to intoxicate, enchant

die **Bereicherung** enrichment

bereit ready, willing

der **Berg, -e** mountain; die **Bergeshöhe, -n** mountaintop; die **Bergpredigt** Sermon on the Mount

die **Berücksichtigung** consideration

berufen, ie, u to call (together), convoke

beruhen to base

beruhigen to compose, calm, soothe

berühmt famous, renowned

berühren to touch

beschäftigen to occupy

beschämt abashed, ashamed

beschauen to contemplate, view

beschließen, o, o to resolve, decide

beschränken to confine, restrict

beschreiben, ie, ie to describe; write on; die **Beschreibung, -en** description

beschützen to protect

besetzt occupied, taken, engaged

besiegen to conquer, defeat

besingen, a, u to sing, celebrate in song, laud

der **Besitz, -e** possession, property

besonders especially, particularly

besorgt fearful, apprehensive

besprechen, a, o, i to discuss

bessern to better, improve

beständig continual, continuous, perpetual, constant

bestätigen to confirm

bestechen, a, o, i to bribe, corrupt

bestehen, a, a to exist, be; — **aus** to consist of

besteigen, ie, ie to climb, mount

bestellen to order, appoint, instruct, commission

bestimmen to determine; die **Bestimmung, -en** destiny; designation; determining

bestrafen to punish

bestreuen to bestrew

bestürmen to storm, besiege, assault

bestürzt confounded, aghast, dismayed; die **Bestürzung** confusion, consternation, dismay

besuchen to visit, attend

beteiligt sein (an) to participate in, take part in

beten to pray

betonen to stress, emphasize; die **Betonung, -en** emphasis, tone

betrachten to consider, observe; die **Betrachtung, -en** observation, consideration

betrauern to mourn

betreffen, a, o, i to concern, be concerned; deal with

betreiben, ie, ie to manage, run

sich betrinken, a, u to get drunk

betroffen disconcerted, taken aback

betrübt sad, sorrowful, melancholy

betrügen, o, o to cheat, deceive

das **Bett, -en** bed

beugen to bend, bow; humble, mortify

beurteilen to judge, estimate, value; criticize

die **Bevölkerung, -en** population, populace

bevor before

bewachen to watch over, guard

bewaffnen to arm

bewahren to keep, preserve; — **vor** to guard against, protect from

bewegen, o, o to move, induce; **sich —** (*wk.*) to stir, move, be in motion; die **Bewegung, -en** movement, motion

beweisen, ie, ie to prove

die **Bewilligung, -en** permission, grant, concession

der **Bewohner, -** inhabitant

bewundern to admire; die **Bewunderung** admiration

bewußt conscious; **bewußtlos** unconscious; das **Bewußtsein** consciousness

bezahlen to pay

bezeichnen to designate; die **Bezeichnung, -en** designation

sich beziehen, o, o to refer, relate

Bezug: in — auf with regard to

bezwingen, a, u to overcome, subdue

die **Bibel, -n** Bible

der **Biberpelz** beaver coat

biegen, o, o (hat or **ist)** to bend, turn, curve; **sich —** to bend, warp; incline

die **Biene, -n** bee

bieten, o, o to offer

das **Bild, -er** picture, image

bilden to form, fashion, shape; die **Bildung, -en** formation, form, shape

billigen to approve of, sanction

binden, a, u to tie, bind

bis until; **bisher** hitherto, till now

die **Bitte, -n** request; **bitten, a, e** to ask, request, petition; die **Bittschrift, -en** petition

blank shining; bright, polished

das **Blatt, ⸚er** leaf; sheet

blau blue; **blauäugig** blue-eyed; die **Bläue** blueness, blue, azure; **bläulich** bluish

bleiben, ie, ie (ist) to stay, remain

bleich pale

bleiern leaden

blenden to blind, dazzle

der **Blick, -e** glance, look, gaze; **blicken** to glance, look

blind blind

blitzen to lighten; flash, blaze; **blitzartig** in a flash

bloß mere; merely, only

blühen to flower, bloom, blossom, flourish

die **Blume, -n** flower

das **Blut** blood; **bluten** to bleed; **blutig** bloody; **blutrünstig** bloodthirsty

die **Blüte, -n** blossom, bloom; die **Blütezeit** golden age

der **Bock, ⸚e** (male) goat, buck

der **Boden, ⸚** ground, floor, bottom

der **Bogen, -** or **⸚** bow

bohren to bore, drill

bös(e) bad, evil, wicked, malicious; angry

der **Bote, -n, -n** messenger; die **Botschaft, -en** message

der **Brand, ⸚e** burning, fire; **in — stecken** to set on fire

der **Brauch, ⸚e** use, custom; **brauchen** to need, require; use

die **Braue, -n** brow, eyebrow

braun brown; **bräunlich** brownish

brausen to storm, rage, roar, surge; bluster, rush; hum, buzz

die **Braut, ⸚e** bride; der **Bräutigam, -e** bridegroom

brechen, a, o, i to break, burst; pluck; vomit

breit broad, wide; die **Breite, -n** width, breadth; **breitrandig** broad-brimmed

bremsen to brake

brennen, a, a to burn

bringen, a, a to bring; **zu etwas —** to be a success, make something of oneself

der **Brite, -n, -n** Briton

das **Bronzebildnis, -se** bronze likeness, portrait in bronze

das **Brot, -e** bread

die **Brücke, -n** bridge

der **Bruder, ⸚** brother; **brüderlich** brotherly, fraternal

der **Brunnen, -** spring, well, fountain

die **Brust, ⸚e** breast, chest; heart

der **Bube, -n, -n** boy, lad; rogue, scamp

das **Buch, ⸚er** book

der **Buchstabe, -n(s), -n** letter

die **Bucht, -en** bay

bücken to stoop, bow, bend

die **Bude, -n** stall, booth

die **Bühne, -n** stage; der **Bühnenaufbau** stage construction; der **Bühnenbildentwurf, ⸚e** scenery design; **bühnentechnisch** staging direction

der **Bund, ⸚e** league, alliance, union; covenant; der **Bundschuh** *league of rebellious peasants around 1500*; das **Bündnis, -se** covenant, alliance, union

das **Bündel, -** bundle

bunt motley, bright, gay, many-colored

die **Burg, -en** castle

der **Bürger, -** citizen

bürsten to brush

der **Busen, -** bosom, breast

der **Busch, ˸e** bush

bzw. = beziehungsweise respectively, or (else)

der **Chor, ˸e** chorus

der **Christ, -en, -en** Christian; **christlich** Christian

d. h. = das heißt that is

da there, here, then; since, as; when; where, so that; although

dabei thereby, therewith, in that connection

das **Dach, ˸er** roof

dadurch through it (them, that), because of that, thereby, by means of that

dafür for it (them, that); in return, instead

dagegen against it (them, that); for that; on the other hand, in return

daheim at home

daher therefore, for that reason

dahin to that place, there; to a point, away, along, gone, past; **dahingehen, i, a, (ist)** to go along, pass on; **dahinrauschen (ist)** to rush past

dahinter behind it

damals at that time, then

die **Dame, -n** lady

damit with it (that); so that, in order that

der **Dämmer** (*poet.*) = die **Dämmerung** dusk, twilight

der **Dämon, -en** demon; **dämonisch** demoniac(al); irresistible, overpowering

der **Dampf, ˸e** vapor, steam; **dampfen** to steam, send forth vapor

daneben near it *or* that, next to it *or* that, adjoining; moreover, besides, at the same time

der **Dank** thanks, gratitude; die **Dankbarkeit** gratitude; **danken** to thank

dann then

daran on it (them, that); from

that; by that, to it; at the point of; **er war eben —** he was on the point of; **er ist —** it is his turn

darauf upon it (that, them); to it; thereupon; following

daraus out of that; from that, thence, therefrom; by reason of that

darbieten, o, o to present, offer

darein therein, along

darin in it (them, that), into it, in which

darob = darüber

darstellen to present, represent; die **Darstellung, -en** presentation, representation

darüber over it (that, them); about it, on it; concerning it; besides

darum for it *or* that; about that; therefore, on that account, for that reason, that is why

darunter under it (that, them); among them

das **Dasein** existence

daß (*conj.*) that

die **Dauer** duration, continuance; **dauern** to last; take

davon of it (that, them); from it, about it; away, off

davonrennen, a, a (ist) to run off

davonschreiten, i, i (ist) to stride off

davorstehen, a, a to stand before

dazu to it *or* that; to which; for that purpose, to that end; thereto; in addition; moreover, besides

dazwischen in between, between that *or* it; among them; between times

die **Decke, -n** ceiling; cover; **decken** to cover; cross

der **Degen, -** sword, rapier

(sich) dehnen to stretch, extend, expand

deinesgleichen the like of you, such as you

demonstrieren to demonstrate

demütigen to humble, humiliate; die **Demütigung** humiliation

denken, a, a to think; **sich —** to imagine, think, conceive; **denkbar** thinkable, conceivable

denn for; then; just; I wonder

dennoch nevertheless, however, yet, still

denselbigen = denselben

dergestalt in such shape *or* manner

dergleichen such, that kind of

dermaßen to such an extent

derselbe, dieselbe, dasselbe the same

des (desn) = dessen

deshalb on this account, for that reason, therefore

desto (*before comparatives*) the, the more, all the, so much the; **desto minder** all the less

der **Determinismus** determinism

deuten to point; interpret; **deutlich** clear, explicit, distinct; die **Deutung, -en** interpretation

dicht close, dense

dichten to compose, write; der **Dichter, -** poet, writer; die **Dichtkunst** poetry, poetic art; die **Dichtung, -en** poetry; poetical work; poem; fiction

dick fat, thick

das **Dickicht, -e** thicket

der **Dieb, -e** thief

dienen to serve; der **Diener, -** servant; der **Dienst, -e** service; post, employment; die **Dienstmagd, ̈-e** maidservant

dieser, diese, dieses, *etc.* the latter, this one

das **Diesseits** this life, this world, earthly life

das **Ding, -e** thing, object

diskutieren to discuss

doch still, yet, nevertheless, after all, indeed

der **Dolch, -e** dagger

der **Dom, -e** cathedral

donnern to thunder; der **Donnerschlag, ̈-e** thunderclap

doppelt double

das **Dorf, ̈-er** village

dort there; **dorthin** to that place

dorten = dort

der **Dragoner, -** dragoon

der **Draht, ̈-e** wire, line

(sich) drängen to press, crowd; urge, hurry; oppress, afflict

drauf = darauf

draußen outside

drehen to shoot (a film); **sich —** to turn

drein = darein

dreißig thirty; **Der Dreißigjährige Krieg** The Thirty Years' War

dreist bold, courageous, confident; pert, cheeky

dringen, a, u to penetrate, pierce; press, force, urge; **dringend** urgent, pressing

drinnen within

drohen to threaten, menace

drüben over there, beyond; hereafter

drüber = darüber

der **Druck, ̈-e** pressure; **drucken** to print; **drücken** to press, squeeze; afflict, weigh down

drum = darum

dualistisch dualistic

der **Duft, ̈-e** scent, fragrance, vapor; **duften** to exhale (send forth) fragrance *or* a scent; **duftend** scented, fragrant

Duineser Elegien *Duino Elegies*

dumm dumb, stupid

dumpf musty, damp; dull, hollow, muffled

das **Dunkel** darkness; **dunkel** dark, dim, obscure; die **Dunkelheit** darkness

der **Dunst, ̈-e** haze, fume

durchaus through and through, from end to end

durchdringen, a, u to penetrate, pierce

durchhitzen to heat through

durchklingen, a, u to resound through, ring through

durchleben to endure, live through

durchmachen to go through, experience

durchrasen (ist) to dash through

durchschauen to see through

durchschneiden, i, i to cut through, cut in two

durchsehen, a, e, ie to see *or* look through

durchsichtig transparent

durchstechen, a, o, i to stab, transfix, pierce through

durchstürmen to rush through

dürfen, u, u, a to be permitted, may

dürr lean; dried; barren, sterile; withered

dursten (dürsten) to thirst, be thirsty

düster dark, gloomy; mournful, dismal

duzen to say „du"

eben even, level, flat, smooth; just, simply, precisely, quite, certainly; das **Ebenbild, -er** image, likeness; die **Ebene, -n** plain; **ebendeshalb** for that very reason; **ebenfalls** likewise, also; **ebenso** just so, just as

das **Echo, -s** echo

echt genuine, authentic

die **Ecke, -n** corner

edel noble; der **Edelmann (Edelleute)** noble, nobleman; **edelherzig** noble-minded; **edelmütig** noble-minded, magnanimous

ehe before; rather; until; **ehedem** formerly, of old; **eher** sooner, rather, formerly, earlier; **ehemals** formerly, in times past

die **Ehre, -n** honor; **ehren** to honor, esteem, revere; die **Ehrfurcht** respect, awe

der **Eid, -e** oath

der **Eifer** zeal, eagerness; die **Eifersucht** jealousy; **eifrig** jealous, eager

eigen own, individual, unique, proper, inherent; **eigenmächtig** unauthorized, arbitrary; **eigens** expressly, on purpose; die **Eigenschaft, -en** quality, attribute, characteristic; **eigensinnig** self-willed, stubborn, capricious; **eigentlich** real, true, actual; strictly speaking, in reality; properly

das **Eiland, -e** island

die **Eile** urgency, haste; **eilen (ist)** to hurry; **eilig** quick; hurried; **— sein** to be in a hurry

der **Einband, ̈-e** cover

sich einbilden to imagine

der **Einblick, -e** glance into; insight

der **Eindruck, ̈-e** impression

der **Einfall, ̈-e** idea, notion; **einfallen, ie, a, ä** to occur to, come to one's mind

die **Einfalt** simplicity

einfassen to enclose, frame

der **Eingang, ̈-e** entrance

eingehen, i, a (ist) (auf) to consider, react; go in; **eingehend** in detail, exhaustive

einhalten, ie, a, ä to control, stop, hold in bounds

die **Einheit, -en** unit, unity

einig at one, united, in accord

einige some; **einigemal** several times

der **Einklang** unison, harmony; **in — bringen** or **stehen** to bring or be in harmony or agreement

einladen, u, a, ä to invite

einleiten to take, introduce, institute

einmal once, once and for all, one time, formerly; **auf —** all at once; **nicht —** not even; **noch —** (once) again; **einmalig** unique

sich einmischen to interfere

einnehmen, a, o, i to take in, captivate, bewitch

einordnen to arrange, classify

einpacken to pack, wrap up

einrichten to arrange, prepare; **sich —** to settle down, establish oneself

einsam lonely, alone, lonesome; solitary; die **Einsamkeit** loneliness, solitude

einschätzen to assess, evaluate

einschlafen, ie, a, ä (ist) to fall asleep

einschlagen, u, a, ä to knock or punch in

sich einschleichen, i, i to creep in, steal in

einschließen, o, o to enclose, lock in or up; **einschließend** included, inclusive

einschrumpfen (ist) to shrink, shrivel up

einsehen, a, e, ie to understand

die **Einsicht, -en** insight, understanding

einst(ens) once, one day, some day; **einstweilen** meanwhile, for the present

die **Einstellung, -en** attitude

eintönig monotonous

eintreten, a, e, i (ist) to enter

der **Eintritt, -e** entry, entrance

einverstanden agreed, understood

einwirken to influence, have an effect on

der **Einwohner, -** inhabitant, resident

einzeln single, sole, individual; das **Einzelwesen, -** individual

einzig only, single, sole, unique; individual; isolated; separate

das **Eis** ice

das **Eisen** iron; die **Eisenbahn, -en** railroad; der **Eisenbahnunfall, ⸚e**, das **Eisenbahnunglück, ⸚e** or **-sfälle** railway accident; **eisern** iron, of iron

der **Ekel** nausea, disgust, aversion; **eklig** nauseous

das **Element, -e** element

elend wretched, miserable, pitiful

der **Ell(en)bogen, -** elbow

die **Eltern** (*pl.*) parents; **elterlich** parental

empfangen, i, a, ä to receive, greet, welcome; take

empfinden, a, u to feel, perceive, experience; **empfindlich** sensitive, touchy; die **Empfindung, -en** feeling

empor up, upward, on high, aloft

empörend repulsive, revolting

sich emporrichten to rise

emporsteigen, ie, ie (ist) to rise, ascend

das **Ende, -n** end, conclusion; goal, aim; **am —** in the end, finally; **am letzten —** at the very end; **ein — machen** to put an end to; **von allen —n** from all quarters; **zu —** to *or* at an end; **enden** to end; **endgültig** final, definite, conclusive; **endlich** finally; die **Endung, -en** ending

energisch energetic

eng narrow, tight, close, confined

der **Engel, -** angel

entbehren to do without, dispense with

entblößt bare

entdecken to discover; die **Entdeckung, -en** discovery

entfallen, ie, a, ä, (ist) to fall out of *or* from; escape *or* slip (the memory)

entfalten to unfold, display; die **Entfaltung** development, unfolding

entfernen to remove

entfesseln to unchain, set free

entflammen to inflame, kindle

entfliehen, o, o (ist) to escape, flee from

entgegen toward, against; contrary to

entgegenführen to lead against *or* toward

entgegenschlagen, u, a, ä to strike back, repay with blows

entgegensetzen to object, oppose, set over against

entgegenstellen to set against, contrast

entgegnen to reply, retort

entgelten, a, o, i to pay for, suffer for

enthüllen to unveil, reveal, disclose

entladen, u, a, ä to unburden

entlang along

entreißen, i, i to tear *or* snatch away

entrinnen, a, o (ist) to run away, escape from

entsagen to renounce

entscheiden, ie, ie to decide

entschlafen, ie, a, ä (ist) to fall asleep; pass away, die

sich entschließen, o, o to decide, resolve

entschlossen resolute, resolved

der **Entschluß, ⸚(ss)e** resolution, decision

die **Entschuldigung, -en** excuse

entschwinden, a, u (ist) to disappear, vanish

entseelt dead, lifeless

das **Entsetzen** dread, horror, fright; **entsetzt** terrified, horrified, shocked; **entsetzlich** terrible, horrible, dreadful

sich entspinnen, a, o to arise, develop.

entsprechen, a, o, i to correspond

entstehen, a, a, (ist) to arise, originate

die **Enttäuschung, -en** disappointment, disillusionment

entweder ... oder either ... or

entweihen to profane, desecrate

entwerfen, a, o, i to sketch, design

entzücken to delight, enchant; die **Entzückung** delight, rapture

entzünden to kindle, inflame; **sich —** to catch fire

entzwei in two; **entzweien** to separate

die **Epoche, -n** epoch, era

das **Epos (Epen)** epic poem

das **Erachten** opinion; **meines —s** in my opinion; **erachten** to consider, be of an opinion

das **Erbarmen** pity, compassion; **erbärmlich** pitiful, contemptible, miserable, wretched

erbauen to build (up), erect; edify

der **Erbe, -n, -n** heir; das **Erbe** inheritance, heritage; **erben** to inherit; das **Erbteil, -e** inheritance; portion

erbitten, a, e to prevail upon; request

erbleichen, i, i (ist) to fade, turn pale or white

erblicken to catch sight of

erbrechen, a, o, i to break open (letter, box, etc.)

die **Erde, -n** earth, ground, soil; **auf Erden** on earth; das **Erdbeben, -** earthquake; der **Erdboden, -** or **-** earth; der **Erdkreis, -e** globe

erdulden to suffer, endure

sich ereignen to come to pass, happen; das **Ereignis, -se** event, occurrence

erfahren, u, a, ä to experience, learn, find out; die **Erfahrung, -en** experience; **in — bringen** to learn

erfassen to seize, grasp; comprehend

erfinden, a, u to invent, make up; **erfindungsreich** inventive, ingenious

erflehen to beg for, implore for

der **Erfolg, -e** success; **erfolglos** unsuccessful, without effect; **erfolgreich** successful

erfreuen to rejoice, gladden, delight

erfroren frozen

erfüllen to fill, fulfill, fill up

sich ergeben, a, e, i to surrender oneself to, devote oneself to; **ergeben** devoted

das **Ergebnis, -se** result, outcome; yield

ergehen, i, a, (ist) to go forth, be issued, happen; to go or fare with

ergrauen (ist) to grow or get gray

ergreifen, i, i to grasp, seize; **ergreifend** moving, stirring, gripping

ergründen to fathom

erhaben lofty, sublime, exalted

erhallen (ist) to resound

erhalten, ie, a, ä to keep, maintain; get, receive, obtain; preserve

erheben, o, o to raise, lift, elevate; **sich —** to rise up, get up

erhellen to illuminate, brighten, light up

erhitzen to heat

erhoffen to hope for, expect

erhöhen to elevate, raise, exalt; die **Erhöhung, -en** rise, hill

erkalten (ist) to grow cold, cool down

erkämpfen to gain by fighting

erkennen, a, a to recognize, detect, perceive; acknowledge; **zu — geben** to show, indicate; die **Erkenntnis, -se** knowledge, understanding

erklären to explain; declare; die **Erklärung, -en** declaration; explanation

erklingen, a, u (ist) to sound, resound

erlangen to attain, acquire, reach

erlauben to permit; die **Erlaubnis** permission

erläutern explain, clarify

erlegen to slay

erleiden, i, i to suffer

erlesen, a, e, ie to select, choose

erliegen, a, e (ist) to be defeated, succumb to

erlöschen, o, o, i *or* **ö** to go out, become extinguished

die **Erlösung** redemption; deliverance, salvation

ermächtigen to empower, authorize

ermorden to murder; die **Ermordung, -en** murder, assassination

ernennen, a, a to appoint

erneue(r)n to renew, replace; **erneut** anew, again

ernst earnest, serious, grave, sober, stern; der **Ernst** earnestness, seriousness, gravity, sternness

die **Ernte, -n** harvest, crop

erobern to conquer

eröffnen to open; be in session

erproben to try, test

erquicken to refresh, restore; die **Erquickung, -en** refreshment, comfort

erregen to excite, stir up, inspire

erreichen to reach, attain

erringen, a, u to win (by struggling), achieve, gain

erschaffen, u, a to produce, create; die **Erschaffung** creation

erschallen, o, o (ist) to resound, ring

erschauen to see, behold

erscheinen, ie, ie (ist) to appear, come into view; die **Erscheinung, -en** appearance, apparition; phenomenon

erschlagen, u, a, ä to slay, beat to death, slaughter, kill

erschöpfen (ist *or* **hat)** to exhaust

erschrecken to frighten, terrify, startle; **—, a, o, i (ist)** to be alarmed *or* terrified, be startled

erschüttern to shake, convulse; agitate; stagger; die **Erschütterung, -en** shock, concussion, convulsion

ersehen, a, e, ie to see, perceive

erst first, only, not until; best; die **Erstausgabe, -en** first edition;

erstlich firstly, first

erstaunen to astonish, surprise

ersterben, a, o, i (ist) to die, fade away

ertappen to catch, surprise

erteilen to impart, give; teach; **sich — lassen** to receive

ertragen, u, a, ä to bear, endure; **erträglich** endurable

erwachen (ist) to awaken, wake up

erwachsen, u, a, ä (ist) to grow up

erwägen, o, o to weigh, consider

erwähnen to mention

erwarten to expect, await

erwecken to arouse, awaken

erweisen, ie, ie to prove, show; render

erwerben, a, o, i to acquire, gain; earn, win

erwidern to reply

erwischen to catch, surprise

erwünschen to wish for, desire

erzählen to tell, narrate; der **Erzähler, -** narrator; die **Erzählung, -en** tale, narrative, narration

erzeugen to produce

erziehen, o, o to raise, rear

essen, a, e, i to eat; das **Essen, -** meal, food

etliche some, several

etwa nearly, about; perhaps; perchance

etwas something

das **Evangelium (Evangelien)** gospel

der **Europäer, -** European

ewig eternal; die **Ewigkeit** eternity

das **Exempel, -** example

existenziell existential

fähig capable; die **Fähigkeit, -en** capability, ability, talent

die **Fahne, -n** flag, banner

fahren, u, a, ä (ist) to go, travel; drive, ride; prevail; **— lassen** to let go, abandon, give up, let slip; **fahrlässig** negligent, careless; die **Fahrt, -en** trip, journey

der **Fall,** **⁻e** fall; case, affair, matter;
auf alle Fälle at all events, in
any case; **fallen, ie, a, ä (ist)** to
fall; **— lassen** to drop
fällen to fell
falsch wrong, false
die **Falte, -n** fold, wrinkle; **falten**
to fold
die **Familie, -n** family
fangen, i, a, ä to catch, capture
die **Farbe, -n** color; **färben** to
color, tinge; die **Farbenlehre**
theory of colors; **farblos** color-
less
fassen to hold, grasp, seize; fix;
contain
fast almost
faul foul, dead; lazy; **faulen** to
rot
die **Faust, ⁻e** fist
fechten, o, o, i to fight, combat,
fence
die **Feder, -n** feather, quill; pen
fehlen to miss; fail, be lacking;
err, be in the wrong; **es kann ihm
nicht —** he cannot fail to; **es
fehlt mir an** I lack; der **Fehler,
—** mistake, error; defect; **feh-
lerhaft** faulty, defective, defi-
cient
feierlich solemn, festive; die
Feierlichkeit, -en solemnity;
feiern to celebrate
feig cowardly
fein fine; refined; subtle
der **Feind, -e** enemy, foe; der **alte,
böse —** the evil one, the devil;
feind hostile; **feindselig** hostile
das **Feld, -er** field; country; **das —
behaupten** to win the day; der
Feldherr, -n, -en general, commander in chief
der **Fels(en), -(en)s, -(en)** rock, cliff;
die **Felsenklippe, -n** rocky
crag, cliff
das **Fenster, -** window; **zum — hin-
aussehen** to look out the
window
fern far, distant, far off, remote;
die **Ferne, -n** remoteness, distance,
distant place; **fernher** from afar
die **Ferse, -n** heel

fertig ready, finished, done; **—
werden** to finish with, take care
of
das **Fest, -e** festival, holiday, feast;
festivities; das **Festgeräusch, -e**
stir of the crowd; noise of the
festivities; **festlich** festive; die
Festlichkeit, -en festivity
fest firm, solid, fast; stout; die
Feste, -n stronghold, castle;
firmness; **in seinen —n** to its
foundation
festhalten, ie, a, ä to hold fast,
adhere; maintain
feststellen to determine
das **Fett** fat, grease; **fett** fat, greasy
das **Feuer, -** fire; **feurig** fiery
finden, a, u to find
finster dark; obscure; gloomy;
sad; die **Finsternis** darkness,
gloom
der **Fisch, -e** fish
fixieren to fix (on), settle (on)
die **Fläche, -n** surface, flatness, level
die **Flamme, -n** flame; **flammen** to
flame
flattern to flutter
flechten, o, o, i to weave, wreathe
flehen to implore, entreat, be-
seech
das **Fleisch** meat
fleißig diligent, industrious
fliegen, o, o (ist or hat) to fly
fliehen, o, o (ist) to flee
fließen, o, o (ist) to flow
der **Fluch, ⁻e** curse; **fluchen** to
curse, swear
die **Flucht, -en** flight, escape; **flüchtig** fleeting
der **Flügel, -** wing; arm
die **Flur, -en** field, meadow
der **Fluß, ⁻(ss)e** river
flüstern to whisper
die **Flut, -en** flood, deluge; stream
fodern (*arch.*) = **fordern**
die **Folge, -n** consequence; **zur —
haben** to result in, bring about;
folgen (ist) to follow
fordern to demand
die **Formel, -n** formula, rule
formen to form, mold, give form
to
formulieren to formulate; die

Formulierung, -en formulation, definition

forschend searching, inquiring

der **Forst, -e(n)** forest

fort away, gone away

fortfliegen, o, o (ist) to fly away

fortgehen, i, a (ist) to go away

fortlocken to entice *or* coax away

fortnehmen, a, o, i to take *or* carry away

fortrasen (ist) to speed forth

fortreißen, i, i to carry *or* sweep away

fortreiten, i, i (ist) to ride away

fortsetzen to continue

fortsingen, a, u to sing on

sich **fortstehlen, a, o, ie** to steal away

forttreiben, ie, ie to drive away

fortwährend continually, incessantly

fortwandern (ist) to wander forth *or* off

die **Frage,-n** question; **fragen** to ask

das **Frankreich** France

französisch French

die **Frau, -en** woman; Mrs; wife; das **Frauenzimmer, -** woman, wench

frech fresh, impudent, bold, brazen

frei free; open; **freigebig** liberal, generous; die **Freiheit,-en** freedom, liberty; **freilich** to be sure, certainly; truly, by all means; der **Freimut** candor, frankness, sincerity; **freiwillig** voluntary; der **Freiwillige(r)** volunteer

freien to woo

fremd strange, foreign, unfamiliar; **fremdartig** strange; der **Fremde(r)** stranger; der **Fremdling, -e** stranger, alien, foreigner

fressen, a, e, i to eat (of animals)

die **Freude, -n** joy, pleasure; sich **freuen** to rejoice, be glad; — **über** be glad about; — **auf** to look forward to

der **Freund, -e** friend, **freundlich** friendly; die **Freundschaft, -en** friendship; **freundschaftlich** friendly

der **Friede(n), -(n)s, -(n)** peace, tranquillity; harmony; — **schließen** to make peace; der **Friedhof, ⁓e** cemetery; **friedlich** peaceful, tranquil

frisch fresh, brisk, spright(ly), alert, vigorous

die **Frist, -en** period, term

froh glad, joyful, happy; **fröhlich** gay, merry, jovial

fromm pious, good

die **Frucht, ⁓e** fruit; crop; produce

früh early; premature; die **Frühe** early hour *or* morning; **in aller —** bright and early; **in der —** (early) in the morning; der **Frühling, -e** spring; das **Frühstück, -e** breakfast

fügen to fit in; **sich —** to accommodate oneself to, submit to

(sich) fühlen to feel; die **Fühlung** feeling, touch, contact

führen to lead, conduct, direct, guide; drive; bring

füllen to fill

die **Furcht** fear; **furchtbar** frightful, dreadful, formidable; **fürchterlich** fearful, frightful; **furchtlos** fearless; **furchtsam** timid, fearful; **fürchten** to fear; **sich — vor** to be afraid of

der **Fürst, -en, -en** prince, sovereign

fürwahr truly, verily, in truth

der **Fuß, ⁓e** foot; der **Fußboden, ⁓** floor, ground; der **Fußtritt, -e** kick

füttern to feed, give fodder to

die **Gabe, -n** gift

der **Gang, ⁓e** march, walk, gait; way; motion, movement

ganz whole, entire, complete; all; quite; **— und gar** totally; **gänzlich** complete, full, total

gar very; even; least of all; at that; quite, entirely; **— nicht** not at all, by no means; **— nichts** nothing at all

der **Garten, ⁓** garden; der **Gärtner, -** gardener

das **Gas, -e** gas

die **Gasse, -n** street, alley; der

Gassenjunge, -n, -n urchin

der **Gast,** ¨e guest; das **Gastrecht** right to hospitality

die **Gebärde, -n** gesture

geben, a, e, i to give, grant; **es gibt** there is, there are

das **Gebet, -e** prayer,

das **Gebiet, -e** district, territory, region, field

gebieten, o, o to command, order

gebrauchen to use

die **Geburt, -en** birth

das **Gedächtnis, -se** memory

gedämpft subdued

der **Gedanke, -ns, -n** thought; **sich —n machen über** to worry about; der **Gedankenstrich, -e** dash

gedeihen, ie, ie (ist) to thrive, prosper, flourish, succeed

gedenken, a, a to think, bear in mind

das **Gedicht, -e** poem

die **Geduld** patience

die **Gefahr, -en** danger, peril; **gefährlich** dangerous

der **Gefährte, -n, -n** companion

gefallen, ie, a, ä to please; like; **es gefällt mir** I like it

der **Gefangene(r)** prisoner

das **Gefängnis, -se** prison, jail

das **Gefieder** feathers, plumage

das **Gefolge, -** retinue, following

das **Gefühl, -e** feeling

gegen against, toward; going on; compared with; **gegenseitig** mutual, reciprocal

der **Gegensatz,** ¨e antithesis, contrast

der **Gegenstand,** ¨e subject, object; das **Gegenstandswort,** ¨er concrete noun

das **Gegenteil** opposite, contrary; **im —** on the contrary

gegenüber across, vis-à-vis; opposite, facing; **gegenüberliegend** opposite

gegenüberstehen, a, a to stand opposite

gegenüberstellen to place opposite

geheim secret; das **Geheimnis, -se** secret; **geheimnisvoll** mysterious, secretive

gehen, i, a (ist) to go; **vor sich —** to take place, happen (go on)

das **Gehör** hearing; **— schenken** to grant, lend an ear

der **Gehorsam** obedience

die **Geige, -n** violin

der **Geist, -er** intellect, spirit; mind; soul; **geistig** intellectual; spiritual

das **Gelächter, -** laughter

gelassen composed, collected; die **Gelassenheit** composure, patience

gelb yellow

das **Geld, -er** money

die **Gelegenheit, -en** opportunity, occasion; (coll.) convenience

das **Geleise, -** or **Gleis, -e** track

das **Geleit, -e** company, escort; das **Geleitwort** preface, foreword

der **Geliebte(r)** beloved, loved one

gelind(e) soft, gentle, light, tender

gelingen, a, u (ist) to succeed; **es gelingt mir** I succeed

gelt(?) (dial.) isn't that so? eh? don't you think so?

gelten, a, o, i to concern, apply to, mean, be worth, be valid, hold true, count, be in force, be intended for

das **Gemälde, -** painting

gemäß according to, in accordance with

gemein common, low, base, vulgar; in common; **gemeinsam** together, common, joint, mutual; die **Gemeinsamkeit** mutuality; togetherness

das **Gemüt, -er** heart, soul, disposition, spirit, being; **gemütlich** friendly, congenial, cozy, comfortable; die **Gemütsbewegung** emotion, excitement, agitation; der **Gemütszustand** frame of mind, humor

genau exact, precise, close

genießen, o, o to enjoy

genug enough; **Genüge tun** or **leisten** to satisfy; **genügen** to suffice; die **Genugtuung** satisfaction

der **Genuß,** ¨(ss)e pleasure, delight

das **Geplauder** chat, small talk

g(e)rade straight

das **Gerät, -e** tool, utensil

geraten, ie, a, ä (ist) to get, fall, *or* come into, to, *or* upon; to hit upon

das **Geräusch, -e** noise, sound; **geräuschlos** noiseless

gerecht just, righteous, upright; die **Gerechtigkeit** justice, right

das **Gericht, -e** court; judgment; course (dinner)

gering slight, small

der **Germanist, -en, -en** student *or* teacher of German *or* Germanic philology

gern gladly; **— haben** to like

gesamt whole, entire, complete

der **Gesang, ⁼e** singing; song; canto; refrain

das **Geschäft, -e** business, store; affair; **geschäftig** busy, active, industrious

geschehen, a, e, ie (ist) to happen

gescheit clever

das **Geschenk, -e** gift

die **Geschichte, -n** story, history; **geschichtlich** historical

das **Geschick, -e** fate, destiny **geschickt** fit, able, dexterous

das **Geschlecht, -er** sex; genus, kind, species; race; family, stock

das **Geschrei** cry, scream; clamor

geschwind(e) quick, swift, fast; immediate

der **Geselle, -n, -n** workman, journeyman; companion, comrade

die **Gesellschaft, -en** society, party, company; **— leisten** to accompany, keep company; der **Gesellschafter, -** companion, company

das **Gesetz, -e** law; die **Gesetzauslegung** conception *or* interpretation of the law

das **Gesicht, -er** face, sight; visage; **—, -e** vision

gespannt tense, strained, intense

das **Gespenst, -er** ghost, phantom, apparition

das **Gespräch, -e** conversation

die **Gestalt, -en** form, figure **gestatten** to permit, allow

das **Gestein, -e** stone, rock; precious stones

gestern yesterday

das **Gesträuch, -e** shrubs, bushes; thicket

gesund healthy, whole, sound; die **Gesundheit** health

getreu faithful, true, loyal

gewahr werden to become aware of, perceive, see

gewähren to grant; die **Gewährung** grant

die **Gewalt, -en** might, power, force; violence; authority; **mit —** by force, forcibly, perforce; **gewaltsam** violent

das **Gewand, ⁼er** garment

der **Gewinn, -e** gain, profit, winnings; yield; **gewinnen, a, o** to win, gain

gewiß certain, sure; to be sure; **gewissermaßen** to a certain extent

das **Gewissen, -** conscience

gewöhnen to accustom, get used to; die **Gewohnheit, -en** custom, practice; **gewöhnlich** usual, ordinary; **gewohnt** accustomed to, used to; **gewohnterweise** habitually

das **Gewölbe, -** vault, arch

gießen, o, o to pour

giftig poisonous, venomous

der **Gipfel, -** summit, top, peak

der **Glanz** brightness, shine, glitter; splendor, magnificence; **glänzend** brilliant, splendid

das **Glas, ⁼er** glass

der **Glaube(n), -(n)s, -(n)** belief, faith; **glauben** to believe, think

gleich equal(ly), like, same, similar to; **— = sogleich** right away, at once, immediately; **gleichen, i, i** to resemble; **gleichfalls** likewise; **gleichförmig** uniform, monotonous; das **Gleichgewicht** balance, equilibrium; **gleichgültig** indifferent; **es ist mir —** it is all the same to me; **gleichmäßig** even, regular, uniform; **gleichnamig** of the same name; das **Gleichnis, -se** parable; **gleichsam** as it were; almost, as if, as though; **gleichsetzen** to equate; **gleichstellen** to equalize; **gleichviel** no matter; **gleichwohl** nevertheless, yet, however; **gleichzeitig** simultaneous

gleichete (*arch.*) = **glich**

gleiten, i, i (ist) to slip, glide, slide

das **Glied, -er** limb; member

die **Glocke, -n** bell

das **Glück** happiness, luck, fortune; **zum —** by good fortune, fortunately; **glücken** to prosper, succeed; **glücklich** happy; fortunate, lucky; die **Glückseligkeit** bliss, rapture

glühen to glow; **glühend** ardent, fervent, glowing

die **Glut, -en** glow, embers, heat; ardor, passion

die **Gnade, -n** mercy, grace; pardon; **gnädig** merciful, kind, gracious

golden golden

der **Gott, ⸗er** God; die **Gottheit, -en** deity, divinity; Godhead; **göttlich** godlike, divine

das **Grab, ⸗er** grave, tomb; der **Graben, ⸗** ditch, trench; **graben, u, a, ä** to dig

der **Grad, -e** grade, step, degree; rank

der **Graf, -en, -en** count

graphisch graphic

gräßlich terrible, shocking, monstrous

gratulieren to congratulate

grau gray

das **Grauen** horror, dread; **grauenvoll** horrible, awful, dreadful, ghastly

grausam cruel, inhuman, terrible

graziös graceful

greifen, i, i to seize, grasp, catch; snatch, clutch; attack

griechisch Greek

grimm = **grimmig** furious, fierce, grim

grob rough, coarse, rude

groß big, large, great, tall; **großartig** grand, splendid, magnificent; sublime; die **Größe, -n** size, magnitude, greatness; **großmütig** generous, magnanimous; die **Großmutter, ⸗** grandmother; die **Großtuerei** swaggering; der **Großvater, ⸗**

grandfather; **großväterlich** grandfatherly; **großziehen, o, o** to raise

grotesk grotesque

die **Grube, -n** ditch

grün green; **grünen** to flourish, thrive

der **Grund, ⸗e** reason, ground; bottom, foundation; soil, earth; cause, motive; **bis auf den —** to the depth (of one's soul); **im —(e)** basically, at bottom; die **Grundlage, -n** foundation, base, basis; der **Grundton** keynote; **gründen** to found, establish; **zu —e (zugrunde) gehen** to perish

die **Gruppe, -n** group; die **Gruppierung, -en** grouping, arrangement, organization

grüßen to greet, bow to; salute

die **Gunst** favor, patronage, good will; **zu meinen Gunsten** in my favor, to my credit

der **Gürtel, -** belt, sash

das **Gut, ⸗er** goods, property, possession; **gut** good, kind; **gutherzig** kindhearted; well; **gütig** good, kind, gracious, benevolent

das **Haar, -e** hair; **um ein —** by a hair's breadth

haben to have

der **Hahn, ⸗e** cock, rooster

halb half; der **Halbgott, ⸗er** demigod; der **Halbkreis, -e** semicircle; **halbwüchsig** adolescent

die **Hälfte, -n** half

hallen to sound, resound, echo

der **Hals, ⸗e** neck

halt just, even; exactly, quite; certainly; now, well; in my opinion; I think

halten, ie, a, ä to hold; stop, halt; keep; wait; **— für** to hold, consider to be; **— von** to think of; **an sich —** to control oneself; **sich (fest) halten an** to hold onto; **haltmachen** to bring to a halt; die **Haltung, -en** bearing, attitude, pose, position

han = **haben**

die **Hand, ∸e** hand; das **Handtuch, ∸er** towel; **händereibend** rubbing (one's) hands; der **Handwerker, -** craftsman, tradesman; der **Handwerksbursche, -n, -n** journeyman; das **Handwerkszeug, -e** (carpenter's) tool

handeln to behave, act, bargain; treat; **— an** to behave toward (someone); die **Handlung, -en** action, plot

hängen, i, a, ä to hang, be suspended; to cling to; be attached *or* devoted to; **—** (*wk.*) to hang up

die **Harfe, -n** harp; der **Harfner, -** harpist

der **Hase, -n, -n** hare

der **Haß** hate, hatred; **hassen** to hate; **häßlich** ugly, hateful

der **Hauch, -e** breath; breeze

der **Haufe(n), -(n)** pile, heap; **häufig** frequent

das **Haupt, ∸er** head; chief

das **Haus, ∸er** house; der **Haushalt, -e** household; die **Haushaltung, -en** housekeeping; **hausen** to house, lodge, dwell; der **Hausierer, -** peddler; der **Hausrat** household utensils

heben, o, o to lift, raise

hebräisch Hebrew

die **Hebung, -en** beat, accent; accented syllable

das **Heer, -e** army; der **Heerführer, -** commander in chief; die **Heerstraße, -n** military road, highway

heftig violent, vehement

hegen to cherish; comprise, contain

die **Heide, -n** heath, moor

das **Heil** salvation; **heil** hail; der **Heiland, -e** Savior; **heilen** to heal, cure; **heilig** holy, sacred; die **Heilige Schrift** Holy Scriptures; **heiligen** to hallow, sanctify

heimatlos homeless, without a country

heimisch domestic, homelike, native

heimkommen, a, o (ist) to come home

heimlich secret, mysterious; private, secluded; stealthy

heimtreiben, ie, ie to drive home

heiraten to marry

heiser hoarse

heiß hot; keen

heißen, ie, ei to name, be called; bid, command; **das heißt** that is; **es heißt** it is reported

heiter cheerful, serene, calm; clear, bright

der **Held, -en, -en** hero; das **Heldenbuch, ∸er** collection of medieval heroic poems

helfen, a, o, i to help

hell clear, bright, shining, light; distinct

das **Hemd, -en** shirt

hemmen to inhibit

der **Henker, -** hangman, executioner

her here, to here

herab down

herabführen to lead down

herabhängen, i, a, ä to hang down

herablassen, ie, a, ä to let down

herabwehen (ist) to blow *or* flutter down

heranbrausen (ist) to rush up

herankommen, a, o (ist) to approach, draw near

heransausen (ist) to rush *or* whiz along *or* up

herantreten, a, e, i (ist) to approach

herauf up, upward, from below

heraus out

herausbringen, a, a to bring out, find out

herausfinden, a, u to find out, discover

herausgehen, i, a (ist) to go out

herb sharp; astringent; harsh; bitter

herbeiführen to cause; give occasion for, give rise; bring about

herbeikommen, a, o (ist) to come up

herbeischleppen to pull up, drag along

die **Herberge, -n** shelter, quarters, hostel

der **Herbst, -e** autumn, fall; harvest

die **Herde, -n** herd, flock

hereinbrechen, a, o, i (ist) to break in; set in

hereinkommen, a, o (ist) to come in; **herein!** come in!

herfür = hervor

das **Herkommen** origin, extraction, descent

hernach afterward; hereafter, after this *or* that

hernieder down

der **Herr, -n, -en** master; lord, Sir; gentleman; Mr.; God; die **Herrin, -nen** mistress; der **Herrgott** Lord God; die **Herrschaft** control, command, mastery; **herrlich** glorious, magnificent, splendid, grand; die **Herrlichkeit** glory, splendor, magnificence; **herrschen** to rule, reign; prevail

herum around, about

herumlaufen, ie, au, äu (ist) to run around *or* about

herumschlagen, u, a, ä to dash about

herumtanzen to dance around *or* about

herumwenden, a, a to turn around

herumziehen, o, o to lead around; **an der Nase —** lead around by the nose

herunterreißen, i, i to tear down *or* off

herunterschauen to look down

heruntersteigen, ie, ie (ist) to climb down

herunterstoßen, ie, o, ö to strike down

hervor forth

hervorbrechen, a, o, i to break forth

hervorbringen, a, a to bring forth; produce

hervorgehen, i, a (ist) to go forth

hervorrauschen (ist) to rush forth *or* forward; swish *or* rustle forth

hervorsehen, a, e, ie to look *or* peep forth

hervortreten, a, e, i (ist) to step forth; protrude

hervorziehen, o, o to draw forth

das **Herz, -ens, -en** heart; **ans — gewachsen sein** to be very dear to; **herzen** to caress, embrace; **herzlich** hearty, cordial

der **Herzog, ⸚e** duke

herzutragen, u, a, ä to carry up

hetzen to hunt; incite, bait, set on

das **Heu** hay

heulen to howl; weep

heute today; **heutig** today's, of today

hie = hier

hier here; **hierher** here, to me, to this place; **hiernach** after this; hereupon; hereafter; according to this

die **Hilfe, -n** help, aid

der **Himmel, -** sky, heaven; **du lieber —!** for heaven's sake! **himmlisch** heavenly, divine

hin thither, to, there, that way, over there; away, gone; **— und her** back and forth; **— und wieder** now and then, again, from time to time

hinab down

hinabeilen (ist) to hurry down

hinabfallen, ie, a, ä (ist) to fall down

hinabfliegen, o, o (ist) to fly down

hinauf up, upward

hinaufsteigen, ie, ie (ist) to mount, ascend

hinaus forth, away, out, beyond

hinausblicken to look *or* glance out

hinausführen to lead out

hinausgehen, i, a (ist) to go out; **— über** to go beyond

hinauskommen, a, o (ist) to come out

hinausstreichen, i, i (ist) to wander out, ramble out

sich hinauswälzen to roll out

hinauswandern (ist) to wander out

hinausziehen, o, o (ist) to go out, march out

hinbringen, a, a to bring there

hindern to hinder, thwart, prevent; das **Hindernis, -se** hindrance, obstacle

hindurchblicken to look through
hinein in
hineinblicken to look or glance in
sich hineindrehen to turn in
hineinführen to lead *or* bring into
hineinfüllen to fill in
hineingehen, i, a (ist) to go in
hineinreißen, i, i to tear in
hineinsehen, a, e, ie to see *or* look into
hineintreiben, ie, ie to drive in
hineintun, a, a to add to; **einen Blick —** to glance into
hinfallen, ie, a, ä (ist) to fall down
hingeben, a, e, i to give up, resign, submit
hingegen on the contrary, on the other hand
hingehen, i, a (ist) to go there; proceed, pass; elapse
hinhalten, ie, a, ä to delay, keep at a distance
hinlegen to lay down
hinnehmen, a, o, i to take, put up with; accept
hinrichten to execute; die **Hinrichtung, -en** execution
sich hinsetzen to sit down
hinstürzen (ist) to rush, plunge, *or* fall down
hinten behind, in the rear, aft; **hintenüber** upside down; backward
hinter behind; **— . . . her** following after; at a person's heels; der **Hinterkopf, ⸚e** back of the head; die **Hintertür, -en** back door
hinterlassen, ie, a, ä to leave behind
hintragen, u, a, ä to carry there
hinüber over, across
hinübertragen, u, a, ä to bear *or* carry across
hinunter down
hinuntertreiben, ie, ie to drive down
hinweg away, off; let us go!
hinwegführen to lead away
hinweggehen, i, a (ist) to go away; **über etwas —** to pass lightly over something
hinwegnehmen, a, o, i to take away
hinwerfen, a, o, i to throw *or* fling down
hinzutreten, a, e, i (ist) to step up to, join in
das **Hirn, -e** brain, brains
der **Hirt, -en, -en** shepherd
die **Hitze** heat; **hitzig** hot, hotheaded, passionate
hoch high, tall; **hochheben, o, o** to lift high; der **Hochmut** haughtiness, pride, arrogance; **hochmütig** haughty, proud, arrogant; **höchst** extremely; der **Hochstapler, -** swindler, confidence man; der **Hochverrat** high treason; die **Hochzeit, -en** wedding
der **Hof, ⸚e** court, yard; **höfisch** courtly; **höflich** polite, courteous; die **Höflichkeit** courtesy
hoffen (auf) to hope (for); die **Hoffnung, -en** hope
die **Höhe, -n** height, top, summit; altitude; hill; **in die —** aloft, up, upward; **zur —** aloft
hohl hollow; die **Höhle, -n** cavity, hollow; hole, cave
hold gentle; sweet; charming; lovely
holen to fetch, obtain; **hol' ihn der Teufel** the devil take him
die **Hölle** hell; **höllisch** hellish, infernal
das **Holz, ⸚er** wood; grove; der **Holzschnitt -e** woodcut
horchen to listen, hearken
hören to hear; **— auf** pay attention to; **hör mal!** listen here! **hörbar** audible
das **Horn, ⸚er** horn
der **Hort, -e** hoard, treasure
die **Hose, -n** pants
hübsch pretty, cute; fine, handsome; nice, good
die **Hüfte, -n** hip
der **Hügel, -** hill
das **Huhn, ⸚er** chicken
die **Huld** grace, favor, clemency
Hülfe = **Hilfe**

der **Humanismus** humanism; **humanistisch** classical, humanistic

der **Humor** sense of humor

der **Hund, -e** dog

hungern to hunger, go hungry; starve; **hungrig** hungry

hüpfen to hop

der **Hut, ⸚e** hat

die **Hut** guard, care, protection; **hüten** to watch, protect, guard; **sich —** to take care, be on one's guard; der **Hüter, -** keeper, warden

das **Ich** self, ego

das **Ideal, -e** ideal; **idealisieren** to idealize; der **Idealismus** idealism

die **Idee, -n** idea

immer always; **immerdar** always, evermore, for ever; **immerfort** continually, evermore; **immerhin** yet, still, after all; in spite of everything

indem while

indessen meanwhile, in the meantime

industriell industrial

infolge as a result of, in consequence of; **infolgedessen** consequently

informieren to inform

der **Inhaber, -** owner

der **Inhalt** content(s); substance, meaning

innen inside, within; **nach —** inward; **von — heraus** from within; **inner** inward, interior, internal; **innerlich** inward, internal; heartfelt; **innerst** inmost, innermost; das **Innerste** inner self, soul, bottom of the heart; **im Innersten** in one's heart

die **Inszenierung, -en** staging, production

inwiefern to what extent, in what way *or* respect

inzwischen meanwhile, in the meantime

irdisch earthly, worldly

irgends = irgendwo

irgend any; **— jemand** anybody at all; **irgendein** any; **irgendwie** somehow; **irgendwo** somewhere

die **Ironie** irony; **ironisch** ironical

irren to err, go astray; der **Irrtum, ⸚er** mistake, error

das **Italien** Italy

itzt = jetzt

ja yes; indeed, truly, certainly, surely; even, well, you know; after all, of course; **jawohl** yes indeed, surely, to be sure, certainly, of course

die **Jagd, -en** hunt, chase; das **Jagdgefolge** retinue (on the hunt)

das **Jahr, -e** year; das **Jahrtausend, -e** millennium; das **Jahrzehnt, -e** decade; die **Jahreszeit, -en** season

der **Jammer** misery, distress; **jämmerlich** deplorable, pitiable, wretched; **jammern** to lament, moan, cry

jauchzen to rejoice, shout with joy

je ever; **— nach** according to; **— . . . desto** the . . . the; **— zwei** two at a time, in pairs

jedenfalls in any case

jedennoch = dennoch

jeder each, every; **jedermann** everyone

jedoch however, nevertheless, but

jedweder = jeder

jemand someone

jener, jene, jenes, *etc.* the former, that one

jenseits beyond, on the other side of, in heaven; das **Jenseits** the next world, the hereafter

jetzt now

jeweils at times

der **Jubel** rejoicing, jubilation

die **Jugend** youth, young people; **jugendlich** youthful

jung young: der **Junge, -n, -n** boy; die **Jungfrau, -en** maid(en), virgin; der **Jüngling, -e** youth; **jüngst** latest, last; recent

die **Kabale, -n** intrigue, conspiracy, cabal

kahl bare, bald

kalt cold

der **Kamerad, -en, -en** comrade, buddy

der **Kamin, -e** chimney, fireplace, mantel

der **Kamm, ̈e** comb; **kämmen** to comb; der **Kammacher, -** combmaker; das **Kammachergeschäft, -e** comb shop or business; die **Kammware, -n** comb or horn goods

die **Kammer, -n** chamber, room

der **Kampf, ̈e** fight, struggle; contest

der **Käse** cheese

die **Katze, -n** cat

kaufen to buy; der **Kaufmann (Kaufleute)** merchant

kaum scarcely, hardly

keck bold; pert, forward, impudent

die **Kehle, -n** voice, throat

sich kehren to turn

keiner no one

keineswegs by no means

kennen, a, a to know, be acquainted with; die **Kenntnis, -se** knowledge, information; **in — setzen von** to apprise of; **kennzeichnen** to mark, characterize

der **Kerker, -** prison, dungeon

der **Kerl, -e** fellow, chap

der **Kern, -e** kernel, core, nucleus; heart, essence; **kernig** robust, solid; vigorous

die **Kerze, -n** candle

die **Kette, -n** chain

keuchen to pant, gasp

das **Kind, -er** child; **kindlich** childlike

das **Kinn, -e** chin

die **Kirche, -n** church; der **Kirchturm, ̈e** steeple

die **Kirsche, -n** cherry

die **Klage, -n** complaint, lament; **klagen** to lament, bewail; mourn; complain; **kläglich** doleful, lamentable, plaintive

der **Klang, ̈e** sound

klar clear, plain, evident; **sich darüber — werden** to make up one's mind about something; die **Klarheit** clarity, lucidity

die **Klasse, -n** class

die **Klassik** classical period; **klassisch** classic(al)

der **Klavierspieler, -** piano player, pianist

kleben to paste, stick, glue

das **Kleid, -er** dress, garment, suit; (pl.) clothes; die **Kleidung, -en** clothing, clothes

klein small, little, petty; die **Kleinigkeit, -en** trifle

klemmen to squeeze, pinch

klingeln to ring

klingen to sound, ring, chime

klopfen to knock

klug clever, wise; skillful; die **Klugheit** cleverness; **klüglich** prudently, wisely

der **Knabe, -n, -n** boy

der **Knall, -e** report, bang; **knallen** to snap, crack, lash

knapp narrow, tight; scanty; scarce; bare

der **Knecht, -e** servant, farm hand, menial

das **Knie, -** knee; **knien** to kneel

knirschen to gnash, grind, grate

der **Knochen, -** bone; **knochig** bony

der **Knopf, ̈e** button

der **Koch, ̈e** cook; **kochen** to cook, boil

die **Kohle, -n** charcoal

kommandieren to command, give commands or orders

kommen, a, o (ist) to come

kömmt = kommt

kompliziert complicated

der **König, -e** king; die **Königin, -nen** queen; **königlich** royal; der **Königsmord** regicide; das **Königreich, -e** kingdom

können, o, o, a to be able, can, may

konzentrieren to concentrate

der **Kopf, ̈e** head; das **Kopfkissen, -** pillow; **kopflos** confused; das **Kopfnicken** nodding of the head

das **Korn, ̈er** grain; wheat

kosmisch cosmic

kosten to cost, require; taste;
köstlich costly; precious, exquisite, excellent; delicious
die **Kraft, ⁻e** power, force, strength;
kräftig strong, powerful;
kräftigen to strengthen, en-
force; **kraftreich** full of
strength; **kraftvoll** vigorous,
powerful
krank ill, sick; die **Krankheit,
-en** illness, sickness; **kränken**
to offend, hurt, insult; vex, bother
der **Kranz, ⁻e** wreath, crown
das **Kraut, ⁻er** herb, plant; vegetable;
cabbage
der **Kreis, -e** circle
das **Kreuz, -e** cross
der **Krieg, -e** war; der **Krieger, -**
warrior
die **Kritik, -en** criticism, review, cri-
tique; **kritisieren** to criticize,
review
die **Krone, -n** crown; **krönen** to
crown
der **Krug, ⁻e** pitcher, jug
krumm crooked, bent
die **Kugel, -n** bullet; ball, globe,
sphere
die **Kuh, ⁻e** cow
kühl cool; **kühlen** to cool, refresh; die **Kühlung** cooling,
freshness; refrigeration
kühn bold, daring; die **Kühnheit**
boldness, daring
der **Kummer** grief, sorrow, trouble,
care; **kümmerlich** sorrowful,
needy, miserable, wretched;
kümmern to trouble, concern;
sich — um to concern oneself
with, bother about; **kummer-
voll** sorrowful; grievous, painful
kund known, public; die **Kunde,
-n** information, news notice
künftig future
die **Kunst, ⁻e** art, skill; das **Kunst-
epos** literary epic; **künstlich**
artificial; artful; ingenious
der **Kupferstich, -e** copper engraving
kurios singular, curious
der **Kursus (Kurse)** course; lesson,
class

kurz short, brief, concise; in short,
in a word; **kürzlich** recently;
kurzsichtig short-sighted
kurzweilig amusing, pleasant
der **Kuß, ⁻(ss)e** kiss; **küssen** to kiss

lächeln to smile
lachen to laugh; **lächerlich**
ridiculous
laden, u, a, ä to load; die **Ladung,
-en** load, charge
die **Lage, -n** situation; das **Lager, -**
camp; couch, bed; **lagern** to
rest, camp; **sich —** to encamp
lähmen to paralyze
das **Lamm, ⁻er** lamb; **lammherzig**
gentle as a lamb
die **Lampe, -n** lamp
das **Land, ⁻er** land, country; **auf dem
— (e)** in the country; der **Landsitz, -e** country estate; die
Landstraße, -n highway, main
road
lang long, tall; die **Länge, -n**
length; **lange** long, for a long
time; **langbeinig** long-legged;
länglich longish, oblong;
längst long since, long ago
langsam slow
der **Lärm** noise
lassen, ie, a, ä to let, allow; leave;
have something done; refrain
from; **läßt sich** can be
die **Last, -en** load, burden; **zur —
sein** to be a burden to
lateinisch Latin
lau lukewarm, tepid; mild
der **Lauf, ⁻e** course, run; **laufen, ie,
au, äu (ist)** to run; der **Läufer,
-** runner
die **Laune, -n** mood, humor, temper;
whim
der **Laut, -e** sound, tone; **laut** loud,
aloud; noisy; **lauten** to read;
to sound; **lautlos** silent, mute,
hushed
läuten to ring, peal, toll
lauter pure; nothing but
das **Leben, -** life; **am —** alive; die
Lebenseinstellung, -en attitude toward life; das **Lebensglück** vital bliss; die **Lebens-**

kraft vigor, vital energy, vitality; der **Lebenslauf** curriculum vitae, personal record; die **Lebensregung, -en** impulse of life; **leben** to live; **leb wohl** good-bye; **lebend** living, alive; **lebhaft** lively, sprightly; **lebendig** lively, active, vivacious, living

lechzen to pant, gasp

lecken to lick

das **Leder, -** leather

leer empty

legen to lay, put, place; **sich —** lie down

die **Lehne, -n** back of a chair; **(sich) lehnen** to lean (against), incline, recline

die **Lehre, -n** teaching, precept; instruction; lesson; doctrine, theory; **lehren** to teach; der **Lehrer, -** teacher; der **Lehrgang, ⁼e** course of instruction, training; die **Lehrjahre** (years of) apprenticeship

der **Leib, -er** body; life

die **Leiche, -n** body, corpse; die **Leichenrede, -n** funeral oration; der **Leichnam, -e** dead body, corpse

leicht easy, light, gentle; die **Leichtfertigkeit** frivolity

das **Leid, -en** sorrow, suffering; **es tut mir leid** I am sorry; **leiden, i, i** to suffer, endure, tolerate; die **Leidenschaft, -en** passion

leider unfortunately; alas!

leihen, ie, ie to lend, borrow; hire

leise low, soft, quiet; slight, faint

leisten to accomplish, achieve; do; die **Leistung, -en** achievement, accomplishment

der **Leitstern** lodestar, polestar

die **Lektüre, -n** reading (selection)

lenken to guide, direct, steer

die **Lerche, -n** lark

lernen to learn

lesen, a, e, ie to read; der **Leser, -** reader; das **Lesebuch, ⁼er** reader; das **Lesestück, -e** reading selection

leuchten to shine, light, illuminate

leugnen to deny, disown, recant

die **Leute** (*pl.*) people

das **Lexikon (Lexika)** dictionary, encyclopedia

das **Licht, -er** light; **licht** open; bright; light, clear; die **Lichtung, -en** clearing, glade

das **Lid, -er** eyelid

lieb dear, beloved; **es ist mir —** I am glad; der **Liebste(r)** dearest, beloved, sweetheart; **mein Lieber** my dear sir; die **Liebe** love; der **Liebhaber, -** lover; der **Liebling, -e** darling, favorite; das **Liebespaar, -e** loving couple, lovers; die **Liebschaft, -en** love affair; **lieben** to love; **liebhaben** to be fond of, love, like; **liebenswürdig** amiable, lovable; **liebevoll** loving; **lieblich** lovely, pretty, charming; das **Liebesstadium (-stadien)** stage of love

lieber rather, preferably

das **Lied, -er** song; lay, ballad

liegen, a, e to lie, be, be situated; **es liegt an Ihnen** it depends on you; **es — mir wenig an** it matters little to me

link left; die **Linke, -n** left arm, hand, *or* side; **links** left, to the left; **linkisch** awkward, clumsy

die **Lippe, -n** lip

lispeln to lisp; whisper; murmur softly

die **List, -en** cunning, craftiness, trick, ruse; **listig** sly, cunning

das **Lob** praise, eulogy; **loben** to praise

das **Loch, ⁼er** hole

die **Locke, -n** lock, curl

locken to attract, entice, tempt

der **Löffel, -** spoon

logisch logical

der **Lohn, ⁼e** reward, payment; salary; **lohnen** to reward, pay

losbinden, a, u to untie

lösen to solve, dissolve; redeem; discharge, fire; loosen, untie

loslassen, ie, a, ä to let loose

losreißen, i, i to tear away *or* loose; break loose

die **Luft, ⁼e** air; relief; **lüften** to air, ventilate

die **Lüge, -n** lie; **lügen, o, o** to lie

die **Lust, ⸚e** pleasure, joy, desire, delight, inclination; die **Lustbarkeit** amusement, pleasure; **luttig** merry, gay, jolly; amusing; **sich —machen über** to make fun of

die **Lyrik** lyric poetry

machen to make, do

die **Macht, ⸚e** might, strength, power, potency; **mächtig** mighty, strong, powerful

das **Mädchen, -** girl

die **Magd, ⸚e** maid, maidservant; das **Mägd(e)lein, -** young maiden; girl

die **Mahlzeit, -en** meal

der **Mai** May

die **Maid = die Magd, das Mädchen**

das **Mal, -e** monument, monumental stone

malen to paint; depict

man one

mancher many a; **manche** some; **manchmal** sometimes; **mancherlei** various, sundry, diverse

der **Mangel, ⸚** lack, deficiency; **mangeln** to lack, want

die **Manier, -en** manner, way; **mit guter —** with good grace; **auf gute —** with good manners

der **Mann, ⸚er** man, husband; **—, -en** liege, vassal; **männlich** masculine, manly, virile; die **Mannsleute** men, menfolk

der **Mantel, ⸚** coat, mantle, cloak

die **Mär(e), -(e)n** tidings; story, tale, legend; das **Märchen, -** fairy tale

der **Markt, ⸚e** market; market square

die **Marmorschale, -n** marble basin

das **Maß, -e** measure

die **Masse, -n** mass; masses, people

die **Mäßigung** moderation

der **Materialismus** materialism; **materialistisch** materialistic

Matthäus Matthew

die **Mauer, -n** wall; das **Mauerloch, ⸚er** hole in the wall

das **Maul, ⸚er** mouth (of animals)

die **Maus, ⸚e** mouse

das **Meer, -e** sea, ocean

mehr more, else; **nicht —** no more, no longer; **um so —** all the more; **Mehres** more things; **mehrmals** again and again, several times, repeatedly; **mehren** to increase; **mehrere** several

meiden, ie, ie to avoid, shun, flee from

meinen to mean; say; think; die **Meinung, -en** opinion, view, thought; meaning

meinetwegen for my sake, as far as I am concerned, for all I care, by all means

meist for the most part; **meistens** mostly

der **Meister, -** master; expert; sir; die **Meisterin, -nen** the master's wife; **meisterhaft** masterly, skillful; **meistern** to master, control

melden to report, announce; die **Meldung, -en** report, announcement

melodisch melodic

die **Menge, -n** crowd, host, multitude; quantity, number

der **Mensch, -en, -en** man, human being; die **Menschenmenge** crowd of people; die **Menschheit** humanity, mankind; **menschlich** human, humane; die **Menschlichkeit, -en** humanity, humaneness; (*pl.*) human weaknesses

merken to notice, take note of, mark; **merkwürdig** remarkable, strange, noteworthy

messen, a, e, i to measure, mete

der **Messias** Messiah

das **Meter, -** meter

metrisch metrical

meuchlings treacherous(ly), dastardly

mieten to hire, rent

mild mild, gentle; kind

minder less, lesser; **mindern** to diminish, lessen; **mindestens** at least

die **Minne** (*arch. and poet.*) love; der **Minnesang** medieval German love poetry; das **Minnelied** love song

mischen to mix, fuse

mit along, with

mitansehen, a, e, ie to look on at

mitbestimmen to have a voice in

mitbringen, a, a to bring along

der **Mitbürger, -** fellow citizen

mitfahren, u, a, ä (ist) to join in the ride; **sich — lassen** to get a lift

das **Mitglied, -er** member

das **Mitleid** pity, compassion, sympathy

mitmachen to join, take part in

der **Mitmensch, -en, -en** fellow man, fellow human being, brother, one's neighbor

mitnehmen, a, o, i to take along; exhaust

der **Mittag, -e** noon, midday

mittanzen to join in a dance

mitteilen to impart, inform

das **Mittel, -** means, expedient, remedy, measure; wealth, resources; **mittels** by means of; **mittel, mittler, mittelst** middle, mid, central, mean

das **Mittelalter** Middle Ages; **mittelalterlich** medieval

mitten midway; **— auf** in the middle of

die **Mitternacht, -̈e** midnight

das **Möbel, -** (piece of) furniture

mögen, o, o, a to like, care to; may

der **Mönch, -e** monk

der **Mond, -e** moon; der **Mondschein** moonlight

das **Moos** moss

moralisch moral

der **Morast, -e** or **-̈e** morass, mire, bog, marsh

der **Mord, -e** murder; homicide; der **Mordblick, -e** murderous glance; der **Mörder, -** murderer

der **Morgen, -** morning; **morgen** tomorrow; das **Morgenrot** dawn; sunrise

müde tired, fatigued; die **Müdigkeit** fatigue

die **Mühe** trouble, effort, pains; **sich mühen** to trouble oneself, take pains; **mühsam** troublesome, laborious, difficult, with difficulty

die **Mühle, -n** mill

der **Mund, -̈er** mouth; **mündig** of age; **mündlich** oral

munter cheerful, merry, blithe

musikalisch musical

der **Musikant, -en, -en** musician

müssen, u, u, u to have to, must

müßig idle, lazy

der **Mut** spirit, courage; state of mind, mood; humor

die **Mutter, -̈** mother; **mütterlich** motherly, maternal

die **Mütze, -n** cap

mystisch mystic(al)

nach after; toward; onto; according to; **— und —** gradually

nachahmen to imitate

der **Nachbar, -s** or **-n, -n** neighbor

nachdem after; afterward

die **Nachforschung, -en** investigation

nachher later, afterward

nachholen to retrieve; overtake

nachschlagen, u, a, ä to look up

nachsehen, a, e, ie to look after, to follow with one's eyes; attend to

nachspringen, a, u (ist) to run after

die **Nacht, -̈e** night

der **Nacken, -** neck

nagen to gnaw

nah near, close; recent; die **Nähe** vicinity, proximity; **sich nahen** to approach, draw near; **sich nähern** to approach

nähren to nourish, cherish

der **Name, -ns, -n** name; **nämlich** namely, that is, of course; der (die, das) **nämliche** the (self-)same

der **Narr, -en, -en** fool

die **Nase, -n** nose; das **Nasenbluten** nosebleed

naß wet

die **Natur, -en** nature; die **Naturerscheinung, -en** natural phenomenon; **naturnah** close to nature

der **Naturalismus** naturalism

der **Nebel, -** fog, mist

nebeneinander side by side,

abreast, close together; das **Nebeneinander** coexistence; die **Nebeneinanderstellung** juxtaposition, comparison

das **Nebenzimmer,-** adjoining room

nehmen, a, o, i to take; **zu sich —** to collect

der **Neid** envy; **neidisch** envious

neigen to bend, incline; **sich —** to bend, make a bow

nennen, a, a to name, call

das **Nest, -er** nest

neu new, modern; **aufs neue** again, anew; **von neuem** again, anew; **neulich** recently

die **Neugierde** curiosity; **neugierig** curious

nicht no, not; das **Nichts** nothingness, nothing, void; chaos; **nichts** nothing; **— weiter** nothing more; **nichtig** null, void, empty

nieder down, low

niederdrücken to press *or* weigh down

niederfallen, ie, a, ä (ist) to fall down

der **Niedergang, ̈-e** downfall, decline, setting (of the sun)

der **Niederländer, -** lowlander; Dutchman

sich niederlassen, ie, a, ä to settle, establish oneself

niederlegen to lay down, place down

niederrinnen, a, o (ist) to flow down, trickle down

niederschlagen, u, a, ä to strike down *or* off

niedersenken to fall

niedersetzen to set down; **sich —** to sit down

niederstürzen (ist) to plunge, rush, *or* sink down

niederwerfen, a, o, i to throw down

niedrig low, humble; base

niemals never (once)

niemand no one

der **Nihilismus** nihilism

nimmer never; nevermore, not at all

nirgend nowhere

nit = nicht

noch still, yet; nor; **— einmal** again, once more; **— immer (immer —)** still; **nochmals** again

nordisch northern

die **Not, ̈-e** need, distress, misery, affliction, trouble; **nötig** necessary, required; **notwendig** necessary

die **Novelle, -n** short story *or* narrative, novella

nun now; well

nur only, just, but, merely; solely; by all means; **— so** really; through and through

der **Nutzen, -** use, profit, advantage; **nützlich** useful, of use, advantageous; **nutzlos** needless, useless

ob if, whether

oben above, aloft, on high, at the top; uppermost, top

ober above; upper; **oberhalb** above; **oberst** top, uppermost, highest; chief, head, supreme

der **Oberländer, -** highlander; South German

obgleich although

obschon although

obwohl although

der **Ochs(e), -(e)n, -(e)n** ox

oder or

der **Ofen, ̈-** stove

offen open; **offenbar** obvious, evident

öffnen to open

oft often; **öfters** frequently, oftentimes; **oftmals** oftentimes, frequently, repeatedly

ohne daß save that, without

ohnmächtig faint, weak, powerless

das **Ohr, -en** ear

das **Ölgemälde,** oil painting

die **Oper, -n** opera

das **Opfer, -** offering, sacrifice; victim; **zum — fallen** to fall a victim to; der **Opferaltar** sacrificial altar die **Ordnung, -en** order, arrangement

der **Ort, -e** *or* **¨er** place, town, village

das **Paar, -e** pair; **ein paar** a few

der **Pack, -e** *or* **¨e** pack, package; **packen** to pack; seize

der **Palast, ¨e** palace

das **Papier, -e** paper

die **Partitur, -en** score (of music)

passen to suit, fit, be fit *or* suitable; harmonize with

passieren (ist) to pass, travel through

der **Patient, -en, -en** patient

die **Pein** pain, agony, torture

der **Pelz, -e** fur, pelt

die **Person, -en** person; die **Persönlichkeit** personality

personifizieren to personify; die **Personifizierungsabsicht** purpose of personification

der **Pfad, -e** path, lane

die **Pfeife, -n** pipe; whistle

pfeifen, i, i to whistle

der **Pfeil, -e** arrow

das **Pferd, -e** horse

pflag = pflegte

die **Pflaume, -n** plum

die **Pflege, -n** care, administration; **pflegen** to protect, take care of, tend, nurse; foster, cherish; tend to, be in the habit of, indulge in; perform

die **Pflicht, -en** duty

der **Pflug, ¨e** plow; **pflügen** to plow, till

die **Pforte, -n** gate, door

physisch physical

plagen to plague, torment

der **Plan, ¨e** plan

platonisch platonic

der **Platz, ¨e** place, room; seat; square; **Platz!** make room; **— nehmen** to take a seat

plaudern to chat

plötzlich suddenly

plündern to plunder, pillage, sack

die **Polizei** police

der **Positivismus** positivism; **positivistisch** positivistic

die **Pracht** splendor, magnificence, luxury; **prächtig** magnificent, splendid, glorious, excellent

praktisch practical

der **Preis, -e** price, cost; reward; prize; praise; **preisen, ie, ie** to praise; **preisgeben, a, e, i** to give up, surrender, hand over, expose; **preiswert (preiswürdig)** praiseworthy

der **Priester, -** priest

der **Prinz, -en, -en** prince

privat private

das **Problem, -e** problem

der **Prozeß, —(ss)e** trial

das **Publikum** public, audience

das **Pult, -e** desk

der **Punkt, -e** point, spot, dot

der **Purpur** purple, crimson

putzen to groom, adorn; polish

die **Qual, -en** torment; **quälen** to torture, torment

der **Quell, -e** (*poet.*) = die **Quelle, -n** spring, well, fountain; source; **quellen, o, o (ist)** to well up, flow down

quer cross; **— und krumm** all around, hither and thither

quillen = quellen

die **Rache** revenge; die **Rachgier** vengefulness, vindictiveness; **(sich) rächen** to avenge, revenge, take revenge on; der **Rächer, -** avenger; **rächen** to take revenge

das **Rad, ¨er** wheel

die **Radierung, -en** etching

raffen to snatch up, carry off quickly

ragen to project, tower

der **Rahmen, -** frame, scope

der **Rand, ¨er** edge, rim, border

rar rare, scarce

rasch quick

rasen to speed, race; rage; **rasend** raving, furious, mad

die **Rast, -en** rest, resting place; **rasten** to rest, halt

der **Rat, -schläge** advice, counsel; suggestion; **raten, ie, a, ä** to advise, suggest

rätselhaft mysterious, enigmatical; incomprehensible

rauben to rob; der **Räuber, -** robber, brigand; der **Raubritter, -** robber knight; das **Raubrittertum** predatory knighthood

der **Rauch** smoke

der **Raum, ̈e** space, room

rauschen to rush, rustle, roar

reagieren to react

die **Rebe, -n** vine, grape

rechnen to count, calculate, reckon; — **auf** to count on, rely on

das **Recht, -e** right, law, justice; **recht** right, correct, very, quite; **erst —** all the more, more than ever; **erst — nicht** less than ever, much less; — **behalten, ie, a, ä** to be right (in the end), carry one's point; — **haben** to be right; **rechtfertigen** to justify; **rechtlich** just, honest, upright; **rechts** right, to the right; die **Rechte, -n, -n** right arm, hand, *or* side; der **Rechtsanwalt, ̈e** lawyer

recken to stretch, extend

die **Rede, -n** talk, speech; **in die —** **fallen** to interrupt; die **Redeweise** manner *or* style of speaking; **reden** to talk, speak

rege active, moving, astir; **regen** to move, stir, rouse; **sich —** to move, stir, be active, be in motion; **regungslos** still, motionless

die **Regel, -n** rule, regulation; **regelmäßig** regular

die **Regie** production, direction

regieren to rule, govern; die **Regierung, -en** government

das **Reich, -e** realm, empire

reich rich, wealthy, abundant

reichen to reach, hand, pass; give; extend

reifen (ist) to ripen, mature

die **Reihe, -n** row, series

der **Reim, -e** rhyme

rein pure, clean

die **Reise, -n** journey, trip; der **Reisewagen, -** coach; **reisen (ist)** to travel

reißen, i, i (hat *or* **ist)** to rip, tear

reiten, i, i (ist *or* **hat)** to ride; der **Reiter, -** rider, horseman

reizen to charm; irritate; excite

religiös religious

rennen, a, a (ist) to run

retten to save, rescue

der **Reuter** = der **Reiter**

der **Rhythmus (Rhythmen)** rhythm

richten to direct; judge; der **Richter, -** judge; die **Richtung, -en** direction

richtig right, correct

der **Riese, -n, -n** giant

ringen, a, u to struggle, wrestle, grapple

rinnen, a, o (ist) to run, flow, trickle

der **Ritter, -** knight; **ritterlich** knightly, chivalrous; das **Rittertum** chivalry, knighthood

der **Rock, ̈e** coat; dress; skirt

roh raw, unrefined, crude; rough, rude, coarse

romantisch romantic

römisch Roman

die **Rose, -n** rose; das **Rosenband, ̈er** ribbon *or* garland of roses; **rosenfarben** rose-colored, pink

das **Roß, -(ss)e** steed, horse

rot red; **röten** to redden; **rotköpfig** red-headed; **rötlich** reddish

der **Rücken, -** back, rear

die **Rückfahrt, -en** return trip *or* journey

die **Rückseite, -n** back, reverse

rückwärts backward

der **Rückweg, -e** way back, return route

der **Ruf, -e** call, shout, cry; reputation; **rufen, ie, u** to call, cry

die **Ruhe** rest, peace, calm, quiet, stillness; **ruhen** to rest; sleep; **ruhig** still, quiet, silent, tranquil, at rest, motionless; **ruhevoll** tranquil

der **Ruhm** fame, glory; reputation; **rühmlich** laudable, praiseworthy; **rühmen** to praise, extol

rühren to touch; **sich —** to touch, stir, move

das **Rund** sphere, circle; **rund** round, curved; completely, perfectly

der **Runenstein, -e** runic stone

rüsten to prepare, equip; arm, mobilize; die **Rüstung** arms, armor

die **Sache, -n** thing, matter, affair, case; **bei der — sein** to be engaged *or* involved; **sachlich** objective

der **Sachse, -n, -n** Saxon

sacht gentle, soft

der **Saft, ⸚e** juice, liquid

die **Sage, -n** saga, legend

sagen to say, tell

die **Saite, -n** string (instrument)

der **Same(n), -(n)s, -(n)** seed; germ

die **Sammelhandschrift, -en** collective manuscript

samt together with; **sämtlich** all

sanft soft, gentle; tender; bland, mild; die **Sanftmut** gentleness, meekness

der **Sang, ⸚e** (*poet.*) song, singing

der **Sängerkrieg, -e** singing competition

satt satisfied; satiated, full; **eine Sache — bekommen** to become fed up with a thing; **sättigen** to satisfy, satiate

das **Satzzeichen, -** punctuation mark

die **Sau, ⸚e** sow

sauber clean, neat, tidy

sauer sour, acid; hard; bitter

saugen, o, o (*also wk.*) to suck

der **Schaden, ⸚** damage, loss, harm, hurt, injury; **— tun (— bringen)** to prejudice, damage; **schaden** to damage, hurt

das **Schaf, -e** sheep; der **Schäfer, -** shepherd

schaffen to bring, get; do, make; accomplish; **—, u, a** to create, cause, produce

der **Schaft, ⸚e** shaft, trunk

die **Schale, -n** dish, bowl, basin; vessel

der **Schall, ⸚e** sound, noise; **schallen** to ring

schalten to rule; connect; **— und walten** to dispose of, do as one likes

die **Scham** shame, modesty; die

Schamlosigkeit shamelessness; **sich schämen** to be ashamed

die **Schande, -n** shame, disgrace

der **Schatten, -** shade, shadow; **schattig** shady

der **Schatz, ⸚e** treasure, wealth; sweetheart, darling; **schätzen** to value, appraise, estimate, esteem; reckon

schaudern to shudder, feel dread; **es schaudert mich** I shudder

schauen to look, see, gaze; explore; das **Schauspiel, -e** play, drama, show; spectacle, sight, scene

der **Schauer, -** shower; thrill, shudder; awe, terror; **schauerlich** terrible, horrible; ghastly; **schauervoll** dreadful, awful

die **Scheibe, -n** pane

scheiden, ie, ie (ist *or* hat) to separate, divorce

der **Schein, -e** shine, gleam; **scheinen, ie, ie** to seem, appear; shine on

die **Schelle, -n** bell

der **Schelm, -e** rogue, rascal, scoundrel; thief

schelten, a, o, i to blame, reproach, scold

schenken to present, give

der **Scherenschnitt, -e** silhouette

der **Scherz, -e** joke; **scherzen** to joke

scheu timid, shy; **scheuen** to shun, shrink from; **sich —** to be afraid of

schicken to send; **sich —** to prepare, get ready

schieben, o, o to shove, push

schief crooked; sloping, slanting

schießen, o, o to shoot; hurl; flash

der **Schiffbruch, ⸚e** shipwreck

der **Schild, -e** shield

schildern to describe; die **Schilderung, -en** description

der **Schimmer** shine, shimmer, glimmer, gleam; **schimmern** to glisten, gleam, shine

der **Schinken, -** ham

schirmen to screen, protect, defend

die **Schlacht, -en** battle; das
   Schlachtfeld, -er battlefield;
   schlachten to slaughter
der **Schlaf** sleep, slumber; **schlafen,**
   ie, a, ä to sleep
die **Schläfe, -n** temple, brow
der **Schlag, ̈e** blow, punch, beat;
   strike, striking; sort, race, kind;
   das **Schlagwort, ̈er** catch-
   word, slogan; **schlagen, u, a, ä**
   to strike, beat; fight, put
die **Schlange, -n** snake, serpent
   schlank slender
   schlau sly
   schlecht bad, poor, inferior;
   schlechthin simply, merely,
   plainly
der **Schleier, -** veil
   schleifen to drag, pull, slide
   schleudern to hurl, fling
   schließen, o, o to shut, close;
   conclude
   schlimm bad, evil
das **Schloß, ̈(ss)er** castle; lock
die **Schlucht, -en** ravine, gully, can-
   yon
   schluchzen to sob
der **Schlummer** slumber, nap;
   schlummern to slumber
   schlüpfen to slip, slide
der **Schluß, ̈(ss)e** end, conclusion
der **Schlüssel, -** key
die **Schmach** insult, outrage, disgrace,
   humiliation; **schmachvoll** hu-
   miliating, disgraceful
   schmal slender; narrow
   schmecken to taste
   schmeicheln to flatter
der **Schmerz, -en** pain, ache; grief,
   sorrow; **schmerzen** to pain,
   distress, afflict, grieve; **schmerz-**
   lich painful
der **Schmetterling, -e** butterfly
   schmieden to forge, form
   sich schmiegen an to cling to
der **Schmuck** adornment; **sch-**
   mücken to adorn, embellish,
   decorate; der **Schmuckkamm,**
   ̈e ornamental comb
der **Schmutz** filth, dirt; **schmutzig**
   dirty
der **Schnee** snow; **schneeweiß**
   snowy white

die **Schneide, -n** (cutting) edge;
   schneiden, i, i to cut
   schnell quick, rapid, fast, hasty,
   swift; die **Schnelligkeit** swift-
   ness, speed; der **Schnelläufer, -**
   race runner
das **Schnupftuch, ̈er** handkerchief
   schön beautiful; die **Schönheit,**
   -en beauty
   schonen to spare
der **Schöpfer, -** creator, author, orig-
   inator; **schöpferisch** creative;
   die **Schöpfung, -en** creation
der **Schoß, ̈e** lap, (*fig.*) bosom
die **Schranke, -n** barrier; boundary,
   bound
der **Schreck(en), -(en)** terror, fright;
   schrecken to frighten, terrify;
   schrecklich terrible, frightful,
   awful
der **Schrei, -e** cry, scream; **schreien,**
   ie, ie to cry, scream
das **Schreiben, -** writing, letter, note;
   schreiben, ie, ie to write; der
   Schreiber, - scribe
der **Schrein, -e** chest; coffin; shrine
   schreiten, i, i (ist) to stride, step
die **Schrift, -en** writing; letter; paper; script; text; **schriftlich**
   written, in writing
   schrill shrill
der **Schritt, -e** step, pace, stride
   schroff harsh, rough, uncouth
der **Schuh, -e** shoe
die **Schuld, -en** guilt, debt; **schuldig**
   guilty; **— sein** to owe; **schuld-**
   los guiltless
die **Schule, -n** school; der **Schüler, -**
   pupil, disciple, student
die **Schulter, -n** shoulder
der **Schuß, ̈(ss)e** shot; charge; cast
die **Schüssel, -n** dish, bowl
   schütteln to shake, jolt
   schütten to shed, empty
der **Schutz** protection; **in — nehmen**
   to defend
der **Schwabe, -n, -n** Swabian
   schwach weak; die **Schwäche,**
   -n weakness
die **Schwalbe, -n** swallow
der **Schwan, ̈e** swan
der **Schwang = der Schwung**
   schwanken to deviate, waver

schwarz black

schweben to hover, float, be suspended, soar

der **Schwede, -n, -n** Swede; **schwedisch** Swedish

das **Schweigen** silence; **schweigen, ie, ie** to be still, keep or become silent

das **Schwein, -e** pig

der **Schweiß** sweat

schwellen, o, o, i (ist) to swell, rise, increase

schwenken to wave, swing, brandish

schwer heavy; difficult, hard; grievous, serious; severe; **schwerfällig** clumsy, awkward, heavy, slow; **schwermütig** dejected, sad, melancholy

das **Schwert, -er** sword

die **Schwester, -n** sister

schwierig difficult, hard, tough; rebellious; die **Schwierigkeit, -en** difficulty

schwinden, a, u (ist) to disappear, become less; vanish; go out

schwingen, a, u (hat or **ist)** to swing, oscillate, vibrate

schwören, u, o to swear

schwül sultry

der **Schwung, -̈e** swinging, oscillation

die **Seele, -n** soul, psyche; mind; heart; **(bei) meiner Seel'!** goodness! upon my soul! **seelisch** psychic(al); die **Seelenruhe** peace of mind; **seelenruhig** at peace with oneself

das **Segel, -** sail

segnen to bless

sehen, a, e, ie to see, look

sich sehnen to yearn, long; die **Sehnsucht, -̈e** yearning, longing; **sehnsüchtig** longing, yearning

sehr very, much; sorely

die **Seide** silk; **seiden** silk, silken; **seidig** silky

das **Sein** being, existence, essence; **sein, war, gewesen, ist (ist)** to be; **mir ist** it seems to me; I feel

seinerseits on his side, for his part

seinesgleichen of his kind, such as he, his equals

seitdem since

die **Seite, -n** side, page; **nach allen -n** in all directions; **seitwärts** aside, sideways, laterally; der **Seitenweg, -e** side road

seither since then, from that time, up to now

die **Sekunde, -n** second

selber oneself, himself, herself, etc.

selbst oneself, myself, himself, etc; even; **selbständig** independent; **selbstvergessen** unconscious, absent-minded

selbsten = selbst

selig blessed, happy, blissful

seltsam strange, unusual, odd

senden, a, a to send; — (wk.) to broadcast, transmit

senken to lower

der **Sessel, -** seat, armchair

setzen to set, put, place; compose; grant; suppose; **sich —** to sit down

seufzen to sigh; der **Seufzer, -** sigh

sicher safe, secure, sure; certain; die **Sicherheit** security, safety, self-confidence

die **Sicht** sight, view; **sichtbar** visible

der **Sieg, -e** victory, triumph; **siegen** to conquer, be victorious; der **Sieger, -** victor

silbern silver, of silver; **silberweiß** silvery white

singen, a, u to sing

sinken, a, u (ist) to sink

der **Sinn, -e** sense, feeling; mind; disposition; **in seinem —(e)** to himself; das **Sinnbild, -er** symbol; das **Sinngedicht, -e** epigram; **sinnen, a, o** to meditate, speculate

die **Sitte, -n** custom, habit; (pl.) manners, morals

der **Sitz, -e** sitting, seat; residence, domicile; place, spot; **sitzen, a, e** to sit; die **Sitzgelegenheit, -en** place to sit down, chair; die **Sitzung, -en** sitting, session, meeting die **Skizze, -en** sketch

der **Sklave, -n, -n** slave

    so thus, in such a way; **sobald** as soon as; **soeben** just, just now; **sofort** immediately; **sogleich** right away, immediately; **solange** as long as

der **Sohn, ⸚e** son

der **Soldat, -en, -en** soldier

    sollen to be obliged to, supposed to, ought to, be said to, claim to; **was sollte ihm das?** what was that to him?

der **Sommer, -** summer

    sonach then, consequently, accordingly

    sonderbar strange, odd, curious, peculiar; special

    sondern to separate; (conj.) but, rather, instead, on the contrary

das **Sonett, -e** sonnet

die **Sonne, -n** sun; der **Sonnenaufgang, ⸚e** sunrise; der **Sonnenuntergang, ⸚e (Sonnenniedergang)** sunset; der **Sonnenschein** sunshine; **sonnen** to sun

der **Sonntag, -e** Sunday

    sonst otherwise, formerly, usually; else; other; **sonstig** former

die **Sorge, -n** sorrow, care, trouble; die **Sorgfalt** care, solicitude

    soweit so far; as far as

    sozial social

    (sich) spannen to span, be suspended; die **Spannung, -en** tension, suspense

    sparen to save

der **Spaß, ⸚e** jest, joke; fun, amusement

    spät late

der **Spaziergang, ⸚e** walk

der **Speck, -e** bacon

der **Speer, -e** spear

die **Speise, -n** food

der **Sperling, -e** sparrow

    sperren to bar, block, blockade, barricade

die **Sphäre, -n** sphere

der **Spiegel, -** mirror; **sich spiegeln** to be reflected, be revealed; das **Spiegelbild, -er** reflection

das **Spiel, -e** play, game, playing;

    spielen to play; der **Spielmann, (-leute)** minstrel, troubadour, gleeman

der **Spieß, -e** spear, lance, javelin

die **Spinne, -n** spider

    spitz pointed; die **Spitze, -n** top, point, peak; head; **spitzig** sharp, pointed, spired

der **Spitzbube, -n, -n** rascal, swindler, thief

der **Spott** mockery, scorn, ridicule

die **Sprache, -n** language, tongue, speech; **sprachlos** speechless

    sprechen, a, o, i to speak; die **Sprechweise, -n** way or manner of speaking

    sprengen to burst

    springen, a, u (ist) to leap, jump; run

der **Spruch, ⸚e** sentence, decree; aphorism, epigram; die **Spruchdichtung, -en** epigrammatic poetry

der **Sprung, ⸚e** leap, bound, jump

    spucken to spit

die **Spur, -en** trace, sign; **spüren** to perceive, feel, detect, notice, trace, experience; **spurlos** without a trace

das **Stadion (Stadien)** stadium, arena

das **Stadium (Stadien)** phase, state, stage (of development)

die **Stadt, ⸚e** city

die **Staffel, -n** step, stage

der **Stahl, ⸚e** or **-e** steel

    stahn = stehen

der **Stamm, ⸚e** stem, trunk; tribe

der **Stand, ⸚e** class, status; estate; die **Standesdichtung** literature of a social class; der **Standpunkt, -e** viewpoint, point of view, standpoint

die **Stange, -n** pole

    stark strong; die **Stärke, -n** strength

    starr rigid, stiff, inflexible; fixedly

    statt instead of

die **Stätte, -n** place, abode

der **Staub** dust

das **Staunen** astonishment

    stechen, a, o, i to prick, sting, stab, pierce; bite

    stecken to stick, put, place; be

    stehen, a, a to stand; **es steht um**

ihn he feels, it is with him;
stehenbleiben, ie, ie (ist) to stop
stehlen, a, o, ie to steal
steif stiff
der **Steig, -e** (foot)path; **steigen, ie, ie (ist)** to climb, mount, ascend, rise
steigern to increase, enhance, augment; intensify
der **Stein, -e** stone
die **Stelle, -n** place, spot; **auf der —** on the spot, immediately; **stellen** to put, place, set, lay; assign; post, station; **sich —** to place oneself, stand; die **Stellung, -en** position, trench; **stellungslos** unemployed
sterben, a, o, i (ist) to die
der **Stern, -e** star
stetig constant, continual; **stets** always, steadily, regularly, constantly
der **Stich, -e** prick, sting, stab, sharp point; engraving
stieben, o, o to fly (like dust)
die **Stiege, -n** stairs, steps
der **Stil, -e** style, manner; **stilisiert** stylized, conventional, conventionalized
still quiet, peaceful, still, silent, hushed; die **Stille** stillness, silence; **stillschweigend** silent, tacit, implied; **stillstehen, a, a** to stop, stand still; **stillen** to still, appease, soothe
die **Stimme, -n** voice; **stimmen** to tune; dispose, incline; be correct or all right, be in keeping with
stinken, a, u to stink
die **Stirn(e), -(e)n** forehead; impudence, cheek; frown
der **Stock, ̈e** stick, cane
stocken to stop, falter, hesitate
stockstill still as a mouse
der **Stoff, -e** material, stuff, fabric
stolz proud
stoßen, ie, o, ö (hat or ist) to push, shove, thrust; **stoßweise** by fits and starts
die **Strafe, -n** punishment, penalty
der **Strahl, -en** ray, beam, flash
der **Strand, ̈e** seashore, beach, strand;

stranden to be stranded or shipwrecked
die **Straße, -n** street, road
streben to strive
die **Strecke, -n** stretch; **(sich) strecken** to stretch
der **Streich, -e** stroke, strike, blow; **streichen, i, i** to strike
streifen to streak, stripe, graze, touch on
der **Streit, -e** struggle, quarrel, dispute; **streiten, i, i** to struggle, quarrel, dispute
streng strict, severe
das **Stroh** straw
der **Strom, ̈e** stream, current, river; **strömen** to stream, flow, pour; die **Strömung, -en** current, movement, tendency; **stromweis(e)** in torrents
die **Strophe, -n** stanza, verse
die **Stube, -n** room, sitting room
das **Stück, -e** piece; play
studieren to study; das **Studierzimmer, -** study room
die **Stufe, -n** step, stair
der **Stuhl, ̈e** chair
stumm mute, dumb, silent
die **Stunde, -n** hour; class
der **Sturm, ̈e** storm; der **Sturmwind, -e** gale; der **Sturm und Drang** Storm and Stress (literary movement in Germany during the eighteenth century)
stürzen to throw, hurl; **— (ist)** to plunge, rush, fall upon, fall
stützen to support, hold
stutzig startled, taken aback
subtil subtle
suchen to seek, search, try, look for
die **Sühne, -n** atonement, expiation
summen to hum, buzz
die **Sünde, -n** sin; **sündig** sinful, wicked
surrealistisch surrealistic
süß sweet, dear
die **Szene, -n** scene

der **Tadel** blame, censure; **tadellos** faultless, perfect
der **Tag, -e** day; assembly; holiday;

der **Tagesanbruch, ⸚e** day-break; **täglich** daily

das **Tal, ⸚er** valley

die **Tante, -n** aunt

der **Tanz, ⸚e** dance; **tanzen** to dance

die **Tapferkeit** courage, bravery

die **Tasche, -n** pocket; das **Taschentuch, ⸚er** handkerchief

die **Tasse, -n** cup

die **Tat, -en** deed; die **Tätigkeit** activity; **tatkräftig** energetic

der **Tau** dew

der **Taugenichts, -e** good-for-nothing, ne'er-do-well

tausend thousand; das **Tausend, -e** thousand; **tausendmal** a thousand times

die **Technik** technology, applied science; **technisch** technical

der **Tee, -s** tea; das **Teebrett, -er** tea tray

der **Teil, -e** part, share; **teilen** to separate, divide, share; **teilhaftig werden** to partake of, share in; **teilnahmslos** listless, indifferent, without interest; **teilnehmen** to participate, take part; der **Teilnehmer, -** participant; die **Teilung, -en** division, distribution

der **Teller, -** plate

die **Tendenz, -en** tendency, inclination

teuer dear, expensive; beloved, cherished

der **Teufel, -** devil

das **Thema (-s, Themen,** *or* **Themata)** theme, topic

theologisch theological

theoretisch theoretical

die **These, -n** thesis, proposition

der **Thron, -e** throne; **thronen** to reign

tief deep, profound; die **Tiefe, -n** depth, profundity; **tiefsinnig** pensive, thoughtful; serious; melancholic

das **Tier, -e** animal; **tierisch** animal-like, bestial, beastly

der **Tisch, -e** table

der **Titel, -** title; das **Titelblatt, ⸚er** title page; das **Titelkupfer, -** frontispiece

toben to fume, rage, storm

die **Tochter, ⸚** daughter

der **Tod, -esfälle** death; das **Todesurteil, -e** death sentence; die **Todeswunde, -n** mortal wound; **todwund** mortally wounded

toll mad; die **Tollheit, -en** folly

der **Ton, ⸚e** tone, note; sound; **tönen** to sound, resound, ring

das **Tor, -e** gate

der **Tor, -en, -en** fool

tot dead; **töten** to kill

träge lazy, sluggish

tragen, u, a, ä to wear; carry, bear

tragisch tragic

die **Träne, -n** tear

der **Trank, ⸚e** drink, potion

die **Traube, -n** grape

die **Trauer** grief, affliction, mourning; **trauern** to mourn, grieve; **traurig** sad, melancholy; miserable

traulich familiar, intimate; confidential; cosy

der **Traum, ⸚e** dream; **träumen** to dream; **es träumt mir** I dream

treffen, a, o, i to hit, strike; meet, come together; das **Treffen, -** meeting, encounter; der **Treffpunkt, -e** rendezvous, meeting place

treiben, ie, ie to drive, push, impel; carry on, do; — **(ist)** to drift, float

trennen to separate

treten, a, e, i (ist *or* **hat)** to step, tread

treu faithful, true, sincere, loyal; die **Treue** loyalty, faithfulness, fidelity; der **Treubruch, ⸚e** breach of faith; **treugesinnt** loyal

der **Trieb, -e** drive, impulse; inclination

trinken, a, u to drink

der **Tritt, -e** step, pace; kick

triumphieren to triumph

trocken dry

die **Trommel, -n** drum

der **Tropfen, -** drop

der **Trost** consolation, comfort, cheer; **tröstlich** consoling, comforting

der **Trotz** defiance, spite; **trotzdem** in spite of that; **trotzig** spiteful, defiant

trüb muddy, dark, turbid; cloudy; sad, gloomy; **(sich) trüben** to cloud, become sad; **trübselig** troubled, sad, doleful, mournful

der **Trug** deceit, deception, fraud

die **Trümmer** (*pl.*) wreckage, ruins, pieces

das **Tuch, ¨er** cloth; stuff; kerchief

tüchtig capable, efficient; die **Tüchtigkeit** ability; efficiency, proficiency

die **Tugend, -en** virtue; **tugendhaft** virtuous; die **Tugendhaftigkeit** respectability, goodness, righteousness

tun, a, a to do, make; act; **was tut es?** what does it matter?

die **Tür, -en** door; die **Türschwelle, -n** threshold

der **Turm, ¨e** tower

die **Tuschzeichnung, -en** water color drawing, drawing in India ink

übel evil; sick, ill

üben to practice, train, exercise

über over, above; concerning; **über . . . hinaus** beyond

überall everywhere

überbringen, a, a to deliver, bear

der **Überbringer, -** bearer

überdies in addition to this, besides, moreover

übereinstimmen to agree, concur, harmonize with, coincide

überfahren, u, a, ä to run over

überfallen, ie, a, ä to attack, surprise, overtake; der **Überfall, ¨e** surprise attack, raid

überfließen, o, o (ist) to flow over, overflow, inundate

überführen to transfer, convey

überfüllen to overfill, crowd, surfeit

der **Übergang, ¨e** transition; die **Übergangsstufe, -n** step *or* degree of transition

übergeben, a, e, i to hand over

überhäufen to overload, overwhelm

überhaupt in general, altogether; **— nicht** not at all **— nichts** nothing at all

überholen to overtake, outdistance

überlassen, ie, a, ä to leave to, grant; **sich —** to surrender oneself to

überlegen to reflect on, ponder over; die **Überlegung, -en** consideration, reflection

die **Überlistung** outwitting, deception

die **Übermacht** superiority

das **Übermaß** excess, abundance

der **Übermensch, -en, -en** superman, demigod

übermorgen day after tomorrow

der **Übermut** high spirits, exuberance; arrogance; **übermütig** spirited, playful; saucy, arrogant, presumptuous

überragen to tower above

überraschen to surprise, startle

überschreiben, ie, ie to superscribe, entitle

die **Überschrift, -en** heading, title

übersetzen to translate; set across; die **Übersetzung, -en** translation

überströmen to inundate, deluge

übertragen, u, a, ä to translate, transcribe

übertreiben, ie, ie to exaggerate, overdo

überwachen to watch over, superintend

überwinden, a, u to overcome, conquer

überzeugen to convince; die **Überzeugung, -en** conviction

übrig remaining, left

übrigens by the way

die **Uhr, -en** clock

um . . . her around about

umarmen to embrace

umeinander around each other

umfallen, ie, a, ä (ist) to fall down, tumble

umfangen, i, a, ä to enclose, embrace, encircle, surround

umfassen to embrace, enclose, comprise

umgeben, a, e, i to surround, encircle; **umgebend** surrounding

umher about, around

umherblicken to glance *or* look about *or* around

umherlaufen, ie, au, äu (ist) to run about

umherstehen, a, a = herumstehen (ist) to stand about *or* around

umirren (ist) to wander about

umkehren (ist) to turn back *or* around

umkreisen to circle

umliegend neighboring

umreißen, i, i to outline, sketch

umsausen to whistle about; sigh

sich umschauen to look around

umschlagen, u, a, ä to turn over

umschließen, o, o to clasp, embrace

umschweifen (ist) to roam about

sich umsehen, a, e, ie to look around

umsonst in vain, to no purpose; gratis, free of charge

umspinnen, a, o to entwine, entangle

der **Umstand, ̈e** circumstance, situation; (*pl.*) fuss, bother; **unter Umständen** in certain cases

umstellen to surround

die **Umwelt** surroundings, environment

unabhängig independent

unähnlich dissimilar

unangenehm unpleasant

unaufhörlich unceasing, incessant, continuous

unbedingt unconditional, unqualified

unbegreiflich inconceivable, incredible

unbekannt unknown, unfamiliar

unbestechlich incorruptible

undankbar ungrateful, thankless

unendlich infinite, endless; immense

unerklärt inexplicable

der **Ungehorsam** disobedience, insubordination

ungeschehen undone

ungeschickt awkward, clumsy, inept

ungestüm furious, violent

ungewöhnlich unusual

die **Ungleichheit, -en** inequality, disparity

das **Unglück, -sfälle** misfortune, distress, misery, adversity; accident; **unglücklich** unhappy, unfortunate; **unglückselig** wretched, miserable

die **Ungnade** disgrace, displeasure

unheimlich uncanny; sinister; weird

unmäßig intemperate, excessive; enormous

unmöglich impossible

das **Unrecht** wrong, injustice

unrein unclean, dirty, impure

die **Unruhe, -en** unrest; **unruhig** restless, agitated

unsäglich unspeakable; immense

unsauber unclean

unschlüssig undecided

unschuldig innocent

unsichtbar invisible

unsterblich immortal

unstet unsteady, restless

unten below, beneath, at the bottom

unter under, among

unterbrechen, a, o, i to interrupt; die **Unterbrechung, -en** interruption

unterbringen, a, a to shelter, house

unterdessen meanwhile, in the meantime

unterdrücken to suppress, stifle

der **Untergang, ̈e** decline, fall, destruction

untergehen, i, a (ist) to go down; sink, be submerged

das **Unterkommen, -** shelter

unternehmen, a, o, i to undertake

die **Unterredung, -en** conference, discussion

der **Unterricht** instruction, lessons;

unterrichten to instruct, inform, acquaint with

unterscheiden, ie, ie to distinguish, discern, discriminate; der **Unterschied, -e** difference, distinction

unterschreiben, ie, ie to sign

unterstützen to support, sustain, favor; die **Unterstützung, -en** support

untersuchen to investigate; die **Untersuchung, -en** investigation

unterwegs on the way, under way

unterweisen, ie, ie to instruct, teach; die **Unterweisung, -en** instruction

unterwerfen, a, o, i to subdue, overcome; subject; **sich —** to submit, subject oneself; die **Unterwerfung** subjection, submission

unterzeichnen to sign

untreu faithless, disloyal; die **Untreue** faithlessness, disloyalty

ununterbrochen uninterrupted, continuous, incessant

unvergleichlich incomparable, matchless, unique

unverhofft unhoped for, unexpected

unversöhnlich irreconcilable, implacable, intransigent; die **Unversöhnlichkeit** intransigence

unverständlich unintelligible, enigmatic

unverwirrbar imperturbable

unverzeihlich unpardonable, inexcusable

unwiderstehlich irresistible

unwillig unwilling, reluctant; exasperated, angry

unwillkommen unwelcome

unwissend ignorant; die **Unwissenheit** ignorance

unwürdig unworthy

unzählig innumerable, countless

die **Unzufriedenheit** dissatisfaction

unzugänglich inaccessible

uralt very old, ancient, primeval

urkräftig most powerful, of original force

urplötzlich very sudden

die **Ursache, -n** (first) cause; motive; reason; origin

der **Vasall, -en, -en** vassal

der **Vater, ⁻** father; **väterlich** paternal

verachten to despise, scorn, disdain; die **Verachtung** scorn, contempt

verändern to change, alter, modify; die **Veränderung, -en** change, alteration

verantworten to answer for, account for

verbergen, a, o, i to hide, conceal

sich verbeugen to bow; die **Verbeugung, -en** bow

verbieten, o, o to forbid

verbinden, a, u to bind; pledge; unite; die **Verbindung, -en** connection, union

verbitten, a, e to decline; object to

verbleiben, ie, ie (ist) to remain

verblenden to blind, dazzle; delude

verblüffen to disconcert, amaze, dumbfound

verbreiten to spread; **sich —** to expand

verbrennen, a, a to burn up, consume; scorch, singe; **das Herz — ** to cut to the bone

verdammen to damn, condemn; die **Verdammnis** damnation

verdecken to cover, hide

das **Verderben** destruction, ruin; **verderben, a, o, i (hat or ist)** to spoil, ruin; perish; **verderblich** corruptible, perishable, ruinous, destructive, unfortunate

verdeutlichen to clarify, make clearer

verdienen to deserve; earn

die **Verdoppelung, -en** doubling, duplication

verdrehen to twist; roll

verdrießen, o, o to vex, annoy

verehren to honor, venerate, respect

vereinen to unite, join

vereinsamen to become isolated,

become more and more cut off from society

verengen to contract, constrict

verfallen, ie, a, ä (ist) to decay, decline, deteriorate

verfehlen to fail; miss; defeat

verfertigen to make, fabricate, manufacture

verfließen, o, o (ist) to pass, elapse

verfluchen to curse, damn; **verflucht** accursed, confounded

verfolgen to follow; pursue; persecute

verfügen to dispose, arrange, decree

verführen to seduce, lead astray

vergangen past, gone; last; die **Vergangenheit** past; die **Vergänglichkeit** transitoriness

vergeben, a, e, i to forgive

vergebens in vain, futile, fruitless; **vergeblich** vain, in vain, futile

vergegenwärtigen to represent, bring to mind; imagine, realize; **sich —** to picture to oneself

vergehen, i, a (ist) to die, pass away, expire, vanish; pass, elapse

vergelten, a, o, i to repay; die **Vergeltung** reward

vergessen, a, e, i to forget

vergiften to poison

vergleichen, i, i to compare

das **Vergnügen** pleasure, amusement, delight, enjoyment, fun

vergönnen to permit, allow, grant

vergrößern to enlarge, magnify, increase

verhaften to arrest; die **Verhaftung, -en** arrest

verhalten, ie, a, ä to keep or hold back, repress; **sich —** to relate to, have a relation to; behave; die **Verhaltensweise** manner, way of behaving, attitude

verhaßt detested, hated

verhauen to cut down

verheeren to ravage, devastate

verheimlichen to keep secret, conceal

verherrlichen to glorify

verhindern to hinder, prevent, obstruct

verhöhnen to scoff, deride, jeer

sich verirren to err, go astray

verjagen to drive out or away, expel

verjüngen rejuvenate

verkaufen to sell

verkennen, a, a to mistake, take for another, misunderstand; refuse to recognize

verklagen to accuse, sue

verkleben to stick together, glue

verkleiden to disguise, cover

verkörpern to embody, personify

verkünden to announce, proclaim

verlachen to laugh at

das **Verlangen** demand, desire; **verlangen** to demand, desire; require; claim

verlassen, ie, a, ä to leave, forsake, desert; leave behind

der **Verlauf** lapse, expiration, course

die **Verlegenheit** embarrassment

verleihen, ie, ie to give, grant, bestow or confer

verletzen to damage, injure; violate

verlieren, o, o to lose; **sich — an** to lose one's heart to

verlocken to entice, seduce, allure

die **Vermählung, -en** marriage

vermeinen to imagine, think, believe

sich vermessen, a, e, i to presume, have the audacity

der **Vermieter, -** landlord

vermissen to miss

vermittels by means of, with the help of

vermögen, o, o, a to be capable of

vermutlich supposed

verneinen to deny, contradict

vernichten to annihilate

die **Vernunft** reason

verraten, ie, a, ä to betray; der **Verräter, -** traitor; **verräterisch** treacherous, treasonable, traitorous

verrichten to do, perform

der **Vers, -e** verse, (line of) poetry

versammeln to gather, assemble; meet; die **Versammlung, -en** gathering, assembly

verschaffen to get, obtain, procure; supply

verschieden different, diverse, various; **verschiedenartig** varied, dissimilar, heterogeneous

verschießen, o, o to shoot off

verschleiern to veil, mask, conceal

verschließen, o, o to lock up, shut up; seal, block

verschlingen, a, u to swallow, devour

verschlucken to swallow

verschmähen to disdain, reject

verschwenden to waste, squander

verschwinden, a, u (ist) to disappear, vanish

versehen, a, e, ie to provide, furnish; **sich —** (*gen.*) **zu** to look to someone for something

versehren to wound, injure, damage

versetzen to reply, rejoin

versichern to assure

versinken, a, u (ist) to sink, become engulfed

die **Versöhnung, -en** reconciliation

das **Versprechen, -** promise; **versprechen, a, o, i** to promise

verspüren to feel, perceive, notice, become aware of

der **Verstand** understanding; das **Verständnis** comprehension, understanding

verstärken to strengthen, reinforce

verstehen, a, a to understand; **das versteht sich** that goes without saying

verstohlen stealthy, furtive, secret

verstört troubled, confused, agitated

verstricken to ensnare, entangle

versuchen to try, attempt; tempt; die **Versuchung, -en** temptation

verteidigen to defend

verteilen to distribute; **sich —** to separate, dissolve

die **Vertonung, -en** musical arrangement *or* setting

vertragen, u, a, ä to endure, tolerate; **sich —** be compatible, get on well together

vertrauen (auf) to trust, rely (on)

vertreten, a, e, i to represent

vertrocknen to dry up

verursachen to cause, bring about, produce

verwahren to guard, keep, secure

die **Verwandlung, -en** transformation, metamorphosis

verwandt related, kindred; der **Verwandte(r)** relative, relation; die **Verwandschaft, -en** relationship, kinship

verweben, o, o to weave into, interweave

verwehren to forbid, restrain, hinder, prevent

verweilen to tarry, linger, remain

verwenden, a, a (*also wk.*) to employ, use

verwerfen, a, o, i to spurn, reject, repudiate

verwirren to bewilder, confuse

verworren confused

verwunden to wound

verwundern to surprise, astonish

verwüsten to devastate, destroy

verzaubern to charm, enchant

verzeihen, ie, ie to pardon, forgive; die **Verzeihung** pardon

sich verziehen, o, o to disperse

verzweifelt dreadful, hopeless, desperate

vexieren to vex, tease

das **Vieh** cattle, livestock

viel much; **viele** many; **vielfach** manifold, multifarious; **vielfältig** abundant, frequent, manifold; **vielleicht** perhaps; **viellieb** very dear; **vielmehr** rather

vierbeinig four-footed

der **Vogel, ∹** bird; die **Vogelschau** auspices

der **Vokal, -e** vowel

das **Volk, ∹er** people, folk, nation; das **Volksepos** national epic; der **Volkshaufe(n), -(n)** mass of people; das **Völkerrecht, -e** international law; **volkstümlich** national, popular

voll full, complete, whole; **vollends** entirely, wholly, completely; **völlig** fully; **vollständig** complete, entire, total, whole

vollbringen, a, a to complete, execute, carry out, achieve

vollenden to complete, carry out, accomplish; consummate, perfect

vollkommen perfect, consummate, finished

sich vollziehen, o, o to consummate

von . . . aus from

vor + (*dat.*) ago

vorantragen, u, a, ä to carry ahead, to carry in advance

voraus before, in preference; ahead, in advance

voraushaben to have over, distinguish from

vorausschicken to send ahead

voraussetzen to presume, presuppose

vorbei over, past

vorbeifliegen, o, o (ist) to fly past

vorbeirasen (ist) to rush *or* speed by

vorbeiziehen, o, o (ist) to move *or* pass by

vordatieren to antedate

vordringen, a, u (ist) to push forward

voreilig rash

vorgeben, a, e, i to assert, pretend, allege

vorgehen, i, a (ist) to go on, happen, take place

vorgestern day before yesterday

vorhanden present, available, on hand

vorher before, previously; **vorhergehend** preceding, previous, prior

vorig former, preceding, last; same

vorkommen, a, o (ist) to happen, occur, take place

der **Vorläufer, -** forerunner

vorliegend present, lying in front of

vornehm distinguished, aristocratic

vornehmen, a, o, i to take up, take in hand; **sich —** to propose, make up one's mind

die **Vorrede, -n** preface, introductory speech

Vorschein: zum — kommen to appear

vorschlagen, u, a, ä to propose, suggest; der **Vorschlag, ⸚e** proposal, suggestion

vorschreiben, ie, ie to prescribe; command

vorsichtig cautious, careful

der **Vorsprung, ⸚e** start, lead, advantage

vorstellen to place before, present, represent; introduce; **sich — ** to imagine; die **Vorstellung, -en** presentation; idea, notion

der **Vorteil, -e** advantage

vortragen, u, a, ä present

vortrefflich excellent, admirable, splendid; die **Vortrefflichkeit** excellence

vortreten, a, e, i (ist) to step forward

vorüber past

vorüberfliegen, o, o (ist) to fly past

vorübergehen, i, a (ist) to go past *or* by

vorüberkommen, a, o (ist) to come *or* pass by

vorüberziehen, o, o (ist) to pass by

vorwärts forward

vorwärtskommen, a, o (ist) to progress, advance

der **Vorwurf, ⸚e** reproach

der **Vorzug, ⸚e** preference; **vorzüglich** superior, first-rate, excellent, remarkable

die **Waage, -n** balance, scales; die **Waagschale, -n** pan of the scales

wach awake, alive, alert; die **Wache, -n** guard, watch; der **Wächter, -** guard

das **Wachs, -e** wax

wachsen, u, a, ä (ist) to grow; das **Wachstum** growth, increase

wacker bravely; well

die **Waffe, -n** weapon

der **Wagen, -** wagon; car

wagen to dare; **sich —** to dare; venture upon *or* into

die **Wahl, -en** choice; election; **wählen** to choose, elect; die **Wahlverwandtschaft, -en** elective affinity

der **Wahn** illusion, delusion; error; fancy; madness; der **Wahnsinn** madness, insanity; **wahnsinnig** mad, insane; **wähnen** to think, believe, suppose, fancy

wahr true; die **Wahrheit, -en** truth; **wahrhaft(ig)** truly, really; indeed; **wahrlich** truly, surely, indeed; **wahrscheinlich** probable

während while; during

der **Wald, ⸚er** forest

wallen to flow, wave, undulate; bubble, seethe

der **Walnußbaum, ⸚e** walnut tree

walten to rule, govern; **Gott walte!** may God grant!

sich wälzen to roll

die **Wand, ⸚e** wall

wandeln to change

wandern (ist) to wander, travel, journey; der **Wanderer, -** wanderer

die **Wange, -n** cheek

wanken to waver, stagger

ward (*poet.*) = **wurde**

die **Ware, -n** ware, goods

warm warm; die **Wärme** warmth

warten to wait

warum why

was what, why; whoever; **was** (*coll.*) = **etwas** something, anything; **was für (ein)** what kind of, whatever; **was . . . auch** whatever

die **Wäsche, -n** wash, washing, linen

das **Wasser, -** water, flood; die **Wasserflut, -en** *or* die **Wassermasse, -n** mass of water

weben to weave, entwine; move, be active; der **Weber, -** weaver

der **Wechsel, -** change; **wechseln** to change, exchange, vary, alternate

weder . . . noch neither . . . nor

der **Weg, -e** way, road, path; **sich auf den — machen** to set out; **weg** away; der **Weggang**

going away, departure; **seiner Wege gehen** to go his way, go about his business

wegen on account of, because of

wegfliegen, o, o (ist) to fly away

weggeben, a, e, i to give away

weggehen, i, a (ist) to go away

weglaufen, ie, au, äu (ist) to run away

wegreißen, i, i to snatch away

wegspringen, a, u (ist) to jump away

das **Weh** woe, misery, calamity; pain, ache; **o weh!** alas! woe! oh dear! **wehklagen** to lament, mourn; bewail; die **Wehmut** sadness, melancholy; **wehmütig** sad, melancholy; **weh tun** to hurt

wehen to blow; flutter, wave

die **Wehr, -en** arm, weapon; defense, bulwark; **wehrlos** defenseless; **wehren** to prevent, ward off; restrain, stop; forbid; **sich —** to resist, defend oneself

das **Weib, -er** woman; wife; **weiblich** feminine, womanly

weich soft, yielding, tender; gentle, mild

weichen, i, i (ist) to yield, withdraw, retreat

weihen to consecrate, dedicate; sanctify, bless

der **Weiher, -** (fish)pond

weil because

die **Weile** (a) while; **über eine —** in a little while; **weilen** to linger, stay

weilen = weil

der **Wein, -e** wine

weinen to weep, cry

weis(e) wise, prudent; der **Weise(r)** wise man, sage; die **Weisheit** wisdom

die **Weise, -n** manner, way; melody, tune; **auf diese** *or* **in dieser —** in this way; **auf alle** *or* **jede —, in aller** *or* **jeder —** in every way

weisen, ie, ie to direct, show, point out to; turn away; die **Weisung, -en** direction

weiß white

weit far, wide; **weithin** far off,

in the distance; **von weitem** from afar

weiter farther, further; on; **weiterhin** moreover

weitergehen, i, a (ist) to go on, continue

weiterspielen to play on, continue to play

weitersprechen, a, o, i to talk on, continue to speak

welk withered; **welken** to wilt, wither

die **Welle, -n** wave

die **Welt, -en** world; das **Weltbild** view of life, theory of life; der **Weltgeist** spirit of the age; **weltlich** worldly, secular

wenden, a, a (*also wk.*) to turn, turn away; **sich —** to turn; die **Wendung, -en** turn, phrase

wenig little; slightly; **ein —** a little (bit); **wenige** few; **weniger** less; **nichts — als** anything but; **um so —** all the less; **um ein weniges** by a little; **wenigstens** at least

wenn when(ever), if; **— auch, wenngleich** even if

werben, a, o, i to woo, court

werden, u, o, i (ist) to become; **es wird mir** I feel

werfen, a, o, i to throw, cast

das **Werk, -e** work; das **Werkzeug, -e** tool, instrument

wert worthy; der **Wert, -e** worth, value

das **Wesen, -** being, creature; system; nature, character; die **Wesenheit** spirit, essence, substance; **wesen-los** unsubstantial, unreal, shadowy

weshalb why; for which *or* what reason

die **Weste, -n** vest, waistcoat

der **West-Östliche Diwan** The West-Eastern Divan

die **Wette, -n** bet, wager; **wetten** to bet, wager

das **Wetter, -** weather

wichtig important

wider against, in opposition to

widerfahren, u, a, ä to befall, happen to

der **Widerhall, -e** echo

der **Widerspruch, ̈-e** contradiction

widerstehen, a, a to resist

wie how, as, like; as if; **wieso** why, but why; **wiewohl** although

wieder again; **wiederum** again, anew

wiederfassen to seize again, to apprehend once more

wiederfordern to demand the return of, recall

wiedergeben, a, e, i to give back, return

wiederholen to repeat

wiederkommen, a, o (ist) to come back, return; reappear

wiedersehen, a, e, ie to see again

die **Wiege, -n** cradle; **wiegen** to rock, move gently; **—, o, o** to weigh; das **Wiegenlied, -er** cradle song, lullaby

die **Wiese, -n** meadow

das **Wild** game; wild animals; **wild** wild, savage

der **Wille, -ns, -n** will, determination; **um . . . willen** for the sake of; **um dessentwillen** for whose sake, on account of which

das **Willkommen, -** welcome; **willkommen** welcome

die **Wimper, -n** eyelash

der **Wind, -e** wind

winden, a, u to wind, coil, twist

der **Winkel, -** angle, corner, nook

winken to signal, nod, beckon

der **Wipfel, -** (tree)top

wirbeln to whirl

wirken to effect, work, bring up, bring about, produce; operate; weave; die **Wirkung, -en** effect; action, force

wirklich real, actual; die **Wirklichkeit** reality

wischen to wipe, rub

wissen, u, u, ei to know; die **Wissenschaft, -en** science; **wissenschaftlich** scientific

die **Witwe, -n** widow

wobei while, during which, whereby, in such a way

wodurch through what *or* which, by what, because of what

wogen to surge, undulate
woher from where, whence
wohin where to, whither; somewhere
wohl well, all right, certainly, probably, safely, no doubt, to be sure, perhaps; **wohlbekannt** well known; **wohlfeil** cheap; **wohlig** cheerful, content; nice; comfortable; **wohlmeinend** well-meaning; die **Wohltat, -en** benefit, blessing, kindness, good deed; der **Wohltäter, -** benefactor; **wohltun, a, a** to benefit, give pleasure
wohnen to reside, dwell, live; das **Wohnhaus, ̈er** dwelling; die **Wohnstätte, -n** place of residence, dwelling place, home; die **Wohnung, -en** apartment, flat, dwelling; das **Wohnzimmer, -** living room
sich **wölben** to vault, arch
der **Wolf, ̈e** wolf
die **Wolke, -n** cloud; sich **wölken** to become overcast, cloud over
wollen to want, claim to, intend, be about to, be on the point of; **sagen —** to mean
womit with that, with which
womöglich if possible
die **Wonne, -n** rapture, ecstasy; bliss; **wonniglich** delightful; delicious; blissful
worauf whereupon
das **Wort, -e** or **̈er** word; phrase; das **Wörterbuch, ̈er** dictionary
wozu why, for what purpose; to which, for what
wund sore, wounded; die **Wunde, -n** wound
das **Wunder, -** wonder, miracle, marvel; **es nimmt mich wunder** I wonder; **wunderbar** wonderful; das **Wunderding, -e** wonder, marvel; **wunderlich** odd, strange, eccentric, peculiar; **wunderschön** wondrously beautiful, exquisite; **wundervoll** wonderful, wondrous, marvelous
der **Wunsch, ̈e** wish, desire; **wünschen** to wish
die **Würde, -n** dignity; **würdig** worthy, dignified; **würdigen** to value, appreciate
der **Wurf, ̈e** throw, cast
der **Wurm, ̈er** (*poet.* **Würme**) worm
die **Wurzel, -n** root
die **Wut** rage; **wüten** to rage, be furious; **wütend** furious, raging

zag = zaghaft fainthearted, scared
die **Zahl, -en** number
zählen to count
der **Zahn, ̈e** tooth; das **Zahnweh** toothache
zart tender, delicate, soft, frail, fragile; **zärtlich** tender, affectionate, loving, soft, sensitive; die **Zärtlichkeit, -en** tenderness, caress, affection
der **Zauber, -** spell, charm; magic, enchantment; **Der Zauberberg** *The Magic Mountain*
zaudern to hesitate, delay
die **Zehe, -n** toe
das **Zeichen, -** sign, signal; token, call sign
die **Zeichnung, -en** drawing, sketch
zeigen to show, point; **sich —** to declare oneself; show oneself; der **Zeiger, -** pointer, hand (clock)
die **Zeile, -n** line
die **Zeit, -en** time, period; **diese — über** the whole time; **für längere —** for some time; **seit längerer —** for a long time; der **Zeitabschnitt** period of time; der **Zeitgenosse, -n, -n** contemporary; **zeitgenössisch** contemporary; **eine Zeitlang** a while, for a time; **zeitlos** timeless; der **Zeitpunkt, -e** moment; die **Zeitschrift, -en** magazine; die **Zeitspanne** period of time; die **Zeitung, -en** newspaper; **zeit seines Lebens** during his whole life
zerbrechen, a, o, i to break in pieces *or* asunder
zerfallen, ie, a, ä (ist) to crumble, fall to pieces

zergehen, i, a (ist) to melt, dissolve

zerraufen to pull out, tear

zerreißen, i, i to tear to pieces; split, break

zerrinnen, a, o (ist) to melt, dissolve

zerschlagen, u, a, ä to batter; dash to pieces; destroy

zerspringen, a, u (ist) to burst

zerstören to destroy

das **Zeug, -e** stuff, material, cloth, fabric

der **Zeuge, -n, -n** witness

zeugen to produce, procreate, beget; die **Zeugung** generation, procreation, reproduction

die **Ziege, -n** goat

ziehen, o, o to draw, pull; rear; strip; — **(ist)** to move, go

das **Ziel, -e** goal, target

das **Zimmer, -** room

zittern to tremble, shiver; shake, vibrate

der **Zorn** anger; **zornig** angry

zu closed

die **Zucht, -en** breeding; propriety; discipline

zucken to shrug; jerk, wince, move convulsively, twitch; flash

zudenken, a, a to intend for

zueignen to claim, appropriate

zueilen (ist) to hasten toward

zuerst first, at first

zufachen to fan, blow on

der **Zufall, ⁻e** coincidence; **zufallen, ie, a, ä (ist)** to close; **Augenlider —** to fall asleep

zufolge in accordance with, in consequence of

zufrieden satisfied, content

der **Zug, ⁻e** train; procession; feature

zugeben, a, e, i to admit, grant; add, give to

zugehen, i, a (ist) to go to, move toward; — **auf** to go up to, approach

zugetan attached *or* devoted to

zugleich at the same time, together

zugrundegehen, i, a (ist) to die

zugutekommen, a, o (ist) to be for the benefit of

zuhören to listen to; hear; der **Zuhörer, -** listener

zukommen, a, o (ist) to come up to, come to hand; belong to

zuletzt finally; ultimately

zulispeln to whisper to

zumute in mood, in spirit

zumuten to demand from; expect from

zunächst next, first of all, chiefly

die **Zunge, -n** tongue

zunichte machen to ruin; frustrate

zurecht right, in (good) order, in the right place

zurechtbringen, a, a to bring in the right place

sich **zurechtfinden, a, u** to find one's way

das **Zureden** persuasion; **zureden** to advise, exhort

Zür(i)cher of Zurich

zürnen to be irritated, be angry

zurück back

zurückfahren, u, a, ä (ist) to recoil; drive back, return

zurückgleiten, i, i (ist) to slip back *or* down

zurückkehren (ist) to return; die **Zurückkunft** return

zurücklassen, ie, a, ä to leave behind

zurücknehmen, a, o, i to take back, revoke, retract, withdraw

zurückscheuchen to scare *or* frighten back *or* away

zurückspringen, a, u (ist) to jump back

zurücktreten, a, e, i (ist) to step back

zurückweisen, ie, ie to reject, refuse

zurückwerfen, a, o, i to throw back

zurückziehen, o, o to draw back, withdraw; sich **—** to retire, withdraw

zurufen, ie, u to call to

zusammen together

zusammenbrechen, a, o, i (ist) to collapse

die **Zusammenfassung, -en** summary, synopsis

zusammenhalten, ie, a, ä to hold together

der **Zusammenklang** harmony

zusammenkommen, a, o (ist) to come together; meet; assemble

zusammenmachen to put together

zusammenpacken to pack up

zusammenraffen to pull together

zusammenschlagen, u, a, ä to smash up

zusammenstürzen (ist) to collapse

zusammentreten, a, e, i (ist) to join

zusammenziehen, o, o to tighten, contract

der **Zuschauer, -** spectator

zuschicken to send on, forward

zuschließen, o, o to lock *or* shut up, close

zuschreiten, i, i (ist) to step toward *or* up to; walk briskly

zusehen, a, e, ie to see to (it); look on

zusprechen, a, o, i to grant

zustandekommen, a, o (ist) to come about

zuteilen to assign, allot, distribute

zutraulich familiar, friendly

zutreten, a, e, i (ist) to trample down; come up to

zuvor before, previously, formerly

zuweilen occasionally, at times

(sich) zuwenden, a, a (*also wk.*) to turn to *or* toward

zwar indeed, truly; certainly; of course, it is true, to be sure

der **Zweck, -e** purpose, goal

zweideutig ambiguous; die **Zweideutigkeit** ambiguity

der **Zweifel, -** doubt, uncertainty; **zweifeln** to doubt

zweimal twice

der **Zwiespalt, ⁼e** discord, schism; conflict

die **Zwietracht** discord, dissension

zwingen, a, u to force, compel

der **Zwischenfall, ⁼e** episode, incident

zwitschern to twitter, chirp

PICTURE CREDITS

KEY TO CREDITS:

BA	The Bettmann Archive, Inc., New York
ÖNBV	Bildarchiv der Österreichischen Nationalbibliothek, Vienna
GIC	German Information Center, New York
KA	Kunstarchiv Arntz, Haag/Oberbayern
MMA	Metropolitan Museum of Art, New York
NYPL	The New York Public Library
IN	Presse– und Informationsamt der deutschen Bundesregierung, durch Inter Nationes, Bonn
RC	Rosemarie Clausen, Hamburg
SNM	Schiller-Nationalmuseum Marbach
SBB	Staatsbibliothek Berlin Bildarchiv (Handke)

3   KA.

5   Historia-Photo Charlotte Fremke, Bad Sachsa; Deutsche Bücherei Leipzig.

6   The Museum of Modern Art, New York, Film Stills Archive.

8   NYPL, Prints Division.

10   ÖNBV.

13   Alfred Kröner Verlag, Stuttgart.

14   The Library of Congress, Washington, D.C.

15   NYPL, Music Division; The Metropolitan Opera Association, New York, Louis Mélançon, Photographer.

16   Bildarchiv Foto Marburg.

17   NYPL, Manuscript Division.

18   both NYPL, Manuscript Division.

19   NYPL, Manuscript Division.

20   NYPL, Manuscript Division.

21   Marburg–Art Reference Bureau, Ancram, N.Y.

22   ÖNBV.

23   BA; Bildarchiv Kultur & Geschichte G. E. Habermann.

25   Bildarchiv Kultur & Geschichte G. E. Habermann.

26   NYPL, Prints Division.

27   NYPL, Rare Books Division.

28   NYPL, Rare Books Division; SBB.

29   NYPL, Rare Books Division.

30   NYPL, Prints Division.

32   IN.

33   BA.

34   BA.

35   NYPL, Picture Collection.

36   NYPL, Picture Collection.

38   Winkler-Verlag München.

40   Winkler-Verlag München.

41   GIC.

42   Historia-Photo Charlotte Fremke, Bad Sachsa.

43   Universitätsbibliothek Tübingen.

44   IN.

45   Bayerische Staatsbibliothek München.

46   RC.

47   both Deutsche Staatsbibliothek Berlin (East Germany).

49   ÖNBV.

51   Bayerische Staatsgemälde-sammlungen, München.

52   Freies Deutsches Hochstift Frankfurter Goethe-Museum; BA.

53   NYPL, Prints Division; Metropolitan Opera Archives, New York.

55   Freies Deutsches Hochstift Frankfurter Goethe-Museum.

57   NYPL, Prints Division.

58   NYPL, Prints Division.

59   NYPL, Rare Books Division; NYPL, Prints Division.

63   NYPL, Prints Division.

64   Capricorn Gallery, New York.

258

68	Courtesy of the Theatre Collection, the NYPL at Lincoln Center, Astor, Lenox and Tilden Foundations.	104	Bibliothèque Nationale, Paris.
70	NYPL, Prints Division.	105	both BA.
71	KA.	108	RC.
72	Deutsche Staatsbibliothek Berlin (East Germany), Musikabteilung.	109	RC.
74	Deutsche Fotothek Dresden.	110	Max Reinhardt Archive, SUNY-Binghampton, N.Y.
76	ÖNBV.	111	Rudolf Betz, München.
77	ÖNBV.	114	Kunsthaus Zürich.
78	RC.	115	SBB.
80	Theatermuseum München. Clara Ziegler-Stiftung.	116	Zentralbibliothek Zürich; SBB.
81	SNM.	117	MMA.
82	ÖNBV.	121	BA.
85	SBB.	127	SNM.
86	MMA.	128	BA.
88	Max Reinhardt Archive, SUNY-Binghamton, N.Y.	129	SBB.
89	ÖNBV; MMA.	131	Bayerische Staatsgemälde-sammlungen, München.
91	Rudolf Betz, München	133	(1) BA; (2) BA; (3) IN.
93	(1) BA; (2) KA; (3) GIC; (4) Kunsthalle Hamburg, Ralph Kleinhempel, Photograph; (5) SNM.	134	Zentralbibliothek Zürich.
95	SNM.	135	Collection of the Museum of Modern Art, New York, Abby Aldrich Rockefeller Fund.
96	Kunsthalle Hamburg, Ralph Kleinhempel, Photograph.	138	GIC.
97	Bezirksheimatmuseum Bad Mergentheim.	140	Thomas-Mann-Archiv Zürich.
98	Culver Pictures, New York.	141	Thomas-Mann-Archiv Zürich.
99	Alfred Kröner Verlag, Stuttgart.	144	Wilhelm-Lehmbruck-Museum, Duisburg.
100	MMA.	146	GIC.
101	IN.	148	Reprinted by permission of Schocken Books Inc. Copyright © 1947 by Schocken Books Inc.
102	Theatermuseum München, Clara Ziegler-Stiftung.	149	Reprinted by permission of Schocken Books Inc. Copyright © 1947 by Schocken Books Inc.; Museum of Modern Art, New York, Film Stills Archive.
103	RC.		

Edward Diller, Associate Professor of German at the University of Oregon, received a B.A. from the University of California at Los Angeles, an M.A. from Los Angeles State College, and a D.M.L. from Middlebury College. In 1967–1968 Professor Diller was a Fulbright Visiting Professor first at the Technische Hochschule in Brunswick and then at the University of Regensburg, Germany. He has also taught at Colorado College and was coordinator of foreign languages for the Beverly Hills Unified School District. In addition, Professor Diller has served as state consultant and advisor to a number of conferences and teacher training programs in California, Colorado, and Oregon. Most recently he has served as Visiting Professor in Germany for the Carl Schurz TAP V program. His various articles on linguistics and literature have been published in the *Modern Language Quarterly, Symposium, German Life and Letters, Monatshefte,* and *The German Quarterly.* He has also contributed chapters to *Readings in Foreign Languages for the Elementary School* and *Teaching English as a Second Language.*

Roger A. Nicholls, Professor of German at the University of Oregon, earned his B.A. at Oxford University and his PH.D. at the University of California. During the 1967–1968 academic year he served as President of the Philological Association of the Pacific Coast. Professor Nicholls has had two books published: *Nietzsche in the Early Work of Thomas Mann* (Berkeley, Calif.: University of California Press, 1955) and *The Dramas of Christian Dietrich Grabbe* (Holland: Mouton & Co., 1969). He is also known for his scholarly articles on Kleist, Goethe, and Heinrich Mann. He taught at the University of Chicago from 1954 to 1961 and at Reed College from 1961 to 1963. Then he went to the University of Oregon where he is currently chairman of the Department of German and Russian.

James R. McWilliams, Assistant Professor of German at the University of Oregon, was graduated from the University of California at Berkeley with a B.A., an M.A., and PH.D. in German literature. In 1967–1968 he spent a sabbatical year in Germany and Switzerland, where he devoted himself to research on Thomas Mann. He has contributed articles on German literature to scholarly journals in both the United States and abroad, including *German Life and Letters, Revue des langues vivantes,* and the *College Language Association Journal.*